D1211318

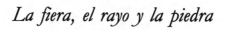

La fiera, el rayo y la piedra

Letras Hispánicas

Consejo editor:

Francisco Rico
Domingo Ynduráin
Gustavo Domínguez

Pedro Calderón de la Barca

La fiera, el rayo y la piedra

Edición de Aurora Egido

CÁTEDRA

LETRAS HISPÁNICAS

© Ediciones Cátedra, S. A., 1989
Josefa Valcárcel, 27. 28027-Madrid
Depósito legal: M. 6.749-1989
ISBN: 84-376-0812-0
Printed in Spain
Impreso en Lavel
Los Llanos, nave 6. Humanes (Madrid)

Índice

Introducción

Para mis hijos Sara y Daniel

Pedro Calderón de la Barca

CALDERÓN

Cuando Calderón escribía *La fiera, el rayo y la piedra* para una ocasión tan puntual como el cumpleaños de la reina Mariana de Austria, esposa de Felipe IV, en 1652 (o un año antes), ya había sorteado el medio siglo de vida y casi treinta años de actividad como poeta dramático desde su primera obra *Amor, honor y poder*[1]. Triunfante en la corte y en los corrales desde la década de 1630 a 1640, ostentaba el hábito de Caballero de Santiago desde 1636 y contaba ya con la publicación de dos

---

[1] Para la biografía de Calderón, son básicos los trabajos de C. Pérez Pastor, *Documentos para la biografía de Don Pedro Calderón de la Barca*, Madrid, R. A. E., 1905, y Emilio Cotarelo y Mori, *Ensayo sobre la vida y obras de Don Pedro Calderón de la Barca*, I, Madrid, Tipografía de la Revista de Archivos, 1924 (publicado anteriormente en el *BRAE*, IX, 1922, por el que citaremos); Narciso Alonso Cortés, «Algunos datos relativos a don Pedro Calderón», *RFE*, 2, 1915, págs. 41-51; E. Juliá Martínez, «Calderón de la Barca en Toledo», *RFE*, XXV, 1941, págs. 182-204; José Simón Díaz, *Historia del Colegio Imperial de Madrid*, 2 vols., Madrid, 1952-9. Véanse además Harry Lund, *Pedro Calderón de la Barca. A Biography*, Edimburg, Texas, 1953; Everett W. Hesse, *Calderón de la Barca*, Nueva York, Twayne, 1967; Ángel Valbuena Briones, «Revisión biográfica de Calderón de la Barca», *Arbor*, 94, 1976, págs. 17-31; K. y R. Reichenberger, «Datos sobre la vida y la obra de Calderón», *Bibliographisches Handbuch der Calderón-Forschung*, III, Kassel, Vlg. Thiele & Schwarz, 1981, págs. 710 y ss., y Ciriaco Morón Arroyo, *Calderón. Pensamiento y teatro*, Santander, Sociedad Menéndez Pelayo, 1982, págs. 9 y ss. Una clara visión de conjunto, en E. M. Wilson y Duncan Moir, *Siglo de Oro: Teatro*, Barcelona, Ariel, 1974, págs. 161 y ss. En la mayor parte de los estudios biográficos sobre Calderón se enfatiza la escasa información existente sobre su vida. Ya R. Ch. Trench, *An Essay on the Life and Genius of Calderón*, Nueva York, Kaskell House, 1970 (1.ª ed., 1886), pág. 32, se lamentaba de ello, comparando el caso con los de Shakespeare y Spenser: «If we would complete our image of the poet, it must be from the internal evidence of his writings.»

Partes de Comedias (1636 y 1637)[2]. Detrás quedaba su participación en la Guerra de Cataluña (1640-2) y su estancia en Alba de Tormes, al servicio del Duque (1646-8). La muerte de sus dos hermanos y otras circunstancias externas debieron impulsarle, a juicio de sus biógrafos, a entrar en la carrera eclesiástica, ordenándose de sacerdote en 1651. Así zanjaba su rebeldía frente a la vieja decisión paterna de que ocupara una capellanía heredada[3]. Los años oscuros para el teatro (1644-1650), llenos de cierres prolongados y obstáculos de todo tipo, habían terminado[4]. Tras la llegada de Mariana de Austria en 1649, se abría un nuevo y fructífero periodo para los corrales y las fiestas cortesanas.

Las efemérides reales dieron lugar al estreno en 1651, con motivo del cumpleaños de la reina, de *Darlo todo y no dar nada*, comedia de Calderón con loa de Antonio de Solís. Pero ésta, junto a otras comedias de esos años y *La fiera, el rayo y la piedra* han de contrastarse con otras obras de claro matiz político, como las que apelaban a los desdichados acontecimientos de

---

[2] Sobre las pruebas para el hábito de Santiago, C. Pérez Pastor, *op. cit.*, págs. 99 y 103-4. La constatación de ser «hixo dalgo así de parte de madre como de padre», junto a la genealogía de cristiano viejo, viene remachada por la supuesta dignificación de la ocupación honrada del padre, escribano de cámara. Allí se confirma que Calderón «sabe andar a caballo y que le tiene y con qué le sustentar». Ciriaco Morón Arroyo, *op. cit.*, pág. 13, señala la necesidad que tuvo el dramaturgo de una dispensa de Roma para lograr ese hábito.

[3] C. Pérez Pastor, *op. cit.*, pág. 184, recoge los «Autos para dar posesión de la capellanía a don Pedro Calderón de la Barca», en Madrid, del 6 al 9 de febrero de 1651. La toma de posesión de la misma tuvo lugar el 9 de febrero. El 2 de noviembre de 1650 ya consta que «ha terminado de ordenarse de orden sacerdotal», razón por la que se le adjudica la citada capellanía de San José fundada por su abuela en San Salvador.

[4] La muerte de la reina Isabel de Borbón en 1644 hizo que se suspendieran las representaciones en el mes de octubre. En 1646, ocurrió otro tanto por la muerte del príncipe Baltasar Carlos. Los autos sacramentales se permiten de modo restringido en 1646, así como la representación ocasional de una comedia en el Salón Dorado el 21 de diciembre de 1647. En otoño de 1648 y abril de 1649 la villa de Madrid ruega al rey la apertura de los corrales. En 1650, el carnaval hace resurgir las representaciones en el Coliseo del Buen Retiro. Cabe señalar también que para el estreno de *La fiera* ya habían muerto Tirso y Rojas Zorrilla en 1648, y Quiñones de Benavente en 1651.

la guerra de Cataluña que Calderón había vivido tan de cerca. Los estrenos en palacio de *Cada uno para sí* y *Basta callar,* festejando la entrega de Cataluña a don Juan de Austria, el 13 de octubre de 1652, y *Las armas de la hermosura,* de ese mismo año, también sobre el final de la revuelta de los catalanes, confirman sobradamente el papel de su autor como dramaturgo plenamente integrado en los asuntos de la corona. De 1652 son también los autos sacramentales *El año Santo en Madrid* y *No hay más fortuna que Dios.*

Calderón, en la encrucijada de decidirse por cantar o callar para el teatro, dada su condición de sacerdote, libra una batalla de la que hay algunos vestigios claros, como la epístola al Patriarca de las Indias en 1652, tras la cual decide compaginar su dedicación anual a los autos sacramentales de la villa de Madrid con la escritura de comedias para palacio. La carta representa una proclama de la dignidad del ejercicio de la escritura, sea sacra o profana («que el hacer versos era una gala del alma») y asienta la posibilidad de hacer compatible el sacerdocio con la poesía[5]. Los treinta años restantes de

---

[5] Calderón había obtenido una capellanía de la catedral de Toledo en 1651, pero le fue denegada por don Alonso Pérez de Guzmán, capellán mayor de los Reyes Nuevos y enemigo del teatro, por considerar éste que Calderón, como autor de comedias, era indigno de tal cargo. Véase E. M. Wilson, «Calderón y el Patriarca, *Studia Iberica. Festschrift für Hans Flasche,* Berna, 1973, págs. 697-703. La epístola fue publicada por Hartzenbusch y luego por Cotarelo *(BRAE,* IX, 1922, págs. 617-9) y recala en la paradoja de que el Patriarca, que le negaba la capellanía por escribir comedias, le pidiera que escribiese los autos del Corpus de 1652. La diatriba entre callar y cantar se cristalizó en el curioso poema calderoniano *Psalle et Sile* y en toda la vida y obra de su autor. «El silencio de Calderón es casi siempre un atributo de su modestia», según E. M. Wilson, «Un memorial perdido de don Pedro Calderón de la Barca», *Homenaje a William L. Fichter,* ed. de A. D. Kossoff y José Amor y Vázquez, Madrid, Castalia, 1971, págs. 801-817, a propósito de su intervención en la guerra de Cataluña. Véase E. M. Wilson, «A Key to Calderón *Psalle et Sile», Spanish and English Literature of the 16th and 17th Century,* Cambridge University Press, 1980, págs. 105-115; Aurora Egido, «La poética del silencio en el Siglo de Oro. Su pervivencia», BHi, LXXXVIII, 1986, págs. 93-120; *«La vida es sueño* y los idiomas del silencio», *Homenaje al profesor Antonio Vilanova,* Universidad Central de Barcelona, en prensa; «El maravilloso y sosegado silencio de *La Galatea»; Anthropos,* en prensa; «Los silencios del *Persiles», Homenaje a Andrés Murillo,* en prensa; *«El Criticón* y la retórica del silencio», *Coloquio sobre Baltasar Gracián* (Universidad Libre de Berlín, 1987), en prensa, y la nota al verso 3108, *infra.* En la edición de la

la vida del dramaturgo vendrían mediatizados por esta doble dedicación y una notoriedad creciente alcanzada con el aplauso de los teatros y la publicación del resto de las cinco *Partes* de sus comedias.

A pesar de los datos externos conservados, Calderón, como Cervantes, es un autor del que apenas sabemos nada. Su silencio se convierte en paradigma y sus obras en motivo para establecer engarces más o menos afortunados con su biografía, como es el caso de quienes abundan en el conflicto con el padre o se paran, desde una perspectiva psicohistórica, a plantear el complejo de culpa por no obedecer durante muchos años a la autoridad paterna y materna en la decisión de que fuese sacerdote[6]. Los acontecimientos personales que jalonan su vida durante los años previos a la escritura de la comedia que nos ocupa apenas dibujan un contorno difuso. De 1652 se conservan los *Acuerdos de la Venerable Orden Tercera de Madrid* que, teniendo a Calderón como cronista, le encarga escriba la vida y costumbres de la hermandad franciscana, asunto que conllevó algunos malentendidos y que debió ocuparle algún tiempo antes y después de escribir *La fiera, el rayo y la piedra*[7]. Presumimos que para entonces gozaría ya de buena

---

Tercera parte de comedias de Calderón hecha por Vera Tasis (Madrid, 1689), Tomás de Oña hace en la Aprobación una alusión explícita a ello. Refiriéndose a la poesía y a las comedias, dice: «Es Arte finalmente, que mide tanto las palabras, como las sentencias, oración elegante, compuesta con número, y medida, regla del silencio, grillo de la lengua, valle del entendimiento, centro de la sabiduría, y don particular de Dios.» Dicha aprobación lleva fecha de 1664, fecha de la primera edición de *La fiera,* como se vera.

[6] A. A. Parker, «The father -son conflic in the drama of Calderón», *Forum for Modern Language Studies,* II, 1966, págs. 288-299. Manuel Durán, en «Towards a Psychological Profile of Pedro Calderón de la Barca», *Approaches to the Theater of Calderón,* ed. por M. D. McGaha, Washington, University Press of America, 1981, págs. 33-52, valora los silencios y omisiones calderonianas como algo ilustrativo del carácter de este dramaturgo, tan alejado de mezclas autobiográficas y proclamas, a diferencia de Lope. Realza sus vivencias en los jesuitas de Alcalá, y luego de los de Salamanca, como parte de una vida marcada por la jerarquía y el autoritarismo. De ahí deduce, en parte, el conflicto entre sociedad e individuo y el enfrentamiento entre pasión y orden que se da en su obra.

[7] C. Pérez Pastor, *op. cit.,* págs. 192-3 y 196. Calderón, que había ingresado en 1650 en la Orden Tercera de San Francisco, parece ocupado en otros asuntos. La Orden le ruega, el 14 de julio de 1652, devuelva la documenta-

parte de los libros y objetos artísticos, particularmente pinturas y esculturas religiosas, además de un largo menaje de plata y oro, que se desprende del inventario que se hizo de sus bienes a su muerte, el 9 de agosto de 1681[8]. Vivió Calderón desde el 9 de febrero de 1651 hasta el final de sus días en la calle de Platerías (aunque hubo un paréntesis toledano entre 1653 y 1662), tan cercana, como veremos, a la topografía madrileña implícita en *La fiera*.

Con esta obra se consolida la trayectoria iniciada años atrás por el Conde-Duque de Olivares para distraer al rey de sus obligaciones y teatralizar la corte. Los «pecados» de hombre libre que a Calderón se le suponen no parecen materia sólida sobre la que fundamentar los conflictos dramáticos de *La fiera* —ni siquiera en materia de anagnórisis—, comedia que representa un eslabón importante en la etapa del drama concebido como espectáculo total en el que se integran todas las artes[9]. Calderón, que había asistido en Madrid a los festejos

---

ción que obraba en su poder para que sea Gabriel Bocángel quien haga la crónica de los franciscanos. Calderón negó haber cesado en el empeño de cronista y pidió más tiempo para acabar el trabajo. Solicitó además se le asignasen dos o más personas para que le ayudaran a leer libros. Ignoramos si este procedimiento de taller formó parte de sus costumbres previas a la escritura de sus obras dramáticas. En mayo y junio de 1653 aún seguía en el empeño. Por fin, el 8 de julio de ese año, será Francisco de Rojas quien continúe la tarea de tal crónica. De 1652-3 se conservan algunos datos económicos relativos a los autos sacramentales de esos años y a la parte que Calderón cobró. Véanse también la carta de pago, capitulaciones del matrimonio y partida de desposorios de su sobrino José Calderón, en *ibíd.*, páginas 197-8. En 1653 se le nombró capellán de los Reyes Nuevos de Toledo (Cfr. K. Y R. Reichenberger, *op. cit.*, pág. 726).

[8] C. Pérez Pastor, *op. cit.*, págs. 410 y ss. La tasación de las pinturas fue hecha por Claudio Coello y la de las esculturas por el escultor Juan Yagüe. Choca el predominio casi absoluto de imaginería religiosa, junto a colgaduras, platos, jarras y azafates. La Virgen, el Niño Jesús, La Pasión y San Francisco, San Antonio, Santa Teresa y San Pedro de Alcántara componían las imágenes que le rodearon hasta su muerte.

[9] El hijo natural de Calderón, Pedro José, no fue reconocido por él hasta después de ser sacerdote. Vivió con el sobrino del dramaturgo, José Calderón, según Pérez Pastor, *op. cit.*, documentos 130, 132-3. E. Cotarelo, «Ensayo...», págs. 613-4, señala la paradoja del ocultamiento de la paternidad mientras Calderón era célibe y el hecho de que el reconocimiento tuviera lugar ya ordenado sacerdote, en 1655. Téngase en cuenta que el hijo estuvo a

con motivo de la llegada de la reina Mariana en 1649, se incorporó a la larga historia escénica que su presencia generara con variada producción teatral palaciega[10]. Para el logro de todas esas obras de materia básicamente mitológica, surgidas a impulsos de la poética de lo admirable y maravilloso, Calderón se acogió a una estética culterana, de signo propio, al servicio de asuntos y argumentos alejados de la hora histórica que rezaba la desintegración del imperio o el declive económico de España. Con ella ilustraba las glorias monárquicas desde el ropaje mítico y el fasto elocutivo y escenográfico. Cuanto esas obras implicaban de servicio político y de exaltación de la realeza se prolongó en buena parte del siglo XVIII con numerosos reestrenos y refundiciones, hasta llegar a un significativo olvido y menosprecio, particularmente aplicado a las llamadas comedias mitológicas, censuradas por la poética neoclásica[11]. La reciente revalorización de estas obras, apuntada por nuevas ediciones críticas, devuelve a los lectores una parcela fundamental de Calderón y de la historia del teatro en España silenciada y desestimada durante siglos[12].

---

cargo, como decimos, de José Calderón, del que consta murió loco furioso en 1658, enfermedad que arrastraba «desde hace un año o más» (Pérez Pastor, doc. 141). Bien pudo ocurrir que a la vista de la situación de su sobrino, Calderón decidiese ser él mismo «padre y lexítimo administrador» de su hijo (*Ibíd.,* doc. 133).

[10] Queda desmentida, sin embargo, la opinión transmitida por Vera Tassis sobre la contribución de Calderón en los festejos de 1649, según demostraron J. E. Varey y A. M. Salazar, «Calderón and the Royal Entry of 1649», HR, XXXIV, 1966, págs. 1-26. Él fue testigo de tales festejos y dio cuenta de ellos en la comedia *Guárdate del agua mansa,* describiendo los cuatro arcos triunfales del evento. Fue Juan Alonso Calderón, y no don Pedro, el que hizo la *Noticia del recibimiento...* (s. l., 1650).

[11] Véase la reciente revalorización de la comedia mitológica en el contexto de la monarquía austriaca a la que sirve Calderón, como hiciera Velázquez, desde su primera obra *Amor, honor y poder,* hecha por Robert Ter Host, «A New Literary History of Don Pedro Calderón», *Approaches to the Theater of Calderón,* ed. por McGaha, págs. 33-52. Servicio que no implicó asentimiento absoluto, ya que Calderón filtra a veces sus críticas por debajo de la aparente ortodoxia.

[12] Para la revisión historiográfica de la comedia mitológica, véase la introducción de Margaret Rich Greer a su edición de Pedro Calderón de la Barca, *La Estatua de Prometeo,* Kassel E. Reichenberger, 1986, págs. 97-104.

Mariana de Austria

La mitología y el aparato escénico explican, a su modo, una cara de la sociedad española de su tiempo y particularmente de la monarquía austriaca, revestida de una cosmogonía renovada que transmitía los límites del poder bajo la letra y la pintura, la música y la escenografía con que se ofrecía la fábula clásica de los dioses paganos. Calderón, que dos o tres años antes de ordenarse sacerdote alimentaba ambiciones cortesanas, debió de encontrar en su larga trayectoria como comediógrafo de palacio una equilibrada respuesta a las mismas, compaginada con esa vertiente religiosa nunca perdida de los autos sacramentales[13].

La llegada de Mariana de Austria favoreció, como indicamos, un cambio en la trayectoria calderoniana y la definitiva entrega a esa doble función, sacra y profana, que marcaría su teatro hasta su muerte, el 25 de mayo de 1681[14]. *La fiera, el rayo y la piedra,* estrenada en mayo de 1652, va presidida por las marcas de lo circunstancial y efímero, y aunque es obra de trabada elaboración, pudo ser escrita ese mismo año; tal vez cuando Calderón terminase de trabajar en los autos correspondientes para la fiesta del Corpus, y en alternancia con las comedias citadas de ese año. Es probable, sin embargo, que la obra fuese escrita antes, en 1651, ya que los años de la reina Mariana de Austria se cumplían en el mes de diciembre y parece lógico pensar que no se anticipara a ellos, sino que, como era corriente, la comedia que se iba a representar ese cumpleaños se retrasase, por razones que ignoramos, a la primavera de 1652[15]. La ocasión no impidió, sin embargo, posteriores representaciones, como luego veremos.

Además, M. Durán y R. González Echevarría, *Calderón y la crítica: Historia y Antología,* Madrid, Gredos, 1976, I, págs. 13-123.

[13] E. M. Wilson, «Un memorial perdido...», pág. 817. En dicho documento, anterior al 20 de julio de 1948, escrito a la vuelta de Cataluña y para hacer frente a su difícil situación económica, Calderón pedía al rey se le concediera una llave de Ayuda de Cámara.

[14] E. M. y Ducan Moir, *op. cit.,* pág. 164, señalan esa doble vertiente que sólo quedó frenada por los periodos de prohibición de los teatros. Calderón siguió teniendo el favor real de Felipe IV y Mariana y, más tarde, de Carlos II y Juan José de Austria. Su última comedia celebraba la llegada de María Luisa, la esposa de Carlos II. Su última obra inacabada fue un auto, *El cordero de Isaías.*

[15] Sobre ello, véanse mis artículos en prensa «La puesta en escena de *La*

La fiera, el rayo y la piedra es un claro ejemplo de aclimatación de la escenografía italiana, con un escenario tridimensional en perspectiva, ya afincado en España desde su introducción por Cosme Lotti[16]. La necesidad de mirar a Italia para buscar precedentes de las invenciones escénicas es evidente, ya que la maquinaria repite efectos y produce cuadros escénicos con pasmosa similitud, como el de la «Fucina di Vulcano» que Giulio Parisi, el maestro de Lotti, diseñara en Florencia, en 1608, para una comedia y que viene inmediatamente a la memoria a propósito de la fragua de Vulcano en *La fiera* calderoniana[17]. Otros ejemplos claros son el de la maquinaria para hacer marinas[18] o la utilización de carros

---

fiera, el rayo y la piedra de Calderón según la edición de 1664», en *La escenografía del teatro barroco*, ed. de Aurora Egido, Madrid, Alhambra, y «Dos variantes escenográficas de *La fiera, el rayo y la piedra* de Calderón de la Barca (Según la versión de Vera Tassis, 1687, y la valenciana de 1690)», en el volumen misceláneo *Sobre lírica y teatro (cuatro investigaciones de literatura española)*, que publicará el Centro Asociado de la Universidad de Educación a Distancia de Málaga. Ambos trabajos son complementarios de la presente edición. Para la fecha de representación, véase A. de León Pinelo, *Anales de Madrid (desde el año 447 al 1658)*, ed. de Pedro Fernández Martín, Madrid, Instituto de Estudios Madrileños, 1971, pág. 348.

[16] Compárense los útiles escenográficos de *La fiera* con los empleados en Italia a principio de siglo (perspectiva, nubes, montes, grutas tenebrosas, carros, luces, música...), en Geneviève Barboniyans, «Teatro a Mantova all'inizio del seicento. Le feste di 1608 descritte dal Folino...», *La scenografía barocca*, a cura di Antoine Schnapper, Bologna, Clueb, 1982. págs. 35-41.

[17] Arthur Blumental, «Giulio Parigi and Baroque Stage Desing», *La scenografía barocca*, págs. 19-34. Lotti vino a España por recomendación de Parigi y trajo aquí diseños de su maestro. Su «Fucina» apareció en el *intermezzo* de *Il Giudizio di Paridi* (Florencia, 1608). Y *vide, ibíd.*, figg. 21 y ss., para grutas, infiernos, carros, etc. Él fue quien puso de moda el ritmo secuencial y la escena asimétrica. También puso en escena *La fiera* de Michelangelo Bounarotti en el Teatro Mediceo de los Uffizi.

[18] Véase el artículo de Jean Rousset, «L'Eau et les Tritons dans les Fétes et Ballets de Cour (1580-1640)», en Jean Jacquot, *Les Fétes de la Renaissance*, París, CNRS, I, 1973, pág. 236, donde señala los distintos métodos empleados en el teatro francés e italiano de los diseños de Sabbatini para fabricar olas, hacer que el mar se agite, que aparezcan barcos y delfines o monstruos

triunfales, como el que aparece en la Jornada III de la obra que nos ocupa, aunque éstos contaran con una ya afincada tradición en el teatro peninsular, lo mismo que el uso del tercer nivel del escenario y sus apariencias celestes.

El carro de la estatua de Pigmaleón introduce en la escena de *La fiera* la tradición de los *trionfi*, tan usual en las artes plásticas y en los festejos públicos y cortesanos del siglo XVII[19]. Las ediciones de los *Triunfos* de Petrarca, obra de clara inspiración pictórica, favorecieron su difusión, particularmente cuando iban acompañadas con ricos grabados que plasmaban visualmente el carácter alegórico y cosmovisional de la obra[20]. Calderón recoge así una costumbre muy popula-

---

marinos. Aventura para los tritones una posible fuente en la *Hypnerotamachia Poliphili*, con referencias a la pintura y a la literatura españolas. J. E. Varey, *Historia de los títeres en España (desde sus orígenes hasta mediados del siglo XVIII),* Madrid, Revista de Occidente, 1957, reproduce en lámina 7 el artilugio de Sabbatini para las marinas. De éste es fundamental para la escenografía española su *Prattica di fabricar scene e machine ne teatri,* Pesaro, 1637 y Ravenna, 1638. Hay edición moderna del mismo a cargo de Carlo Bestetti, Roma, 1955.

[19] Véase, por ejemplo, la descripción de carros triunfales en los festejos con bailes, máscaras, torneos y demás invenciones (adornos, perfumes y vestimentas aparte) que, junto a la luminotécnica, hubo en las *Fiestas reales en Madrid, 1637,* descritas por Ana Caro de Mallén, en edición de Antonio Pérez Gómez, Valencia, Talleres de Tipografía Moderna, 1951. Los ejemplos podrían multiplicarse en los centenares de relaciones de festejos barrocos. Por el lado cortesano, podemos recordar los carros descritos en la primavera de 1622 en las fiestas de Aranjuez que propiciaron *La gloria de Niquea.* Véase E. Cotarelo y Mori, *El Conde de Villamediana. Estudio biográfico-crítico,* Madrid, 1886, cap. VII. Véase también Virginia Tovar Martín, «Arquitectura escénica del Madrid Calderoniano», *Calderón, Actas del Congreso Internacional sobre Calderón y el teatro español,* ed. de Luciano García Lorenzo, Madrid, CSIC, 1983, III, págs. 1701-1714 (lo citaré en adelante por *Calderón. Actas*) para la huella herreriana en la construcción de los carros madrileños, José María Díez Borque, «Relaciones de teatro y fiesta en el barroco español», *Teatro y fiesta en el Barroco. España e Iberoamérica,* estudios dirigidos por él mismo, Madrid, 1986, págs. 36-38, e *infra.* Para otras consideraciones de la fiesta, véase mi bibliografía dedicada al tema en «Literatura efímera: oralidad y escritura en los certámenes y academias de los Siglos de Oro», *Edad de Oro VII,* Madrid, Universidad Autónoma, 1988, págs. 69-87 y la recogida en *Ib.,* págs. 189-207.

[20] Véase al respecto la introducción de Jacobo Cortina y Manuel Contreras a la edición de Francesco Petrarca, *Triunfos,* Madrid, Editora Nacional, 1983, págs. 16 y ss.; y págs. 24 y 30, para su éxito en España. La influencia

rizada en España y traslada al escenario, una vez más, esquemas procesionales de la fiesta[21]. El Coliseo del Buen Retiro, plagado de esculturas, como la propia casa de Calderón, ofrecía un parangón artístico con *La fiera,* cuya estatua parlante remite a efectos escénicos frecuentes en la dramaturgia de este autor[22].

También gozaba de rica tradición escénica la *boscarecha,* como la llamaba Jáuregui, con esos tonos de rusticidad elegante en la que se funden corte y aldea sobre la perspectiva de los *telari,* siguiendo el arquetipo del escenario satírico serliano[23]. Los espacios ajardinados del teatro se asemejaban, a su vez, a los que ofrecían los exteriores del palacio real, como

del *Poliphilo* debe ser tenida en cuenta, ya que fue conocido en España (cfr. mi introducción a Pedro Soto de Rojas, *Paraíso cerrado para muchos, jardines abiertos para pocos...,* Madrid, Cátedra, 1981, págs. 27-30).

[21] R. Kernodle, «Déroulement de la procession dans les temps ou espace théâtral dans les fêtes de la Renaissance», en Jean Jacquot, *Les Fêtes de la Renaissance I,* págs. 443-462. Véase además la descripción de carros mitológicos y alegóricos en el epitalamio de Bianca Cappello, descritos por Leo Schrade, «Les Fêtes du Mariage de Francesco dei Medici et de Bianca Cappello», *ibíd.,* págs. 107 y ss. Además, para el uso de carros en la corte francesa, Jérômé de la Gorce, «Un aspect du merveilleux dans l'opera français sous le regne de Luis XIV: les chars marins», en *La scenografia barocca,* págs. 65-72. Otros carros, en *ibíd.,* figg. 47 a 53 y 61, y Agne Beijer, «Une maquette de décor récement retrouveé por le Ballet de la prosperité des armes de France dansé a Paris, le 7 fevrier 1641», en J. Jacquot, *Le lieu théâtral a la Renaissance,* 2 vols., París, CNRS, 1964, págs. 377-406, fig. 1. El uso de carros procesionales en la época de Felipe IV era habitual y también lo fue en la entrada de la reina Mariana de Austria en 1649.

[22] Cfr. Jonathan Brown y J. H. Elliott, *Un palacio para el rey. El Buen Retiro y la Corte de Felipe IV,* Madrid, Alianza Forma-Revista de Occidente, 1985, págs. 14 y ss. Para Calderón, C. Pérez Pastor, *op. cit.,* págs. 410 y ss., y *vide infra,* nota 36.

[23] Marzia Pieri, *La scena boschereccia nel Rinascimento italiano,* Padova, Liviana, ed., 1983, págs. 181 y ss. Abundan los escenarios en perspectiva con selvas, montes, valles, como los de *La fiera,* ya desde finales del XVI, con uso de carros alegóricos, salvajes, trucos pirotécnicos, simulación de eventos naturales, etc. Auténtico triunfo de la metamorfosis escenográfica. Véanse los grabados de págs. 232 y ss. Además Nancy Dersofi, *Arcadia and the Stage,* Madrid, José Porrúa, 1978. Para la tradición literaria de la *boscarecha* en España, mi artículo en prensa «La Silva en la poesía andaluza del Barroco (con un excurso sobre Estacio y las *obrecillas* de Fray Luis)», *Actas del Congreso Internacional. El Barroco Andaluz y su proyección en Hispanoamérica* (Córdoba, 1986).

muestra el cuadro anónimo *Jardines del Buen Retiro* en el siglo XVII que combina bosque y jardín a la italiana, con sus fuentes, y un fondo arquitectónico, al igual que los bastidores alineados que dibujaron los ámbitos de *La fiera*[24]. El escenario del jardín, como lugar paradisiaco y armónico, propicio para los cantos amorosos, la música y al halago de los sentidos, ofrecía la síntesis de la naturaleza dominada por el arte y el reclamo de las correspondencias neoplatónicas[25]. Los salones palaciegos y la reproducción de los escenarios trágico y cómico, diseñados por Baccio del Bianco, son otros puntos de referencia inexcusable a la hora de analizar la obra dramática de Calderón.

Pero éstos y otros precedentes italianos de la escenografía española en general, y de la obra que analizamos en particular, nada serían sin la invención del escenario en perspectiva que cambió totalmente la concepción del espacio teatral. La conquista de la profundidad fue uno de los grandes avances del teatro a partir del Renacimiento[26]. La perspectiva en *trompe-l'oeil* permitía nuevas posibilidades de representación. La técnica empleada en la pintura italiana de la segunda mitad del XVII se aplicó al teatro, utilizando un suelo inclinado y decorados laterales que estrechaban sus dimensiones conforme se acercaban a la tela de fondo, lo mismo que las bambalinas de la techumbre. Con la perspectiva se ofrecen relaciones entre el hombre y el cosmos, creándose una nueva

---

[24] El cuadro, de escuela española, se encuentra en el Museo Arqueológico de Burgos. Ha sido reproducido muchas veces. Véase en *Teatro y fiesta en el Barroco*, ed. por J. M. Díez Borque, pág. 27.

[25] Sobre la teoría y la práctica del jardín en el Renacimiento y en el Barroco, véase mi citada introducción al *Paraíso cerrado*, así como el artículo posterior de José Lara Garrido, «Texto y espacio escénico (el motivo del jardín en el teatro de Calderón», *Calderón. Actas*, vol. II, págs. 939-954. Véase la nota al v. 2103, *infra*.

[26] Robert Klein y Henry Zeruer, «Vitruve et le théâtre de la Renaissance italienne», en *Jean Jacquot, Le lieu théâtral*, págs. 49-60. Serlio fue el gran vulgarizador de la perspectiva, junto con Battista de Sangallo. Ambos aplicaron las teorías del *De Architectura* de Vitruvio. Véase además el artículo de Jean Jacquot, «Les types de lieu théâtral et leurs transformations», *ibíd.,* páginas 476 y ss., y Albert Flocon y René Taton, *La perspectiva,* Madrid, Tecnos, 1966, págs. 3 y ss., 37, 61 y 73 y ss.

visión del mundo teatral[27]. Si la base de toda escenografía es la arquitectura y Vitruvio fue quien marcó los tres tipos de escena, luego codificados por Serlio, la pintura se integró a los efectos visuales de la perspectiva para crear una apariencia tridimensional a partir del Renacimiento: «Comenzaba así —dice Navascués— la aventura del ilusionismo óptico, del trampantojo, cuyo realismo en perspectiva haría del escenario un cuadro vivo»[28]. La embocadura proporcionaría una evidente composición en marco, ampliada por los efectos del telón de boca y actuando como un diafragma a través del que se contempla la obra. El arco del proscenio podía ser roto y desbordarse, sin embargo, en muchas obras, entre ellas *La fiera, el rayo y la piedra*. La ruptura del marco y el telón es una evidencia que no puede ser olvidada y que obliga a una nueva visión del drama cortesano, muy distinta, por otra parte, a la de los corrales, donde los escenarios se proyectaban sin más límites sobre el espacio ocupado por los espectadores que lo rodeaban a lo ancho y a lo alto. El Coliseo del Buen Retiro permitía la incorporación de todas estas invenciones, ya que tenía espacio suficiente para ellas, así como para el uso de palenques, aracelis, montes y cuevas, bofetones, escotillones y efectos de luz y sonido.

El asunto desborda la estética para plantear además una dimensión política, ya que el punto ideal de la perspectiva coincidía con el que se buscó para colocar el sitial desde el

---

27 E. Panofsky, *La prospettiva come forma simbolica*, Milán, 1966 y la amplia bibliografía recogida por Elena Porodelo, «Spazio scenico, prospettiva e azione drammatica nel teatro barocco italiano», en *La scenografia barocca*, páginas 5-17. Téngase en cuenta que al sentido de profundidad contribuían no sólo los bastidores tridimensionales y la pintura en perspectiva del fondo escénico, sino los bastidores inmediatos a éste que se colocaban en ángulo, según los diseños de Sebastiano Serlio en *Tutte l'Opere d'Architettura*, Venecia, 1599. Esta obra es fundamental, así como la ya mencionada de Nicola Sabbatini, para estudiar la maquinaria implícita en las mutaciones escénicas y demás efectos de *La fiera, el rayo y la piedra*.

28 Pedro Navascués Palacio, «Las máquinas teatrales: Arquitectura y escenografía», *Arquitectura en España*, Madrid, Exposición de la Dirección General de Arquitectura y Vivienda, 1984, págs. 53-64. Para la influencia de Vitruvio y de Serlio y otros en España, véase el monográfico *Vitrubio. Fragmentos. Revista de Arte,* 8 y 9, 1986, con amplia bibliografía.

que el rey contemplaba las obras en el Coliseo, gozando el privilegio del mejor punto de mira[29]. Italia fue, una vez más, el modelo de la organización espacial del teatro; y el de Florencia contaba con precedentes de este sentido jerárquico del uso perspectivístico[30].

BACCIO DEL BIANCO Y EL COLISEO DEL BUEN RETIRO

El escenógrafo florentino Baccio del Bianco (1604-1657) llegó a España en 1651 enviado por el Gran Duque de Toscana, Fernando II de Medici, y permaneció en ella seis años, hasta su muerte en 1657[31]. Maestro en el diseño de trajes e inventor de máquinas, de autómatas y perspectivas escénicas, gozó de gran estimación en la corte de Felipe IV, quien lo llamó, atraído por la fama de sus trabajos de arquitectura. Parte de sus diseños pueden contemplarse en los

---

[29] María Alicia Amadei-Pulice, «Realidad y apariencia: valor político de la perspectiva escénica en el teatro cortesano», *Calderón. Actas... 1981*, III, págs. 1519-1532, señala la influencia de la escena única, diseñada perspectivísticamente por Guidobaldo del Monte, *Perspectivas, libri sex* (Pesaro, 1600) e imitada posteriormente en las cortes italianas. Con ella «el ojo del observador, por primera vez en la historia del diseño teatral coincide con el punto de vista escénico, con el horizonte del foro». Antonio Palomino, en *El Museo pictórico y escala óptica* (1723), Buenos Aires, Poseidón, 1944, II, alude precisamente a la «perspectiva real» que no era otra que la que ocupara Felipe IV en el Coliseo. No hay que olvidar que la misma corte del rey se movía dentro de unos espacios teatralizados en los que el monarca actuaba como actor principal, con acotaciones marcadas y decorados impuestos por la idea política y artística del Conde-Duque de Olivares en la década de los 30 y posteriormente. (Cfr. J. Brown y J. H. Eliott, *Un palacio*, pág. 33, y mi artículo citado en nota 15 «La puesta en escena de *La fiera...*».)

[30] De Italia se trasladan los presupuestos propagandísticos del teatro florentino, con un eje central perspectivístico disfrutado por el rey; punto de vista autocrático, el único real dentro de esa organización jerárquica, según Maria Alicia Amadei-Pulice, «Realidad y apariencia...», *Calderón. Actas III*, pág. 1531.

[31] Véase N. D. Shergold, *A History of the Spanish Stage from Medieval Times till the End of the Seventeenth Century*, Oxford, At the Clarendon Press, 1967, página 305, donde se refiere a la creación de autómatas por parte de Del Bianco para una representación de la Pasión de 1656. Para los documentos sobre este escenógrafo italiano, Mercedes Agulló, *Más noticias sobre pintores madrileños de los siglos XVI al XVIII*, Madrid, 1981, págs. 28-9.

grabados conservados de su trabajo en Italia. Particularmente interesante, por lo que afecta a España, es el manuscrito con once dibujos que ilustran la comedia de Calderón *Andrómeda y Perseo*. La obra se representó de mayo a junio de 1653 en Madrid. La reina Mariana de Austria, no conforme con el éxito de las casi treinta representaciones de la obra, le mandó dibujar algunas escenas para enviarlas con el texto y las partituras musicales de la comedia a su padre, el emperador de Austria, Fernando III[32]. *Andrómeda* fue la segunda representación llevada a cabo por Baccio, tras el estreno de *La fiera* en el Coliseo del Buen Retiro, superando a ésta en el aplauso del público. Ambas significaron la vuelta a la normalidad del teatro cortesano, tras un periodo de varios años de inactividad después de la muerte de la reina Isabel en 1644.

El escenario del Coliseo del Buen Retiro gozaba de la amplitud necesaria para acoger bastidores en perspectiva tridimensional y maquinaria suficiente para todo tipo de mutaciones rápidas y efectos escénicos, como el del vuelo de los actores, común en *Andrómeda* y *La fiera*[33]. Este teatro se había inaugurado para el público en 1640 y representaba un gran

---

[32] Véase el trabajo fundamental de Phyllis Dearborn Massar, «Scenes for a Calderón Play by Baccio del Bianco», *Master Drawings,* 15, 4, 1977, páginas 365-375. El autor señala las diferencias entre el manuscrito Typ 258 H de la Biblioteca Houghton de la Universidad de Harvard que contiene *Andrómeda y Perseo* y la edición de Vera Tassis de 1687, con variantes sustanciales, particularmente por lo que a las acotaciones se refiere, mucho más explícitas en el manuscrito y alusivas a los dibujos de Baccio que ilustran el texto. Además el manuscrito lleva añadidas la música y la letra de las canciones. Algunos de estos dibujos han sido reproducidos en *Un palacio para el rey,* págs. 219-223. También los ha analizado John E. Varey, «Scenes, Machines, and the Theatrical Experience in Seventeenth Century Spain», *La scenografia barocca,* a cura di Antoine Schanpper, págs. 51-64, quien ofrece una síntesis del material iconográfico conservado de la escenografía barroca española, tan parca en muestras gráficas, si la comparamos con la de otros países.

[33] N. D. Shergold, *A History...,* págs. XXV-VI, sitúa los avances escenográficos del Coliseo en la tradición clásica y en su resurrección renacentista italiana, a partir de los fundamentos del *De Architectura* de Vitruvio, posteriormente completados por Leon Battista Alberti y Sebastiano Serlio. El modelo para la construcción de máquinas y efectos teatrales fue el ya mencionado de Niccolà Sabbatini, *Pratica di fabricar scene e machine ne'teatri.* Fue Cosme Lotti quien en 1626 introdujo en la corte española la técnica de la

avance arquitectónico respecto a los corrales existentes en Madrid, aunque como ellos mantuviese la cazuela y abriese sus puertas al vulgo en numerosas ocasiones, según refrenda el testimonio del estreno de *La fiera, el rayo y la piedra*[34]. Los dibujos de Baccio del Bianco en el manuscrito de *Andrómeda y Perseo* ofrecen algunas posibles analogías con la puesta en escena previa de *La fiera*. Es muy posible, por ejemplo, que el florentino diseñase especialmente un dibujo para el proscenio, como era usual, y que la loa tuviese lugar con el telón de boca como fondo, decorado éste especialmente para la representación, con dibujos emblemáticos que hiciesen referencia a las personas reales y al sentido de la obra (cosa que se hizo, desde luego, en la posterior representación valenciana de *La fiera* en 1690). La loa de *Andrómeda* muestra, además de los artificios del «inventor» florentino, la obsesión calderoniana por la fusión de la pintura, la poesía y la música, que también se integraron en la comedia que nos ocupa. El uso de antorchas, la fusión del teatro en el teatro, los cantos alternantes de coros y solos, son otros testimonios de posibles analogías entre las dos obras. En *Andrómeda* también utilizó un escenario rústico, con montañas y colinas, y otro en diseño de bosque, además de los jardines, las costas rocosas y la gruta de Morfeo, en paralelo con la de las Parcas en *La fiera*. Ambas comedias ofrecen un Cupido volador con arco y flechas. En *Andrómeda y Perseo* hay una Dánae armada, con sus cuatro damas, en simetría con el precedente de Anajarte y su cortejo en *La fiera*. La sensación escénica de larga distancia que Baccio dio en la *Andrómeda* bien pudo darse en la comedia

---

escenografía italiana. Para más detalles sobre ésta, véase el útil estudio de David Brubaker, *Court and Commedia. Medieval and Renaissance Theatre,* Nueva York, Tichards Rosen Press Inc., 1975, págs. 17 y ss., y Allardyce Nicoll, *The Development of the Theatre,* Nueva York, Harcourt, Brace & World Inc., 1957. Una síntesis de la escenografía italiana y su proyección española, en Othón Arróniz, *Teatros y escenarios del Siglo de Oro,* Madrid, Gredos, 1977, cap. III.

[34] N. D. Shergold, *op. cit.,* págs. 298 y ss. Véanse al final las láminas 3, 29 y 30 que reproducen la disposición del Coliseo del Buen Retiro y su situación dentro de las dependencias palaciegas. Sobre *La fiera,* págs. 305 y ss. Para más información sobre El Coliseo del Buen Retiro, Yves Bottineau, *L'art de cour dans l'Espagne de Philippe V (1700-1746),* Burdeos, 1960, págs. 259 y ss.

anterior, ya que así parece pedirlo el argumento. El uso de un fondo plano pintado en perspectiva, al final de los *telari* colocados a ambos lados, así como la entrada de un carro triunfal (aunque en *Andrómeda* es aéreo) son otros tantos aspectos comunes. *La fiera* no conllevó la salida del popular resorte del autómata, pero se sirvió a cambio de la estatua parlante, hecho éste que se repitió en *Andrómeda* con la estatua de Medusa y cuyos efectos serían muy semejantes —aparte de *La estatua de Prometeo*— a los indicados en las acotaciones de *El jardín de Falerina* y su galería estatuaria[35]. Para Calderón, como para algunos teorizadores del arte de su tiempo, la escultura es arte inferior a la pintura, más imperfecto. Así lo confirmó en la teoría y en la práctica de varios dramas[36].

Hay que tener en cuenta que la comedia *Andrómeda* supuso una novedad respecto a la escenografía realizada por del Bianco para *La fiera*, y así fue recibida por el asombrado público. Los puntos en común entre ambas son muchos, como decimos, aunque tal vez *La fiera* sea menos admirable en sus efectos escénicos. No hay en ella utilización de la parte baja del escenario ni ofrece tantas apariciones celestes[37]. La

---

[35] Véase en la Jornada II de *El jardín de Falerina* la acotación que dice: «Las ninfas que en estatua adornan las fuentes, abandonan sus puestos y forman un coro.» «Quédanse inmóviles todas.» «Recóbranse todos los que se habían quedado inmóviles.»

[36] Frans M. A. Robben, «El motivo de la escultura en *El pintor de su deshonra*», *Hacia Calderón. Sexto Coloquio Anglogermano, Würzburg, 1981,* ed. de Hans Flasche, Wiesbaden, Franz Steiner Verlag, 1983, págs. 106-122. En esa obra la escultura aparece como manifestación dramática de la imperfección humana. Es también fundamental a este propósito *La estatua de Prometeo.*

[37] Los dibujos recogidos en la citada obra *Un palacio para el rey,* páginas 219-233, muestran la disposición en perspectiva del escenario, el telón o cortina ascendente, delante del cual aparecen suspendidas en el aire la Pintura, la Música y la Poesía. Pueden verse otras disposiciones en vuelo de los personajes de *Andrómeda,* siendo particularmente impresionante la vertiginosa caída de la Discordia, cuyo vuelo en volutas está marcado por una línea de puntos. También muestra semejanzas con la comedia que editamos el carro volador de Palas. Creo es fácil imaginar el doble decorado de jardín y palacio de *La fiera,* a la vista de estos dibujos de *Andrómeda,* así como el fondo marino y los bastidores rústicos de otra escena, junto al triunfo final en los salones de un palacio.

fiesta final muestra, desde luego, un esquema parecido en el festejo palaciego que unifica el escenario con el espacio ocupado por el palco real y por los espectadores[38].

El Coliseo del Buen Retiro, construido a continuación de la Sala de Máscaras, estaba perfectamente preparado, como indicamos, para las comedias de tramoya a la italiana. Su escenario tenía un frontis ricamente adornado que lo separaba de la sala y permitía el uso del telón de boca, bordado con el lujo que confirman, por ejemplo, las pinturas del mismo en *Hado y divisa de Leonido y Marfisa*. Los telones formaban parte del espectáculo teatral, ya que en muchas ocasiones llevaban pinturas emblemáticas relacionadas con el contenido y título de la obra que se representaba, aunque no tenemos indicios del que se empleó para el estreno de *La fiera* en 1652[39]. Este teatro se construyó en 1638, y tras su inauguración, hubo dos años más tarde distintas ampliaciones tendentes a aumentar y perfeccionar las posibilidades escenográficas de otros lugares que ocasionalmente se empleaban para el teatro palaciego, como el Salón Grande, el Salón de los Reinos, los cuartos del rey y la reina, etc.

Los bastidores, simétricamente colocados a cada lado del escenario y en perspectiva, corrían sobre unas guías en el suelo y eran accionados desde abajo mediante cabrestantes[40]. Ello permitía hacer cambios escénicos con gran rapidez a la

---

[38] Sobre el tema, Cesare Molinari, «Les rapports entre la scène et les spectateurs dans le théâtre italien du XVIᵉ siècle», *Le lieu théâtral a la Renaissance*, págs. 61-72. También es interesante al respecto el artículo de Everet W. Hesse, «Court References in Calderon's "zarzuelas", HR, 15, 1947, págs. 365-377 y, del mismo «Courtly Allusions in the Plays of Calderón», PMLA, 65, 1950, págs. 531-549. Para más información bibliográfica, mis artículos mencionados en nota 15, *supra* y nota al v. 4046, *infra*.

[39] Pueden verse dos bocetos de telón, de hallazgo reciente, relativos a dos obras calderonianas, hechos por Sebastián Rejón y Antonio Zamora, en J. E. Varey, «Dos telones para el Coliseo del Buen Retiro», *Villa de Madrid*, XIX, 71, 1981, págs. 15-8. Se conocen además los telones de *Los celos hacen estrellas* de Vélez de Guevara y el de la obra ya mencionada *Andrómeda y Perseo*.

[40] J. Brown y J. H. Elliot, *Un palacio*, pág. 217. Era el mismo sistema propiciado por Sebastiano Serlio, quien sustituyó los complicados *periaktoi* griegos propuestos por Vitruvio, por *telari* o bastidores de madera sobre una

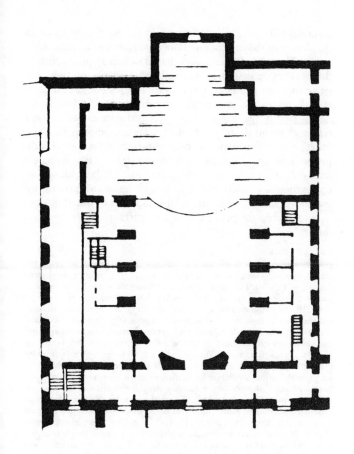

Plano del Coliseo del Buen Retiro

vista del público. La luz artificial iluminaba el espacio cerrado. Antonio Palomino, en el *Museo pictórico o escala óptica* (Madrid, 1715 y 1724), hace abundantes observaciones sobre las dificultades de disponer las bambalinas en perspectiva de la parte superior por la escasez de altura de los techos, así como las inherentes a la falta de proporción ideal en la disposición de los bastidores. Sus consejos y observaciones sobre cómo trazar el plano de la perspectiva y las mutaciones son muy útiles, particularmente cuando se refiere a las medidas del propio Coliseo. Un plano de 1655 muestra tres filas de palcos laterales, con cuatro palcos en cada uno para la nobleza y los cortesanos. El palco real y la cazuela estaban enfrente del escenario, uno sobre la otra. Había también espectadores que veían la obra de pie, en el patio, enfrente de la embocadura[41].

_____

plataforma inclinada hacia los espectadores que favorecía la perspectiva tridimensional. Véase Othón Arróniz, *op. cit.,* págs. 115-6, y para el teatro cortesano, cap. VI. Para lo referente a Antonio Palomino, véase su *Museo pictórico y escala óptica,* vol. II, págs. 206-211. Las medidas del Coliseo en página 212. Palomino atendió a la disposición del tablado inclinado, así como a la planta de los bastidores, no siempre dispuestos según la proporción ideal, y al mismo foro o respaldo que cierra el teatro. Particularmente interesantes son sus observaciones sobre las bambalinas de bóvedas o techo, hechas sin bastidor, ya sea para proporcionar la ilusión de un salón regio o la de jardín, bosque, murallas, marinas, etc. La presencia de las personas reales obligaba, a juicio de Palomino, a cambiar los llamados puntos transcendentes que proporcionaban la mejor visión a quienes estaban colocados a los lados del teatro, ya que el rey se situaba en un sitial en medio. Véanse además sus extensos comentarios sobre la práctica de la perspectiva, incluida la de los techos, particularmente en *ibíd.,* II, págs. 184 y ss. Para la teoría, vol. I, págs. 75 y ss. No deja de ser interesante su definición de la escenografía basada precisamente en el arte de la perspectiva, como el modo de representar «los cuerpos en un plano, considerando los rayos enviados desde el objeto a la vista, cortados en la superficie del diáfano interpuesto entre la vista y el objeto» (I, pág. 76). Trata de la proyección escenográfica o perspectiva de cuerpos en I, págs. 282 y ss. De gran utilidad son también los apoyos y realce de la nobleza y dignidad de la pintura a la que Palomino —como antes Carducho y el propio Calderón— coloca en el marco de las artes liberales (*Ibíd.,* I, págs. 100 y ss.).

[41] Othón Arróniz, *ibíd.,* pág. 214, recoge una noticia en la que se dice que el rey no se sentaba en el balcón regio, sino abajo, en un sitial a una vara del suelo que le permitía gozar del punto igual de la perspectiva, y así lo confirman algunos de los grabados que se conservan, como los recogidos

Al fondo del escenario, en perspectiva de techo y suelo, había una ventana, «la cual en los momentos apropiados proporcionaba una nueva perspectiva final, no de árboles y plantas artificiales, sino de los auténticos jardines del Retiro»[42]. El salón entero era a su vez escenario, con las perspectivas de la techumbre, el decorado de los palcos y el sitial del Rey, que cuando se colocaba sobre una plataforma en el suelo del mismo patio, figuraba como otro escenario paralelo al ya existente.

La afición a los bailes y saraos fue notable, y varias salas, entre ellas el Salón de Reinos, sirvieron para este divertimento que se extendía a otros lugares de palacio, prolongándose la fiesta una vez acabada la comedia, o al final de la comedia misma, como ocurre en la obra que editamos.

Muerto Olivares en 1645, fue nombrado alcaide interino el sobrino del Conde-Duque, don Luis de Haro, a quien fue encomendado procurar distracciones a la joven Mariana, que no gustaba del sombrío Alcázar. El lujo y los gastos ilimitados fueron el signo de esta segunda etapa del Coliseo y del Palacio, presidida, hasta 1657, por las invenciones de Baccio del Bianco[43]. El despilfarro a costa de sisas e impuestos y el estancamiento del concepto tradicional de la realeza distanciaron cada vez más el palacio y su corte del mundo que los

por N. D. Shergold, en *A History of the Spanish Stage,* figg. 7a y 7b, fechadas en 1680.

[42] J. Brown y J. H. Elliot, *Un palacio,* pág. 217, y Hugo Rennert, *The Spanish Stage in Time of Lope de Vega,* Nueva York, 1963, pág. 97, y véanse págs. 238 y ss., para las apariencias del teatro cortesano. Charles V. Aubrun, *op. cit.,* págs. 64-5, aprovecha las acotaciones escénicas de la representación valenciana de *La fiera* en 1690 para hablar del simbolismo de los espacios escénicos que permitía el nuevo escenario del Coliseo. Sobre éste, véase la amplísima documentación recogida por N. D. Shergold y J. E. Varey, *Representaciones palaciegas, 1603-1699. Estudio y documentos,* Londres, Támesis, 1982.

[43] J. Brown y J. H. Elliot, *ibíd.,* pág. 229. Al lado mismo del Coliseo había un Salón de máscaras. El plano de Carlier (1712) y la descripción de Bergrave ayudan a componer el efecto del teatro, precedido por una larga galería llena de pinturas y amueblada lujosamente. Dice Bergrave: «Después vi un teatro bizárramente arreglado al efecto, equipado con diversas máquinas, escenarios y raros decorados» *(Ibíd.,* pág. 114). Carlier dibuja un escenario en perspectiva de grandes dimensiones con un total de veintidós bastidores, más el del foro *(Ibíd.,* pág. 217).

rodeaba. El Buen Retiro, que Olivares construyera como paradigma de la grandeza del rey Felipe, «quedó convertido, con imponente incongruencia, en testigo de la ruina de España»[44]. Los festejos reales reflejaban de manera efímera los destellos de un poder que se resquebrajaba.

La rigidez del protocolo palaciego había convertido el ceremonial cortesano en un auténtico espectáculo[45]. El rey era un foco de atención fundamental en las fiestas palaciegas, incluidas las que conllevaban representación de comedias. Los géneros menores que las componían estaban plagados de referencias a las personas reales y a la corte, que participaba así en el espacio de los actores[46]. La integración de los reyes en los espectáculos, con su doble perspectiva escénica, es

[44] J. Brown y J. H. Elliot, *Un palacio...*, pág. 250. Véase además J. E. Varey, «El teatro palaciego y las crisis económicas del siglo XVII», *Homenaje a José Antonio Maravall*, Madrid, Centro de Investigaciones Sociológicas, 1986, págs. 441-6. Precisamente los gastos del festejo del Buen Retiro a la llegada de Mariana de Austria en 1649 se pagaron de los «gastos secretos». Mientras Castilla se encontraba en una muy precaria situacióm económica. A los gastos y fastos en la época de esta reina alude Julián Gállego, *Diego Velázquez*, Barcelona, Anthropos, 1983, pág. 119. Sobre las fiestas dedicadas a la recepción de la reina hay muchísimos datos recogidos en el documento núm. 18 de Shergold y Varey, *Representaciones palaciegas*, págs. 52 y ss., con detalles económicos y de otro tipo. Es interesante señalar el influjo nefasto que el teatro de corte ejerció sobre el corral con el casi monopolio del Coliseo del Buen Retiro (*Ibíd.*, pág. 38). Véase además J. E. Varey y A. M. Salazar, «Calderón And the Royal Entry of 1649», págs. 5-6.

[45] J. E. Varey, «La mayordomía mayor y los festejos palaciegos del siglo XVII», *Anales del Instituto de Estudios Madrileños*, IV, 1969, págs. 145-168. La rigurosa etiqueta de la corte borgoñona aparece recogida en un ms. copiado en 1651, *Etiquetas de Palacio (1562 a 1617)* (Biblioteca Menéndez Pelayo de Santander). Cfr. Julián Gállego, *Diego Velázquez*, pág. 65. También hay alusiones a ello en Shergold y Varey, *Representaciones palaciegas*, págs. 18 y 31. Más información de los mismos autores, en *Teatros y comedias en Madrid: 1651-1655. Estudios y Documentos*, Londres, Támesis, 1973, págs. 38-9, con referencias curiosas a los ensayos en palacio.

[46] J. E. Varey, «A further Note on the Actor / Audience Relationship in Spanish Court Plays of Seventeenth Century», *Arts du spectacle e Histoire des idées. Recueil offert en Hommage a Jean Jacquot*, Tours, Centres d'Etudes Superieures de la Renaissance, 1984, págs. 177-182. Cabe recordar que Calderón es particularmente proclive a hacer referencias a la corte en sus comedias, como ha indicado E. W. Hesse en su citado artículo y en «Courtly Allusions in the Plays of Calderón», págs. 531-549. Véase además su monografía, *Calderón de la Barca*, pág. 15. Véase *infra*, nota al vero 4046.

evidente y conlleva la necesaria mención de la lograda en *Las Meninas* de Velázquez[47]. La ruptura entre el escenario y la sala se llevaba a cabo de múltiples maneras, no faltando entre ellas las técnicas desarrolladas por los actores en el soliloquio y el aparte[48]. Según señaló Emilio Orozco, se trataba de un desbordamiento expresivo que rompía con el espacio cerrado y se prolongaba hacia afuera —como en la pintura barroca— de forma continua y fluyente[49]. En *La fiera, el rayo y la piedra,* la máscara final cumple esa función de ruptura espacial que se hace temporal también, al integrarse el argumento mitológico con el aquí y el ahora de la realeza austriaca, ensalzada por boca de la Fortuna. El Buen Retiro, auténtico museo de variedad pictórica y escultórica, con sus jardines y lagos, sus cuevas e islas, tenía su proyección microcósmica en los telares y efectos escenográficos de cartón piedra que reflejaban, a pequeña escala, los espacios del palacio y de la naturaleza que lo rodeaba.

---

[47] María Alicia Amadei-Pulice, «Realidad y apariencia...», *Calderón. Actas,* vol. III, pág. 1527. También hace referencia a *Las Meninas* en comparación con la doble perspectiva de ese cuadro J. E. Varey, «The Audience and the Play at Court Spectacles: The Role of the King», BHS, LXI, 1984, pág. 143, a propósito del sitial ocupado por los monarcas enfrente del escenario y la doble perspectiva de que éstos gozaban. Y particularmente Sebastián Neumeister, *Mythos und Repräsentation,* Munich, Fink Verlag, 1978, págs. 283-7. Otra cuestión aparte es la de la tópica presencia del rey en la comedia como administrador de la justicia. Véase Frank P. Casa, «The Use of the Royal Audience in Golden Age Drama», *Segismundo,* 43-4, 1986, págs. 63-79. En el texto de *La fiera,* el rey no sanciona los hechos, pero al final, en la realidad de la puesta en escena ve cómo la obra entera y su sentido se pliegan y ofrecen en homenaje a él y la reina.

[48] Juan Manuel Rozas, «Sobre la técnica del actor barroco», *Anuario de Estudios Filológicos,* III, 1980, págs. 1191-202, recoge un precioso ejemplo referido a un entremés de Juan Rana en el Buen Retiro en el que el conocido autor hace referencias directas a la sala. Y Emilio Orozco, «Sentido de continuidad espacial y desbordamiento expresivo en el teatro de Calderón. El soliloquio y el aparte», *Calderón. Actas,* I, págs. 125-164.

[49] Emilio Orozco, *El teatro y la teatralidad del Barroco,* Barcelona, Planeta, 1969, págs. 89 y ss. y *vide,* del mismo, *El barroquismo de Veláquez,* Madrid, 1965.

Calderón fue el autor por antonomasia de las comedias cortesanas que, en número superior al medio centenar, fueron pensadas para la representación en los salones palaciegos o en el Coliseo de El Buen Retiro[50]. *La fiera* tiene todas las características propias del teatro cortesano que requiere luz artificial, máquina para abrir y cerrar la cueva o peñasco y máquinas para mover las olas y los barcos en el foro o mudar el teatro de marina a bosque, jardín o palacio combinando los bastidores[51]. También se necesita el uso del pescante o sacabuche y la plataforma de la nube para las elevaciones y descensos de personajes[52], así como el utillaje para producir ruidos y efectos de tormenta o de cajas. El agua de la fuente artificial en medio del jardincillo debía también aparecer en escena con su chorro vertical ascendente, tal y como piden los chistes del gracioso[53]. En la obra se utilizan dos niveles del escenario, aunque se ofrecen espacios ultramundanos con la cueva de las Parcas y las referencias a la fragua de Vulcano. El escenario debía estar en pendiente, elevándose hacia el

---

[50] Véase la lista que, por orden cronológico, presenta Othón Arróniz, en *op. cit.*, págs. 1223-5. *La fiera* ocupa el centro de la misma aproximadamente. En pág. 234, ofrece otra serie de comedias calderonianas anteriores a 1651 que exigen luz artificial, pues las posteriores fueron todas pensadas para espacios interiores de palacio y la requerían implícitamente. El tratado ya aludido de Sabbatini proporciona detallada descripción de las máquinas necesarias para provocar los efectos mencionados en este apartado.

[51] Compárese con otras obras de Calderón, en Othón Arróniz, *op. cit.*, págs. 242-6. Ya desde *La selva sin amor* de Lope de Vega se habían empleado máquinas para simular mar en movimiento con peces y naves.

[52] Para la tradición del araceli y de la maquinaria aérea con nubes para el descenso de los espacios celestes, William H. Shoemaker, *The Multiple Stage in Spain during the Fifteenth and Seventeenth Centuries,* Westport, Greenwood Press, 1973, págs. 11 y ss. y 40 y ss.

[53] Para los ruidos de tormenta, *ibíd.*, págs. 169 y ss. Sobre los niveles escénicos, John E. Varey, «Cosmovisión y niveles de acción», *Teatro y prácticas escénicas II. La comedia,* ed. por José Canet Vallés, Londres, Támesis, 1986, págs. 50-65 y, del mismo, «The Use of Levels in *El condenado por desconfiado*», *Revista canadiense de estudios hispánicos,* 10, 1986, págs. 299-310.

fondo, lo que provocaba la perspectiva correcta junto a los bastidores dispuestos hacia el punto de fuga del fondo escénico. Y lo mismo ocurría con la techumbre cuyas bambalinas se abrían hacia el marco escénico y descendían hacia el foro, estrechándose en consonancia con la pirámide invertida cuyo vértice se construía por la convergencia de las líneas formadas hacia dicho foro por los bastidores laterales, el techo y el suelo peraltado.

La luminotecnia creaba un mundo mágico que ampliaba, junto con la música, los efectos de lo maravilloso y extraordinario. Atanasio Kircher, coetáneo de Calderón, creía en la magia como la ciencia de las luces y las sombras. Los efectos de la pirotecnia gozaron de gran arraigo teatral y el teatro jesuítico hizo buen acopio de ellos[54]. Son juegos de luces y sombras que proyectaría Antonio Palomino a principios del XVIII en su citado *Museo pictórico*. En la vertiente auditiva, la comedia repetía toda clase de efectos sonoros, además de la música[55]. En *La fiera* hay ruido de tormenta, sonar de martillos en la fragua de Vulcano, fondo de batalla y algazaras de desembarco; todo ello producido desde *dentro*. Calderón había intensificado el uso de tales evocaciones auditivas, presentes ya en el teatro de Lope y de Tirso, aficionándose a las tempestades y tormentas, a los efectos sonoros y a las variaciones en la luminotecnia[56].

---

[54] John E. Varey, «The Staging of Night Scenes in the Comedia», *The American Hispanist*, 2, 15, 1977, págs. 14-6. Julio Caro Baroja, *Teatro popular y magia*, Madrid, Revista de Occidente, 1974, págs. 39 y 40 y ss., da abundantes referencias al respecto sobre magia y encantamiento en el teatro hasta bien entrado el siglo XVIII. Véase además la reciente edición de Athanasius Kircher, *Itinerario del éxtasis o Las imágenes de un saber universal,* ed. de Ignacio Gómez de Liaño, Madrid, Siruela, 1986; y para la magia, el hermetismo y Kircher, *Sor Juana Inés de la Cruz o las trampas de la fe,* Barcelona, Seix Barral, 1982, págs. 224 y ss.

[55] Véase Henri Recoules, «Ruidos y efectos sonoros en el teatro español del Siglo de Oro», *BRAE,* LV, 1975, págs. 109-145.

[56] *Ibíd.,* Recoules señala los utillajes de arcabuces, escopetas, hierros, toques de cajas, barriles llenos de piedras para producir tempestades, clarines y atabales que anuncian batallas, etc. Las comedias y los autos de Calderón muestran la plena integración de los efectos sonoros y de la música. En la que editamos, el principio es de caos y el final de armonía, con una cuidada gradación polimétrica musical a la que haremos referencia más adelante.

La integración plena de los elementos visuales y auditivos en el teatro calderoniano rompe cualquier intento de simplificación teórica sobre el dominio de uno y otro lenguaje en sus obras[57]. Un documento de 1648 del Consejo de Castilla tal vez sirva de elocuente muestra sobre cómo la comedia es una síntesis de variados niveles de significación y, por tanto, inútil de segmentar en parcelas exclusivamente visuales o auditivas. Los espectadores aspiraban a verlo y oírlo todo:

> Van a ver allí lo adornado del teatro y de las apariencias, y a la variedad de los trajes, lo artificioso de las jornadas, lo conceptuoso de los versos, el bien sentir de las frases, lo articulado de las voces, lo accionado de los representantes y lo entretenido de la graciosidad, con que divertidos no discurren en las imposiciones[58].

La *comedia de teatro,* originada en el *drama per musica* que Calderón cultivó, apelaba al ojo y al oído, a una doble vertiente sensorial cuyos resortes van de la escenografía a la palabra y viceversa, en una integración total de las artes plásticas con la poesía y con la música[59]. Tal síntesis se insertaba en unos

---

[57] Véase, a propósito de Lope, la bibliografía recogida por Víctor D. Dixon, en «La comedia de corral de Lope como género visual», *Edad de Oro,* V, págs. 35-8. Y John E. Varey, «Valores visuales de la comedia española en la época de Calderón», *ibíd.,* págs. 271-286. Particularmente relevante es el artículo de Eugenio Asensio, «Tramoya contra poesía. Lope atacado y triunfante (1617-1622)», *Actas del Coloquio Teoría y realidad en el teatro español del siglo XVII. La influencia italiana (1978),* Roma, 1981, Instituto Español de Cultura, 1981, págs. 257-270.

[58] Documento de 1648 en el «Dictamen contra la suspensión de las comedias», en Emilio Cotarelo y Mori, *Bibliografía de las controversias sobre la licitud del teatro en España,* Madrid, 1904, pág. 167. Posiblemente Cotarelo transcribió *conceptuoso* por *corruptuoso* que no parece tener sintido y así lo corrijo.

[59] Alicia Amadei Pulice, «El stile rappresentativo en la *comedia de teatro* de Calderón», *Approaches to the Theater of Calderón,* ed. por M. Mc. Gavra, págs. 215-230. De gran interés sobre el tema es su tesis doctoral inédita, *Hacia Calderón: Las bases teórico-artísticas del Teatro Barroco Español,* presentada en la Universidad de California, Los Angeles, en 1981. Angelo Ingegneri, *Della Poesia Rappresentativa e del modo da rappresentare le favole schenique,* Ferrara, 1598, recomendaba al dramaturgo que antes de escribir la obra, se la imaginara en escena, con sus calles, perspectivas, salidas, entradas, voces y gestos. El arte

gustos cortesanos que compartía e impulsaba el propio rey Felipe IV, amante de la música, el teatro y las artes[60].

CALDERÓN Y VELÁZQUEZ:
LA CUEVA DE LAS PARCAS Y LA FRAGUA DE VULCANO

La cueva, gruta o prisión aparece en numerosas comedias y autos calderonianos ligada generalmente a la presencia del eremita o a la del salvaje[61]. *La fiera* ofrece, por un lado, las figuras de Irífile y su padre como salvajes y, por otro, la cercanía topográfica de la cueva de las Parcas y de la fragua de Vulcano. El teatro de corte y el de corral fueron espacio propicio desde muy tempranamente para esas cuevas, ya fuese como ámbito infernal (es el caso de *Andrómeda y Perseo,* con los diseños de Baccio del Bianco) o para la prisión en lo oculto de un monte, como se ve en *Eco y Narciso.* No faltan los resortes neoplatónicos ni las imágenes oníricas, entre otros símbolos adjuntos a esos espacios ocultos[62]. Su función escenográfica se agranda al crear un teatro dentro del propio escenario y ampliar perspectivas con una iluminación y un fondo diferentes.

Cada obra muestra una versión particular de la cueva, y en

---

memorativa artificial se basaba en esa primera localización a la que luego se añadían imágenes. En el caso del teatro, habría que añadir la palabra en acción, como generadora de espacios e imágenes verbales.

[60] J. *Brown* y J. H. *Elliot, Un palacio,* págs. 42 y ss.

[61] Aurora Egido, «El vestido de salvaje en los autos sacramentales de Calderón», *Serta Philologica in honorem F. Lázaro Carreter,* Madrid, Cátedra, 1983, II, págs. 171-186. Sobre el eremita, Michela Ambrogetti, «La fortuna dell'ermitaño nel teatro del Siglo de Oro», *Actas del Coloquio Teoría y realidad en el teatro español del Siglo XVII. La influencia italiana,* págs. 463-470. Para la cueva y su trasunto onírico, Aurora Egido, «Cervantes y las puertas del sueño. Sobre la tradición erasmista de ultratumba en el episodio de la cueva de Montesinos», *Serta in honorem prof. M. de Riquer,* Barcelona, Quaderns Crema, en prensa.

[62] John E. Varey, «Cavemen in Calderón (and some cavewomen)», *Approaches to the Theatre of Calderón,* págs. 231-247. También en los corrales se utilizaban montes y cuevas. Véase John J. Allen, *The Reconstruction of a Spanish Golden Age Playhouse. El Corral del Príncipe (1583-1744),* Gainesville, University Press of Florida, 1983.

La fiera, el rayo y la piedra hay dos variantes muy distintas: la de la cueva de las Parcas y la de la fragua de Vulcano, ya mencionadas. En primer lugar, y por cuanto se refiere al tema mitológico de las Parcas, cabe decir que éstas se pintaron en el arco triunfal de los italianos a la entrada en Madrid de María de Orleans en 1680, hecho por José Donoso, aunque no parece un tema particularmente rico en la pintura española del Siglo de Oro[63]. Julián Gállego ha señalado la importancia del recurso de la gruta en la pintura de ese siglo como «lugar donde sucede la acción, el espacio figurativo del cuadro» que apela a un trasmundo subterráneo y de connotaciones místicas en los cuadros de Ribera. El Greco, Zurbarán, Murillo y Velázquez. En este sentido, es particularmente interesante la composición en forma de cueva de *Las Meninas, El Niño de Vallecas* y *Las Hilanderas* de Velázquez, técnica que luego ampliaría Carreño en los retratos de Carlos II y de Mariana de Austria, convertidos en virtuosos anacoretas de la cueva cortesana[64]. El cuadro de *Las Hilanderas* acude automáticamente a la memoria del lector de *La fiera, el rayo y la piedra* por varios motivos. En primer lugar, cabe recordar la lectura que de la obra velazqueña hiciera Angulo Iñíguez al desvelar su fondo ovidiano y progresar en las interpretacio-

---

[63] Rosa López Torrijos, *La mitología en la pintura española del Siglo de Oro*, Madrid, Cátedra, 1985, pág. 378. También hace referencia a la presencia individualizada de Cloto, Atropos y Laquesis. Santiago Sebastián, *Contrarreforma y Barroco. Lecturas iconográficas e iconológicas*, Madrid, 1981, págs. 115 y ss., estudia una pieza popular anónima de un políptico de Tepotzotlán del siglo XVIII en el que el tema es una alegoría de la vida como un reloj manipulado por las tres Parcas, con evidentes analogías con despertadores impresos en devocionarios y cuyas fuentes pueden ya rastrearse a mediados del XVI. La popularidad del tema es evidente, como se puede comprobar. En la reciente edición de Pedro Calderón de la Barca, *La fiera, el rayo y la piedra, según la representación... de Valencia... de 1690* con introducción de Manuel Sánchez Mariana y transcripción del ms. de Javier Portús, Madrid, Ministerio de Cultura, 1987, pág. XVII, se reproduce un grabado de las Parcas recogido de Vicenzo Cartari, *Le imagini de i dei degli antichi*, Venecia, 1580, así como otros, sacados del mismo texto, de Cupido y Anteros luchando y de la Fragua de Vulcano.

[64] Julián Gállego, *Visión y símbolos en la pintura española del Siglo de Oro*, Madrid, Cátedra, 1984, págs. 240-5, plantea la perspectiva teatral que se hace particularmente evidente en los pintores escenógrafos.

Las Hilanderas

nes de Ceán Bermúdez y Ortega que supieron ver en ese cuadro el tema de las Parcas[65]. Las relaciones del cuadro con la mitografía del Siglo de Oro y sus conexiones con lo celestinesco y brujeril permiten establecer otras analogías pertinentes entre esa pintura y la obra que nos ocupa[66].

Con ello quiero plantear como posibilidad el que Calderón estuviese pensando en el cuadro de Velázquez cuando diseñó la cueva de las Parcas y que fuese Baccio del Bianco quien abonase tal perspectiva. No olvidemos, sin embargo, que la impresión de la obra en 1664 acota ese «como las pintan» que puede remitir a cualquier dibujo de las tres Parcas. Más llamativo es que en la misma versión, y como ocurre en el cuadro de Velázquez, se introduzca un tema de encuadre —siguiendo la terminología de Bialostocki[67]— que rebaja al terreno de lo

---

[65] Diego Angulo Iñiguez, «Las Hilanderas», *Archivo Español de Arte,* 1948, págs. 1-19.

[66] Véase Ángel del Campo y Francés, «La trama de *Las Hilanderas», Traza y Baza. Cuadernos Hispanos de Simbología,* 8, s. a., Valencia, págs. 5-19, quien difiere de otras interpretaciones sobre el cuadro velazqueño, como la de Madlyn Millner Kahr, y señala la teatralidad del mismo leyendo en él el símbolo de «La alcahuetería como actividad provechosa». Curiosa semejanza con la perspectiva que los graciosos tienen de las Parcas en la comedia calderoniana. Otra interpretación muy distinta de la obra de Velázquez, basada en el emblema CXV de Alciato sobre «Las Sirenas» (Cfr. Alciato, *Emblemas,* ed. de Santiago Sebastián y Pilar Pedraza, con prólogo de Aurora Egido, Madrid, Akal, 1985, págs. 152 y ss.) es la que ofrece Santiago Sebastián, «Nueva lectura de las Hilanderas». La emblemática como clave de su interpretación», *Fragmentos,* 1, Madrid, 1984, págs. 44-51, quien considera hay ecos de la fábula ovidiana de las sirenas en el cuadro velazqueño.

[67] Jean Bialostocki, «Los temas de encuadre y las imágenes arquetipo», *Estilo e iconografía. Contribución a una ciencia de las artes,* Barcelona, Barral, 1973, págs. 111-124. Y véase además su aplicación al análisis de la pintura de Rembrandt, en la que los cuadros de género, con contenido bíblico o mitológico, son también realistas y muestran una «iconografía revestida» que quita heroicidad a la leyenda. Respecto al «como las pintan» del texto calderoniano de *La fiera,* cabe objetar que no sólo hay que tomarlo literalmente como referencia artística, sino literaria, pues el padre Vitoria, a quien, como veremos en las notas al texto, sigue en parte Calderón, dice a este propósito, basándose en Aulo Gelio: «Pintólas también a la una hilando, la segunda que devana y la tercera cortando el hilo. La Parca que hila, significa la generación: la que devana, o compone el hilado, significa la conversación de la vida: y la tercera, que corta el hilo con las tigeras, es la muerte, que al mejor tiempo de la vida la corta, y ataja» (cfr. Padre Baltasar de Vitoria, *Primera*

cotidiano el mundo mitológico. El proceso, abonado ricamente en literatura por Góngora, Quevedo y la poesía burlesca del Barroco, viene marcado en Calderón por el punto de mira de los graciosos Brunel y Pasquín que se asustan al verlas y degradan la perspectiva mitológica y reverencial de los amos Ifis, Céfiro y Pigmaleón cuando las contemplan. Ellas tienen una clara función profética, agorera, en la obra y son quienes desentrañan el nacimiento de Cupido, monstruo que es a un tiempo fiera, rayo y piedra. Lebrón, sin embargo, otro de los criados, percibe en ellas un tono de alcahuetería («Como hilaban, / diciendo estarían consejas» vv. 371-2). Pasquín, a su vez, aprovecha su visión para reírse de las mujeres. El dato más interesante para ilustrar las analogías entre el cuadro de Velázquez y la obra de Calderón en el contexto del Madrid de su tiempo, lo da el mismo Lebrón, que justifica así el miedo que le da el mirarlas:

> Tanto que, con ser tan puerca
> de las Hileras la calle,
> tomara estar ahora en ella,
> a trueco de no estar en
> la gruta de las Hileras (vv. 322-6).

La identificación léxica de *hileras* con *hilanderas* era muy usual. La de Parcas con *puercas* corresponde al juego típico de los chistes de gracioso. En uno y otro caso se apela clarísimamente a la conocida calle madrileña de las Hileras que estaba junto a la de Bordadores, y que aún pervive en el callejero de la villa, y muy cerca, por cierto, de donde vivía Calderón en 1652[68]. No parece, por tanto, descabellado afirmar que a

y segunda parte del Teatro de los dioses de la gentilidad, Valencia, 1646, vol. I, págs. 438-450).

[68] El cartógrafo portugués Texeira dibujó en el plano de 1656 la situación de la calle, aunque no le puso nombre. Federico Carlos Sainz de Robles, en el volumen colectáneo de Manuel de Terán Álvarez, *Madrid. De la Plaza de Oriente a Carabanchel,* Madrid, Espasa-Calpe, 1979, pág. 25, localiza la calle de las Hilanderas en las cercanías de Sol, como es fácilmente comprobable en la actualidad. Afluente a la de Arenal, baja de ella a la plaza de Herradores y es casi paralela a la de Bordadores que va de Arenal a Mayor. Creo que el texto de Calderón, al hablar de Hileras en el sentido de Hilanderas, que era muy

la visión mitológica de la cueva de las Parcas, Calderón superpuso el recuerdo costumbrista de la calle de las Hileras o Hilanderas y que hiciese muy posiblemente referencia con ello al cuadro de *Las Hilanderas* de Velázquez. Una parcela costumbrista del Madrid de mediados del XVII se mezclaba con su carga celestinesca a la secuencia mitológica clásica. Calderón coincidió con Velázquez al leer de forma diferente un viejo tema, dándole una interpretación nueva a base de prestarle una perspectiva propia del estilo retórico más humilde.

Pero hay más. La calle de las Hileras, que terminaba en la plaza de San Martín, atravesando la del Ángel, nacía en la plazuela de Herradores, y no creo, por tanto, casualidad que Calderón situase junto a la cueva de las Parcas la fragua de Vulcano, aunque de ésta no tengamos en el texto de 1664, al contrario de lo que ocurrirá posteriormente en la impresión de Vera Tassis y en la versión valenciana de 1690, acotaciones e indicios de su plasmación real en el aparato escenográfico. Calderón ya había hecho con anterioridad mención expresa de la Plazuela de Herradores y había colocado allí a la Necedad[69]. Es evidente que la perspectiva poética con la que

<hr />

común, aclara el verdadero significado del origen del nombre de esa calle gremial que, como la de Bordadores, recibiría título del oficio de las mujeres que trabajaban allí y no, como señala Sainz de Robles, «de las dos hileras de hermosísimos álamos que la adornaban como paseo en la época de Fernando VI» y como repite Pedro de Répide en *Las calles de Madrid,* Madrid, Afrodisio Aguado, 1985. Calderón vivía en la calle de Platerías, muy cerca de estos desplazamientos, en 1652, como dijimos. Por si hay alguna duda respecto al verdadero origen del nombre de la calle, véanse los versos que el gracioso dice en el *Baile de las Calles de Madrid:* «Es que en dando mi dinero / me veré en Antón Martín. / Mas si quieren pecunia, / a hilar aprenden / que no huelga la calle / de las Hileras.» Véase Miguel Herrero García, *Madrid en el teatro,* Madrid, CSIC, 1962, pág. 149. Otra referencia a la misma calle, en pág. 317.

[69] Miguel Herrero García, *El Madrid de Calderón. Textos y Comentarios,* Madrid, Imprenta Municipal, 1926, pág. 59, recoge la referencia del opúsculo *Guía de los Hijos de Madrid.* También se alude a la plaza de los Herradores en la *Pintura que hace de Madrid, en sus moradores, por sus calles, el licenciado Pedro Arias López (ibíd.,* pág. 54). Otras alusiones hay a ella en *El diablo cojuelo* de Vélez de Guevara, en los entremeses de Benavente y en Tirso de Molina, *Por el sótano y el torno,* según Pedro de Répide, *op. cit.,* quien alude a que en dicha plaza había

se aproxima al tratamiento de la fragua es idéntica en la comedia a la que usa en el caso de las Parcas. Pigmaleón se refiere a «la humilde / pobre fábrica pequeña / de una fragua que a la gruta / yace de las Parcas cerca» (vv. 397-400) y de la que salen luchando los jóvenes hermanos Anteros y Cupido, vistos también desde una visión desmitificadora, sobre todo el segundo. Más adelante, la fragua de Vulcano recogerá el machacar del hierro frío con los martillos y la voz de los Cíclopes cantando: «Que se labran / en el taller de los rayos / de Amor las armas» (vv. 1105 y ss.). Lebrón ironizará levemente sobre ellos, pero en un tono menor, sin la fuerza burlesca que dedicó a las Parcas.

La fragua es, en la comedia que nos ocupa, territorio de dioses y su presencia no llega a degradarse. El lienzo de Velázquez *La fragua de Vulcano,* que éste terminó en 1634, tenía, como el de *Las Hilanderas,* una base ovidiana sacada de las *Metamorfosis*[70]. El hecho de que éste estuviese probablemente en el palacio de El Buen Retiro, donde fue inventariado en 1705, hace aún más sugerente la analogía con la pieza calderoniana allí representada. Velázquez tomó además como fuente *La Eneida* de Virgilio y transformó sensiblemente la perspectiva mitológica[71]. Aun así, creo que, en coincidencia con Calderón, el tema de Vulcano no ha perdido tanto como en *Las Hilanderas* el rango sublime que el decoro le

---

bancos para herrar caballos y era lugar de citas y enredos con las mujeres de «mala vida».

[70] Diego Angulo Iñiguez, «La fábula de Vulcano, Venus y Marte y *La fragua* de Velázquez», *Archivo Español de Arte,* XXXIII, 1960, páginas 149-181.

[71] Véase Santiago Sebastián, «Lectura iconográfico-iconológica de *La fragua de Vulcano», Traza y Baza. Cuadernos Hispánicos de Simbología,* 8, Valencia, pág. 20-7, quien hace una lectura del cuadro a la luz de las traducciones ovidianas que conocía Veláquez, así como de la *Filosofía secreta* de Pérez de Moya y añade algunas otras pinturas sobre el tema. A ello quiero añadir la constatación del carro de Vulcano en los desfiles procesionales zaragozanos del Siglo de Oro, construido y llevado por el gremio de los Herreros, como en otras ciudades españolas, signo claro de la vinculación popular del mito. Una curiosa reviviscencia en el Palacio del Buen Retiro es la de los carnavales de 1637, al estilo de Aragón, en los que se celebró una mojiganga con diversos carros, entre los que había uno con la fábula de Venus y Vulcano (J. Brown y J. H. Elliot, *Un palacio,* pág. 213.

había dado durante siglos. En *La fiera,* Calderón evita la presencia de los tres Cíclopes: Piracmón, Estépores y Bronte, tal vez repetitiva después de la de las Parcas, pero es evidente que la escena se proyecta en evidente paralelo y como reflejo prolongado de la de la gruta[72]. Que pensase en los cuadros velazqueños es algo más que probable. Si así fuese, su punto de vista sobre las *Transformaciones* ovidianas, leídas desde las calles de Herradores e Hilanderas del Madrid de los Austrias, no hizo sino anticipar las teorías de los intérpretes modernos de los cuadros velazqueños, abonando el proceso desmitifica-dor llevabo a cabo en la pintura y en la poesía españolas respecto a la tradición de las fábulas clásicas. Los mitógrafos, no obstante, ya habían señalado la bajeza del sucio oficio de Vulcano, mostrando a tal costa los desdenes de Venus que cambió su amor por el de Marte.

A la alegoría temporal de la vida y de la muerte que la cueva de las Parcas representaba tradicionalmente, Calderón añadió así la alegoría del fuego, figurada por la fragua de Vulcano, en conexión clara con el rayo a que hace referencia la obra como fuerza personificada por Cupido[73]. Uno de los cuatro elementos viene así indicado por esta fragua caldero-niana que luego recrearía Palomino en la «Alegoría del fuego (Venus en la fragua de Vulcano)»[74]. El dramaturgo sigue una

---

[72] Nos referimos, claro está, a la puesta en escena de *La fiera* tal y como se desprende de la edición de 1664. Porque las posteriores sí que ponen fragua y Cíclopes en acción, como el lector podrá ver en las notas que aquí publica-mos con las variantes de Vera Tassis. Sobre ello, véanse mis artículos citados en nota 15. Una evidencia más, aparte de la del texto, de que los Cíclopes no *actúan* en *La fiera* que editamos es su ausencia de la relación de los *dramatis personae* que encabeza la obra. Calderón juega, en ésta y en otras comedias mitológicas, con las antítesis textuales y escénicas entre personajes masculi-nos y femeninos. Véase Anne M. Pasero, «Male *vs.* Female: Binary Opposi-tion and Structural Synthesis in Calderon's *Estatua de Prometeo», Bulletin of the Comediantes,* 32, 1980, págs. 109-115.

[73] Rosa López Torrijos, *op. cit.,* pág. 426, señala la fragua de Vulcano como alegoría del fuego; y *vide* bibliografía adjunta.

[74] El cuadro, de principios del XVIII, se encuentra en el Museo del Prado y formó serie con otros que representan los elementos del aire, el agua y la tierra. Véase Alfonso E. Pérez Sánchez, *Carreño, Rizi, Herrera y la pintura madrileña de su tiempo (1650-1700),* Madrid, Ministerio de Cultura-Banco Herrero, 1986, pág. 336.

de las localizaciones clásicas de la fragua, en el interior del Etna y servida por los Cíclopes, coincidiendo en ello con la misma versión utilizada por Góngora en el *Polifemo* y que Calderón constata en homenaje de estilo y referencias en el texto de *La fiera*[75]. Intertextualidad y alusiones pictóricas configuran así una buena parte de la invención de esta obra.

Calderón sigue estrechamente las interpretaciones que algunos mitógrafos, desde Bocaccio a León Hebreo, desarrollaron sobre el tema de las Parcas: «Éstas significan los tres órdenes de las cosas temporales, el presente, el futuro y el pasado»[76]. Su carácter de diosas del destino e hijas de la Noche, como las Moiras griegas, va unido a su simbolismo como representantes del nacer, el vivir y el morir de la existencia humana, lo que las homologa con las tres edades. La marca del destino implacable, ya presente en Homero, de las Moiras o Parcas las hacía particularmente útiles para Calderón, obsesionado por esta idea que desarrolla en *La fiera* estableciendo paralelismos con *La vida es sueño*. Su don profético fue aprovechado por el dramaturgo para asentar el fundamento de la acción de esta comedia, marcada desde los inicios por la fuerza de los hados[77].

El uso de cuevas y espacios infernales o ultraterrenos gozaba de una larga tradición en el teatro italiano, siendo Leonardo da Vinci un pionero en este tipo de artefactos escénicos, como el que llevó a término en Milán (1506-1507), que permitía ver una cueva infernal en el interior de una montaña que se abría y que se cerraba[78]. En España se empleó el

---

[75] Antonio Ruiz de Elvira, *Mitología clásica,* Madrid, Gredos, 1975, pág. 86, cita la *Aen.,* VIII, 440, entre otras fuentes. Para el paralelismo con el *Polifemo, infra,* nota a vv. 308-314.

[76] León Hebreo, *Diálogos de amor,* traducción de Carlos Mazo y edición de José María Reyes, Barcelona, Promociones Publicaciones Universitarias, 1986, pág. 241.

[77] Robert Graves, *New Larrouse Encyclopedia of Mythology,* Londres, Paul Hanlyn, 1969, pág. 163, y Ruiz de Elvira, *op. cit.,* págs. 61-2, quien señala su hermandad con las Horas. Son las diosas encargadas de señalar y ejecutar el destino individual, y en definitiva, la muerte.

[78] Véanse los dibujos y la reconstrucción moderna de la maqueta de la cueva infernal de Leonardo, bajo una montaña, llevada a cabo por Carlo

monte o gruta con apariencias en su interior y un sistema de apertura en dos mitades en la fiesta que se hizo en Aranjuez, en 1623, diseñada por el capitán Fontana[79]. De su uso en los escenarios de corral hay varias noticias. También fue tópico el uso de grutas en los jardines y no faltaron éstas en los del Buen Retiro[80]. Por otro lado, la cueva ya había sido artilugio utilizado en la comedia de tramoyas *La fábula de Dafne* (1635) de Calderón. Fue Cosme Lotti quien preparó en los tres escenarios «habituales» «uno de la cueva y el mar, otro de una cueva y un bosque y el tercero con palacios y el templo de Palas»[81]. Baccio del Bianco reprodujo, tras el éxito de *La fiera* en 1652, un nuevo tipo de cueva para *Andrómeda y Perseo* en un ámbito rústico, de peñas escarpadas y arbustos para la gruta de Morfeo[82]. La cueva gozaba de más de medio siglo de tradición escénica y tuvo cierta relevancia en el teatro lopesco, pero fue Calderón quien prestó a ésta y al monte una

---

Pedretti, «Dessins d'une scéne, executés par Léonard de Vinci pour Charles D'Amboise (1506-1507)», en Jean Jacquot, *Le lieu théâtral a la Renaissance,* págs. 25-34.

[79] La descripción de Antonio de Mendoza puede verse en Charles V. Aubrun, «Les débuts du drame lyrique en Espagne», en Jean Jacquot, *Le lieu,* págs. 436 y ss. La obra, aparte de la música y otros efectos, como el carro de la «Corriente del Tajo», mostraba en un águila de oro volando a la Edad y más tarde a la Aurora. La peña se abría para descubrir un palacio. Como decía el autor, se trató más de una invención que de una comedia. Ese tipo de efectos también se llevó a término en el auto sacramental *Los encantos de la Culpa* de Calderón. Cfr. A. Egido, *La fábrica de un auto sacramental: «Los encantos de la Culpa»,* Universidad de Salamanca, 1982).

[80] J. Brown y J. H. Elliott, *Un palacio,* pág. 77. Se encargó a Cosme Lotti en 1634 la construcción de una gruta en los palacios del Buen Retiro, proyecto que pronto se cortó por ser muy costoso. A cambio, se diseñó una *raguaia* o bosquecillo de hoja perenne para cazar carrucas con redes y se construyeron grutas en los jardines de palacio y en las ermitas que lo rodeaban y que a imitación de las de Montserrat, pero con bien distinta traza, mandó hacer el rey como lugares de retiro. La ya mencionada *Hypnerotomachia* presentó muy tempranamente diseños de cuevas, triunfos y jardines. Véase la ed. facsímil prologada por Peter Dronke, de Francesco Colonna, *Hypnerotomachia Poliphili* (Venetiis, Aldo Manuzio, 1499), Zaragoza, Ediciones del Pórtico, 1981. Los jardines españoles a la italiana, como el de la casa de Lastanosa en Huesca, tenían todos su cueva.

[81] J. Brown y J. H. Elliott, *Un palacio,* pág. 214.

[82] *Ibíd.,* pág. 220. La figura 141 reproduce el grabado de Del Bianco.

importancia decisiva en los montajes teatrales a partir de 1635, con *La gran Cenobia,* utilizándola con variados resortes en los autos sacramentales.

La cueva de las Parcas, junto con el decorado verbal de la fragua de Vulcano, es un motivo más de integración en el espacio escénico de la arquitectura y la pintura que el palacio del Buen Retiro albergaba. No parece fuera de contexto admitir las analogías evidentes entre las obras velazqueñas y la de Calderón. Velázquez contribuyó a la construcción y ornato del Buen Retiro, particularmente con las pinturas para el Salón de los Reinos, e integró a su vez en sus cuadros el propio paisaje y edificios que lo formaban, contribuyendo así, como Calderón, a un juego de espejos que alcanza dimensiones realmente asombrosas[83].

La decoración del Buen Retiro era fundamentalmente pictórica y la obra de Velázquez tuvo un lugar de honor a partir de 1634, cuando un lote de dieciocho pinturas suyas pasan a formar parte de la enorme pinacoteca palaciega coleccionada por Felipe IV. Entre esas pinturas estaba precisamente *La fragua de Vulcano,* además de otras de interés para la obra calderoniana que nos ocupa, como es el *Paisaje con San Antonio Abad y San Pablo Ermitaño,* con su monte y cueva al fondo[84]. La función del teatro y la pintura como reflejos de la naturaleza dominada por el arte que los exteriores del Buen Retiro ofrecían a sus visitantes y residentes era clara a todas luces y no debe ser desestimada.

La presencia de la cueva de las Parcas y las referencias a

---

[83] Sobre Velázquez y el Buen Retiro, véase el apéndice III de J. Brown y J. H. Elliott, *ibíd.,* págs. 269-273, y págs. 45-6, para la relación del pintor con Felipe IV. Además J. E. Varey, «Calderón, Cosme Lotti, Velázquez and the Madrid Festivities of 1636-7», en *Renaissance Drama,* ed. por S. Schoenbaum, Evanston, 1968, págs. 253-282, y José María Azcárate, «Noticias sobre Velázquez en la Corte», *Archivo Español de Arte,* 24, 1951, págs. 261-2. Sebastián Neumeister, «La fiesta mitológica de Calderón en su contexto histórico (*Fieras afemina amor*)», *Hacia Calderón. Tercer Coloquio Anglogermano,* Berlín-Nueva York, 1976, págs. 156-184, señala las analogías de Calderón con *Las Meninas y las Hilanderas* velazqueñas en el uso, en esa y otras obras, de la fusión espacial del escenario con el lugar que ocupan los espectadores.

[84] J. Brown y J. H. Elliott, *Un palacio,* págs. 125-6 y *vide,* págs. 140, 269 y 272.

la fragua en la Jornada I abren dentro del escenario un espacio ultramundano, distinto del que sirve de marco a las Jornadas II y III y en oposición al celeste del que descienden los dioses entre nubes. El mundo de lo oculto, de las sombras y de los hados queda recogido en esa cueva de voces agoreras que marcará luego la vida de los personajes y que pertenece al reino de lo diabólico y oscuro[85].

Pigmaleón y la teoría del arte

La fiera lleva implícitas varias reflexiones sobre el arte, encarnadas particularmente en el personaje de Pigmaleón, que se ofrece en la obra como paradigma del artista que llega a dar vida en sentido pleno a su obra. Es sobradamente conocido el interés de Calderón por las artes en general y, sobre todo, por la pintura, a cuya dignificación y realce tanto contribuyó[86]. De otro lado, están los continuos ejercicios de

---

[85] Como indica John E. Varey, «Cavemen in Calderón...», en *Appoaches to the Theater,* los dibujos de Baccio del Bianco para *Andrómeda y Perseo* proporcionan referencias de cómo se podía colocar una cueva en el escenario. La cueva-cárcel-tumba, ámbito de la magia, la esclavitud o las sombras ilusorias de la muerte, fue fundamental y se hizo tópica en las comedias y autos de Calderón. En *La estatua de Prometeo,* la «triste pavorosa gruta» es el anhelo de saber, dentro de unos planteamientos neoplatónicos que en *La fiera* se dibujan con fines proféticos. La edición de Vera Tassis de esta obra, como indican las acotaciones, muestra una clara presencia de la fragua de Vulcano en escena, lo que convierte en doble *veduta* la perspectiva escénica, al unirse a la de las Parcas. En la representación valenciana de 1690, las Parcas en su cueva aparecen ya pintadas en el telón de boca, como emblema de la obra, junto a las demás alegorías del título, destacándose así la importancia de las mismas. La fragua de Vulcano tuvo una gran importancia en dicha representación, pero de otro modo, ya que es todo el escenario el que se convierte en herrería, como muestran sobradamente los dibujos del manuscrito de la obra publicados por Ángel Valbuena en 1930 y ahora en la ed. cit. de Sánchez Mariana.

[86] Calderón defendió la nobleza de la pintura en su *Deposición en favor de los profesores de la pintura* (Madrid, 1677) considerándola un remedo de la obra de un Dios que, en cierto modo, también fue pintor del universo, como él mismo señala en numerosas obras. Véase la ed. en Francisco Calvo Serraller, *Teoría de la pintura del Siglo de Oro,* Madrid, Cátedra, 1981, págs. 537-546. Además E. J. Gates, «Calderón's interest in art», *Philological Quarterly,* XL,

éckphrasis que presenta su obra, en cuidadas descripciones de objetos artísticos[87]. El argumento de *La fiera* trata del arte de la escultura, asunto al que hace referencia en otras obras, como *La estatua de Prometeo* o *El jardín de Falerina,* siguiendo las teorías de la época que la colocaban detrás de la pintura en la escala de las valoraciones artísticas[88]. En general, Calderón muestra un concepto neoplatónico matizado por las teorías aristotélico-neoescolásticas del arte. El carácter divino de la obra creada por el artista determina toda una cosmogonía que es capital en la comedia calderoniana, así como los paralelismos que se ofrecen entre Dios y el artista o entre la creación divina y la misma obra de arte[89]. La marca de

1961, págs. 53-67; Alan C. Soons, «El Problema de los juicios estéticos en Calderón: *El pintor de su deshonra*», *Romanische Forchungen,* 76, 1964, págs. 155-162; Manuel Ruiz Lagos, «Algunas relaciones pictóricas y literarias en el teatro alegórico de Calderón», *Cuadernos de Arte y Literatura,* 1967, págs. 21-71 y, del mismo, *Estética de la pintura en el teatro de Calderón,* Granada, Gráficas del Sur, 1969; Enrique Rull, «Calderón y la pintura», *El arte en la época de Calderón,* Madrid, Ministerio de Cultura, 1981, págs. 20-5, Stelio Cro, «Calderón y la pintura», en Kurt Levy y AA. VV., *Calderón and the Baroque Tradition,* Waterloo, Ontario, Wilfrid Laurier, University Press, 1985, págs. 119-124.

[87] Emilie Bergman, *Art Inscribed: Essays on Ekphrasis in Spanish Golden Age Poetry,* Harvard University Press, 1979. Calderón defendió las tres dimensiones de la pintura (pág. 87) y se preocupó por la arquitectura y sus analogías con el cosmos (pág. 258).

[88] Véase Frans M. A. Robben, «El motivo de la escultura en *El pintor de su deshonra*», *Hacia Calderón. Sexto Coloquio Anglogermano, Würzburg, 1981,* ed. por Hans Flasche, Wiesbaden, Franz Steiner Verlag, 1983, págs. 106-122.

[89] E. Bergman, *op. cit.,* págs. 17 y ss., señala cómo para Lope y Calderón la diferencia entre la obra divina y la obra de arte estribaba en que Dios crea a partir de la forma eterna y el artista a partir de la forma creada. La obra de arte es así un pálido reflejo de la obra divina. Dios es el único artista que produce una obra de arte perfecta. Una curiosa alusión a la creación del mundo como obra de arte y a Dios como poeta, con gran apoyo de fuentes clásicas y bíblicas es la de la Aprobación de Tomás de Oña a la *Tercera Parte de Comedias* de Calderón publicada por Vera Tassis (Madrid, 1687), y en la que se editó *La fiera, el rayo y la piedra:* «El mismo Dios hizo alarde de inventor suyo, equivocando con la Poesía la creación.» Las obras de Calderón están impregnadas de esta idea. Véase además mi artículo «Lope de Vega, Ravisio Textor y la creación del mundo como obra de arte», *Homenaje a Eugenio Asensio,* Madrid, Gredos, 1988, págs. 171-84. Antonio Palomino, en su *Museo pictórico,* vol. I, pág. 16, hace amplias observaciones sobre la relación entre la creación divina y la creación artística, recogiendo unos versos de José Valdi-

temporalidad que la poesía añade a las artes plásticas hace de la Estatua de Pigmaleón motivo de capital importancia para entender la supremacía que la palabra tenía para Calderón y aún más en la comedia, donde toma vida. La Estatua muestra en escena la dialéctica entre el Arte y la Naturaleza. Este personaje crea una obra artística partiendo de una *idea* y luego consigue, por la gracia de Venus, que se haga humana, vale decir, que tome estado de naturaleza. Este milagroso proceso equivale a una naturaleza nacida del arte, que a su vez nació de una *idea* o concepto en la mente del artista[90]. Los paralelismos con la concepción bíblica de la creación del hombre por parte de Dios son evidentes, como puede deducirse.

La fiera ofrece en escena el mísero oficio del herrero, levemente sublimado por los resortes mitológicos inherentes a la fragua de Vulcano. También el de las hilanderas alcahuetas es más que denostado en la cueva de las Parcas. El de escultor, en cambio, cobra dignidad y altura con Pigmaleón, al que Calderón presta también la cualificación de la pintura y una lograda fama que lo encumbra a la altura de Júpiter, vale decir, del dios todopoderoso, al dar vida y alma «así al metal como al lienzo» (v. 1477). Por boca de este enamorado artista, Calderón convierte el *oficio* de escultor en *estudio* de un arte noble y empleo dignísimo «que no desluce la sangre» (v. 1488)[91]. La escultura aparece como un remedo del ser vivo al

---

vielso que la expresan claramente: «Hurto es del cielo, en fin, que le remeda / Arte todo le cede; / Pues apostar se atreve docta mano / a su autor soberano / Unas como creaciones, / De la nada elevando perfecciones; / Para que el mundo vea, / Que puede hacer lo que no es, que sea». Para otros aspectos del tema, mi artículo en prensa «La página y el lienzo. Sobre las relaciones entre Arte y Literatura en el Barroco», *Fronteras de la poesía barroca*, Barcelona, Ed. Crítica

[90] Sobre el tema de la teoría aristotélico-escolástica de la obra de arte como preexistente en el espíritu del artista, Erwin Panofsky, *Idea*, Madrid, Ensayos Arte Cátedra, 1978, págs. 78 y ss., y Anthony Blunt, *La teoría de las artes en Italia (del 1450 a 1600)*, Madrid, Cátedra, 1979, págs. 145 y ss.

[91] Sobre las discusiones acerca de la posición social del artista en el Barroco, véase Julián Gállego, *El pintor, de artesano a artista*, Granada, 1976, págs. 178-181, y Juan José Martín González, *El artista en la sociedad española del siglo XVII*, Madrid, Cátedra, 1984. Para los precedentes italianos, particularmente referidos al arte de la arquitectura, S. Kostof, *The Architect. Chapters in*

que sólo falta la voz. El propio Pigmaleón, a través de la locura y la enfermedad amorosa, confiesa su admiración e inclinación por la escultura, y no sólo no duda al contemplarla sobre quién la ha creado, sino que querría transferir su alma al mismo mármol. Aunque del juego amoroso de la Estatua haga burlas el gracioso, no faltarán los celos de Anajarte, que la arrojará del jardín para vengarse, mientras Pigmaleón entra en un proceso de adoración que le llevará a construir un palacio para albergarla, lleno de esculturas a su servicio. Pigmaleón termina así por personificar al artista completo que maneja tanto la pintura como la escultura y que además es arquitecto. Su adoración por la Estatua perfecta que él mismo ha creado le lleva a entrar en la acción bélica y a labrar un alcázar para darle culto. La obra de arte supera a su creador y se coloca en los terrenos de lo prodigioso y casi divino. Arte y vida se funden y confunden, provocando en la esfera celeste de los dioses referencias al triunfo de la piedra que en amor se emplea y al castigo de la mujer que es mármol en sus afectos. Porque, no lo olvidemos, al margen de lo artístico, es el amor de Pigmaleón la verdadera causa de la metamorfosis de la Estatua en un ser vivo. Lágrimas quebrantan peñas y el triunfo de Anteros consiste, como él dice, en haber logrado a través de Pigmaleón a «una piedra enternecer» (v. 3985).

El carro triunfal es otro ejercicio de descripción poética y puesta en escena de un ejemplo de arte en acción que añade esquemas procesionales al contexto teatral. Amor y Hermosura, en síntesis platónica, que además se identifica con el ingenio del arte, aparecen glosados y cantados por la música con motivo de la Estatua («Si es lo hermoso el objeto / que obliga a querer...», vv. 3607-8)[92]. Pigmaleón cree en el carác-

the History of the Profession, Nueva York, 1977 y, en general, R. Wittkower, The Artist and the Liberal Arts, Londres, 1952. Otros aspectos del problema son tratados por E. H. Gombrich, «El mecenazgo de los primeros Medici», Norma y forma. Estudios sobre el arte en el Renacimiento, Madrid, Alianza Ed., 1984, págs. 79-131.
[92] Calderón no se limita, sin embargo, a los juegos estéticos. Recordemos la entrada de la Estatua en el alcázar de Pigmaleón, convertida en Señora Doña Mármol a la que el criado agasaja como la dama de comedia que es a lo largo de la obra.

ter divino de su obra y se pone a sus pies con el resto de sus esculturas, consiguiendo a fuerza de llanto que la materia inerte viva; bien es verdad que con la ayuda divina. Las metamorfosis de la Estatua y la de Anajarte, en perfecto paralelismo de opuestos, recogen de forma plástica los resultados de la dialéctica amorosa del amor imperfecto y del amor correspondido como tesis fundamental de la obra.

Calderón va más lejos de la teoría del arte que se entreverá en los diálogos para hacerla viva en la acción escénica. El drama, al contener todas las artes plásticas, además de la literatura y la música, se conforma así como suma de ellas. El realce del escritor y de su dignidad de oficio queda así sublimado, por encima de las objeciones que el Patriarca de las Indias o cualquier otro pudieran argüir en contra del dramaturgo. Calderón siguió la línea iniciada por Leonardo y otros preceptistas del Renacimiento al convertir al artista en alguien muy superior al mero artesano[93]. Y lo hizo también *pro domo sua*, pues al insertar las artes en su teatro conseguía mostrar hasta qué punto la poesía y la retórica, de suyo artes

---

[93] Anthony Blunt, *op. cit.*, págs. 65-74, señala cómo Alberti en *Della Pittura*, libro II, trata de distinguir —como Calderón posteriormente en *La fiera*— entre las artes liberales y las mecánicas. Éste estableció diferencias entre artistas y artesanos, tiñendo sus argumentaciones con la impronta científica. Las matemáticas y, con ellas, la perspectiva, se adosan al arte para dignificarlo y darle validez. Los pintores y arquitectos debían tener un conocimiento científico amplio y saber de todas las artes, pero también de la vida (como Lope señala en *El Arte nuevo*), para así poder reflejarla. Blunt plantea las discusiones acerca de la mayor o menor nobleza de la pintura sobre la escultura en Leonardo, Varchi y otros. Julián Gállego, *Diego Velázquez*, pág. 137, considera algo que creemos fundamental para la relación entre la obra de este pintor y la comedia que nos ocupa. Me refiero a la interpretación de que *Las Hilanderas* (como *Las Meninas*) ofrecen un claro ejemplo de la pintura como arte noble y del ejercicio del pintor como algo superior al artesanal. Sobre ello, vuelve este mismo crítico en *El cuadro dentro del cuadro*, Madrid, Cátedra, 1978. Tolnay también interpretó *Las Hilanderas* como alegoría de las artes sobre la artesanía (Cfr. Rosa López Torrijos, *La mitología en la pintura española del Siglo de Oro*, Madrid, Cátedra, 1985, pág. 322). Para las relaciones entre poesía y pintura, véanse, entre otros, los clásicos estudios de R. W. Lee, *Ut pictura poesis. La teoría humanística de la pintura y las artes visuales*, Madrid, Cátedra, 1982, y Mario Praz, *Mnemosyne. El paralelismo entre la pintura y las artes visuales*, Madrid, Taurus, 1981, cap. I, y mi art. cit. «La página y el lienzo...».

liberales, podían conjugarse con las bellas artes y servirse de ellas en un arte superior, el dramático, que las contenía a todas[94]. Calderón incluyó en *La fiera* la teoría y la práctica de la escultura y la pintura, sin olvidarse de la arquitectura. No en vano la base de toda escenografía es arquitectónica, como ya señalamos.

LA MITOLOGÍA Y EL DRAMA

La materia mitológica clásica constituye la base argumental de *La fiera, el rayo y la piedra*[95]. Calderón, sin embargo, no se ató a un sólo asunto ni a un sólo argumento, porque como

---

[94] Blunt, *op. cit.,* págs. 68-9, apunta que la poesía no considerada como ejercicio manual, se alzaba como meta de equiparación de la pintura que pretendía igualarla y aun superarla en el caso de Leonardo. En general, los preceptistas, como Castelvetro, tan conocido por Lope y otros, abogaban por la superioridad de la poesía *(pictura loquens)* sobre la pintura *(muta poesis).* Como señala Enrique Rull, *op. cit.,* pág. 25: «Es por tanto, ocioso discutir la preeminencia de un arte sobre otro en Calderón, su preferencia por la pintura es evidente, pero su integración en una unidad superior, que tiene su modelo en Dios, y por tanto, en una realidad sacralizada, es un hecho al que su teatro quiso dar magnitud estética desde principio al fin.»

[95] Para las fuentes mitológicas de esta obra calderoniana, véase Ángel Valbuena Briones, *Perspectiva crítica de los dramas de Calderón,* Madrid, Rialp, 1965, págs. 336 y ss., quien señala que la leyenda de Pigmaleón está en la *Filosofía Secreta* de Pérez de Moya. Éste sigue a Bocaccio, teniendo la base común ovidiana de las *Metamorfosis* que Calderón maneja junto con otros modelos con gran libertad, ya que se ajusta a Ovidio, al padre Vitoria, etc., como veremos en las notas a esta edición, reelaborando los mitos. Para las comedias mitológicas, véase además Ángel Valbuena Prat, «Las comedias mitológicas», *Calderón, su personalidad, su arte dramático, su estilo y sus obras,* Barcelona, Juventud, 1941, págs. 169-183. Sobre *La fiera* opina que la idea principal es la de la fuerza y rigor del amor, y que es «obra más rica, más de aparato que de musicalidad interna», es una comedia de sentido conceptual del gran poeta escolástico y renovador. Y a la vez una cumbre en la historia de la escenografía española» *(ibíd.,* págs. 176-7). Véanse W. C. Chapman, «Las comedias mitológicas de Calderón», *Revista de Literatura,* 5, 1954, págs. 35-67, N. E. Haberbeck Ojeda, «El tema mitológico en el teatro de Calderón», RUM, XXI, 1972, núm. 84-II, págs. 116-7. Aurora Egido, *La fábrica de un auto sacramental: los encantos de la Culpa* y Sebastián Neumeister, *op. cit.,* sobre *La fiera,* págs. 296 y 300. En pág. 353, se da la lista de las 24 comedias mitológicas calderonianas. *La fiera* ocupa el quinto lugar entre las comedias

rezan los finales de la obra, son tres los motivos básicos que se tejen en clara correlación con el título de la misma. Dos de ellos están constituidos por dos historias independientes de tradición mitológica, la de Pigmaleón con la estatua y la de las durezas de Anajarte, ambas de raíz ovidiana[96]. La tercera historia, la de Céfiro, constituye una clara invención del dramaturgo. Al margen, la presencia de Anteo recoge la vertiente mística del salvaje que vive en la caverna, recogida por Lucano, y que remite a la historia de Hércules. El tríptico de las Parcas, la fragua de Vulcano y la presencia de Venus, Eros y Anteros gozan también de evidentes conexiones con la materia mitológica clásica. Los hijos de Venus personifican el debate entre el amor ciego y el amor correspondido, o amor espiritual, frente al carnal, que se establece a lo largo de la obra, encarnándose en la acción llevada a término por los personajes. De este modo, la alegoría entra en escena, haciendo que el mundo de los dioses y lo sobrenatural —como es el caso de Cíclopes y Parcas— teja su entramado en la vida de los héroes que pueblan la escena, forzando sus destinos. La función agorera de las Parcas, las flechas de oro y plomo fraguadas por los Cíclopes y las fuerzas contrapuestas de los amorcillos hermanos actúan constantemente sobre los personajes delineando sus acciones hasta el definitivo triunfo del Amor correspondido, representado por Anteros.

La mezcla de materiales tan variados, en busca de la admiración que procura novedades para asombro de los espectadores, es el fundamento de la obra. La variedad, aunque en busca de una equilibrada unidad de conjunto, es la estética

---

de este subgénero, después de *Polifemo y Circe* (1634), *El mayor encanto, Amor* (1635) y *La comedia de la fábula de Narciso* (1639). Para otros aspectos, L. P. Thomas, «Les Jeux de scéne et l'architecture des idées dans le théâtre allégorique de Calderón», *Homenaje a Menéndez Pidal*, II, 1925, págs. 501-530.

[96] Javier de Hoz, «Observaciones sobre la materia mitológica en Calderón», *Actas del Coloquio Calderoniano, Salamanca, 1985,* Universidad de Salamanca, 1988, págs. 51-60. Este filólogo señala la libertad de Calderón en *La fiera* a la hora de manejar las fuentes clásicas, a diferencia de otros casos, como *Andrómeda y Perseo*, apuntando el origen chipriota de la leyenda de Pigmaleón, base geográfica que también afecta al mito de Anaxarte o Anajarte, historia independiente que como un apólogo surge en las *Metamorfosis,* sin conexión alguna con la de Pigmaleón.

dominante, junto a la libre utilización de las fábulas y motivos clásicos, claramente empleados en función de los intereses perseguidos por el dramaturgo que construye una comedia con resortes parecidos a las de enredo amoroso y según unos esquemas genéricos ya codificados y mecanizados por la tradición inmediata.

Para el ensamblaje de historias aparentemente desconectadas, Calderón somete las fuentes a evidentes cambios y las transforma a su conveniencia. Se trata de un ejercicio de invención que implicaba numerosos riesgos en el tratamiento de los modelos imitados. Si la Estatua de Pigmaleón cobra vida con la ayuda de los dioses y termina por convertirse en la amada que soñase su hacedor, la historia de Anajarte ofrecía a Calderón una fábula simétrica, pero invertida, pues por sus desdenes hacia Ifis acabaría convirtiéndose de mujer en estatua de mármol, como justo castigo de Venus a su pertinacia en la dureza. Esta simetría se complementa con los paralelismos trazados entre Irífile y Anajarte, ya que la identidad de la fiera viene a corresponderse con la de la cortesana desdeñosa. La fusión mítica sirve a Calderón para organizar tres historias amorosas cruzadas, situándolas en la isla de Sicilia, de la que Anajarte aparentemente es princesa heredera. Calderón convierte a Ifis en rey de Epiro y, por exigencias de la obra, silencia su desdichada muerte y lo transforma en galán sin dama con la que alcanzar el final deseado de la boda[97].

---

[97] Como señala Javier de Hoz en el citado artículo, son «circunstancias ajenas por completo a la versión de Ovidio». Pienso que ifis hace de galán «descasado», eslabón suelto en la cadena de casamientos, como ocurría en las comedias de enredo. Tal vez no le falte razón a Anthony Carcardì, *The Limits of Illusion: A Critical Study of Calderón,* Cambridge University Press, 1984, pág. 130, cuando no duda en calificar *La fiera* como «a mythological extravaganza». Aunque su punto de vista sobre ésta y otras comedias mitológicas esté muy en paralelo con la secular perspectiva neoclásica que tan negativa ha sido para este tipo de comedias, contempladas desde la ladera de la norma clasicista. A propósito de la ligazón del tema de las Parcas con el nacimiento de Cupido, Baltasar Gracián ofrece en su *Agudeza y arte de ingenio,* edición de Evaristo Correa, Madrid, Castalia, 1969, vol. II, pág. 99, un ejemplo de Jaime Juan Falcó quién había dado en latín una versión ingeniosa que el jesuita alaba como de discurso vario y admirable. Ello prueba la estética a la que Calderón se afilia en la obra, uniendo lo diverso en lo uno: «Ingeniosa-

La tríada de las historias de Anajarte y de Pigmaleón se completa con la del cazador Céfiro, supuesto primo de Anajarte y defensor de la salvaje Irífile. El entrelazamiento de las historias abría así la intriga amorosa de tres parejas de caballero y dama, como en compleja comedia de enredo. Céfiro, Ifis y Pigmaleón, junto a Irífile, Anajarte y la Estatua —ésta al final— cruzan sus deseos, admiraciones y desdenes, añadiendo a la causa amorosa la intriga sustentada en la pérdida de la identidad de Irífile, así como en la privación de mando. La guerra acompaña la secuencia amorosa hasta un desenlace feliz, gracias al reconocimiento por el que se descubre que Irífile y Anajarte fueron trocadas en sus cunas y es aquélla, y no la dura desdeñosa, la heredera del reino de Sicilia. La salvaje Irífile torna a palacio y recobra el trono perdido. Con él, alcanza el amor de Céfiro, mientras que Anajarte sufre la metamorfosis debida a su frialdad amorosa, dejando a Ifis en solitario desenlace. Calderón evita así el final trágico de su muerte, tal y como lo prefijaba la tradición de las *Metamorfosis*. Pigmaleón, a su vez, se casa con la Estatua, convertida ya en mujer, y la gloria de Anteros, refrendada por el propio Cupido, se extiende a la propia pareja real de Felipe IV y Mariana de Austria, como encarnación viva de las correspondencias amorosas y prolongación de los felices epitalamios con los que se cierra la comedia.

La fiera está presidida por las fuerzas que —*deus ex machina*— actúan sobre los personajes, como los agüeros, los hados y la fuerza de los dioses que operan desde la celeste sala de justicia. Queda, sin embargo, la vertiente manifiesta de la persistencia en el mal y la libre decisión de los protagonistas que hace de

---

mente introduce Falcón a Venus, que estando preñada preguntó a las Parcas qué había de parir. Laquesis dijo que un tigre; Cloto, que un pedernal, Atropos, que un rayo, y parió el Amor, que lo es todo.» Cupido es así el nudo que ata, y en ello consiste «el agradable empeño» encomiado por Gracián quien añade una traducción del oscense Manuel de Salinas sobre este amor ciego que es tigre, fuego y pedernal. El tigre aparecerá curiosamente en el telón de la representación valenciana de *La fiera* en 1690, como puede verse en el grabado correspondiente del manuscrito junto con el resto de los símbolo, además del epigrama 70 de Jaime Falcó, según apuntamos luego.

contrapeso al destino predeterminado por las Parcas. Anajarte, en este sentido, es un claro exponente de la determinación que no se atiene a previsiones ajenas. Y es ella quien, curiosamente, dirige la acción en una buena parte de la obra. En ésta tiene gran importancia la teoría neoplatónica del amor, mostrado como una fuerza externa que lleva a la enfermedad, a la locura y a la muerte, aunque al final se presente como armónica unión de la mayoría de los protagonistas[98]. La obra muestra además la vertiente edificadora y positiva de la escuela amorosa, con su secuela benéfica y transformadora, abundando en los valores y mejoras que el enamorado adquiere, sumando perfecciones de índole moral, estética y artística[99]. En ese sentido, Pigmaleón encarna un caso máximo de la *invención del amor* logrando que la idea de la amada hecha escultura se transforme en un ser vivo que encarna todas sus aspiraciones artísticas y sus deseos amorosos. Que el autor se case con su obra, tras darle vida, conlleva, en la representación misma de la comedia calderoniana, un claro paralelismo con la evidencia de lo que para su autor significa-

---

[98] El retrato de Cupido que muestra León Hebreo en sus *Diálogos de amor,* traducción de Carlos Mazo, ed. de José María Reyes, Barcelona, Promociones Publicaciones Universitarias, 1986, pág. 153, y véase pág. 276, casa bien con los valores irracionales que el tirano diosecillo luce en la obra. Su existencia real fuera de los propios sentimientos del amante, lanzando flechas sin tino e hiriendo de repente y sin remedio a los personajes con heridas de difícil curación entra dentro de la casuística recogida por Massimo Ciavolella, *La «Malattia d'amore» dall'Antichità al Mediaevo,* Roma, Bulzoni Ed., 1976. Véanse mis artículos «La enfermedad de amor en el *Desengaño de amor* de Soto de Rojas», *Al ave el vuelo, Estudios sobre la obra de Soto de Rojas,* Universidad de Granada, 1984, págs. 32-52, «La iconografía amorosa en el *Desengaño* de Soto de Rojas», *Homenaje al Profesor Andrés Soria,* Universidad de Granada, 1985, págs. 135-151.

[99] Aurora Egido, «La Universidad de Amor y *La dama boba*», *Boletín de la Biblioteca Menéndez Pelayo,* LIV, 1978, págs. 351-371 y «La invención del amor en *La Diana* de Gil Polo», *Homenaje a López Estrada, Dicenda,* Madrid, Universidad Complutense, en prensa. Compárese con la iconografía recogida en similar paralelismo por Herrera en sus *Comentarios a Garcilaso* (Cfr. Antonio Gallego Morell, *Garcilaso de la Vega y sus comentaristas,* Universidad de Granada, 1966, pág. 306) y el claro precedente de Giovanni Bocaccio, *Genealogía de los dioses paganos,* ed. de María Consuelo Álvarez y Rosa María Iglesias, Madrid, Editora Nacional, 1983, págs. 383-6 y 534-7.

se el traslado de la idea al drama representado, o por decirlo en términos muy queridos a Calderón, el paso del concepto imaginado al concepto práctico.

A la lectura y alegórica literal de las tres historias, Calderón superpone el sentido moral que personifica el triunfo del Amor correspondido, lo que equivale al triunfo de la virtud sobre los vicios, de la razón sobre la pasión y del estado cortesano sobre el primitivo y salvaje[100]. La desarmonía y el conflicto acaban en un final feliz, asumido además por los espectadores reales a los que la obra se dirige en último término como encarnación ideal del triunfo amoroso. Anajarte será castigada por pagar con el desamor los desvelos de Ifis, que había ganado para ella el trono de Sicilia. Triunfan así los que han seguido la senda de las correspondencias amorosas, fracasando la desarmonía.

En ésta, como en otras comedias mitológicas, las fábulas permiten incurrir en el ancho mundo de lo maravilloso y extraordinario, tan afín a la estética barroca, amplificado aquí en las plásticas escenas venatorias de Anajarte, cuando aparece cual Diana cazadora con sus ninfas. No falta, en cambio, el punto irónico de la épica fantástica y caballeresca, con el gracioso Brunel, descendiente rebajado del Brunello que diseñase Ludovico Ariosto para el *Orlando furioso*. El punto de vista de lo verosímil cervantino filtra así los excesos de la magia y los mitos, la caballería andante y el neoplatonismo. No obstante, la verosimilitud cede paso a la fantasía en todo lo relativo a la materia mitológica. Pero ésta se ve

---

[100] Detrás estaban los tradicionales *sentidos* que los mitógrafos encontraban en las fábulas mitológicas y que Calderón traslada a la casuística barroca de sus comedias. Sobre ellos, León Hebrero, *op. cit.,* pág. 218 (en coincidencia con Bocaccio, Pérez de Moya y tantos otros) quien ironiza por boca de Sofía sobre la existencia de tantas interpretaciones posibles en cada mito, justificándolas por el deleite que ello produce y por la posibilidad de contentar a muchos con un solo manjar *(Ibíd.,* págs. 221-37). Ello toca los linderos de la teoría de la recepción aplicada al público variado de los teatros, aunque el de la corte era más homólogo, al menos socialmente. Para los cuatro niveles de interpretación, en el análisis de la comedia mitológica, véase Charles V. Aubrun, «Estructura y significación de las comedias mitológicas de Calderón», *Hacia Calderón. Tercer Coloquio Anglogermano,* Berlín, Nueva York, 1976, págs. 148-155.

constantemente sometida a los convencionalismos de la comedia nueva, a su servidumbre de personajes y enredos, situaciones y moldes mecanizados, tanto en la configuración de la acción, como en las intrigas de amor, guerra y falsas identidades.

Por otra parte, la lucha entre las fuerzas del bien y del mal remite a una psicomaquia de carácter alegórico que visualizan y personifican Eros y Anteros como prolongación de la batalla interior que libran los protagonistas. Aunque tampoco sea ajena la comedia en general al procedimiento seguido por Calderón en la comedia mitológica de adelantar de antemano el desenlace, es evidente que en ésta una buena parte de los acontecimientos viene ya prefijada por el modelo clásico elegido. Charles Aubrun ya hizo hincapié en los finales previstos de la comedia mitológica, así como en las peripecias de carácter extraordinario que vienen en ellas favorecidas por la metamorfosis. Por otro lado, la relación de la fábula o fábulas resta terreno a la acción propiamente dicha y carga la obra de elementos líricos y efectos escenográficos, sin que tal proyección implique estatismo, ya que la triple intriga ofrece una escena en constante movimiento, salvo en contadas ocasiones[101].

La fusión entre el mundo de los dioses, el de los héroes, el de las fieras y el de los graciosos y hasta villanos que salen en marcha procesional establece una variada gama de *dramatis personae* en claro paralelismo conflictivo. Pues si la dialéctica Eros-Anteros se establece en el ámbito de lo celeste y extraordinario, en el mundo de las tres parejas protagonistas se hace viva, aunque manteniéndose en el terreno retórico de lo trágico y sublime. A cambio, los graciosos redoblan la triplicidad en los terrenos del tercer estilo, levemente coreado por las medrosas damas de Anajarte. La mezcla tragicómica alcanza todos los niveles del drama y acerca, desde luego, el mundo de los dioses al de los hombres, y hasta lo rebaja dentro de la misma obra, con la entrada paródica y hasta

[101] Ch. Aubrun, *ibíd.*, y véase W. J. Entwistle, «Calderón et le théâtre symbolique», BHI, LII, 1950, págs. 41-54, para los sentidos mitológicos y la casuística tomista y escolar de los dramas calderonianos.

burlesca que propician los criados. En estas comedias se da así la doble vertiente, ideal y desmitificadora, que respecto a los mitos reflejan la literatura y el arte barrocos.

Queda fuera de toda duda que por lejanos que parezcan los materiales mitológicos, éstos se adecúan a la hora histórica en la que la comedia se representa y a la que sirven, por muy circunstancial que sea su motivación, como ocurre con la obra que editamos, hecha para un cumpleaños real[102]. Como ha señalado Sebastián Neumeister, Calderón utiliza los mitos en las comedias no con fines metafísicos, morales o políticos, «sino para crear sobre el trasfondo de estas opiniones un mundo poético y por eso autónomo»[103].

El sustrato amoroso es la base de las comedias mitológicas de Calderón, y a través de él, según ha señalado Robert Ter Horst, se establece un conflicto entre dioses y entre hombres que refleja el de la naturaleza en liza con la cultura[104]. La génesis del personaje de la princesa Irífile que aparece personificando el salvaje abandonado e ignorante de su destino, plasma en *La fiera, el rayo y la piedra* la versión femenina de la problemática segismundiana del ocultamiento para burlar un destino prefijado por los hados[105]. La búsqueda del destino aparece ya desde los primeros versos y la predican los tres protagonistas principales, paradigmas del arquetipo del peregrino que deberá luchar contra los obstáculos que salgan a su

[102] Sobre ello, Sebastián Neumeister, «La fiesta mitológica de Calderón en su contexto histórico *(Fieras afemina amor)*», *Hacia Calderón. Tercer Coloquio Anglogermano,* págs. 156-184. Esta obra de 1669 también fue escrita para el cumpleaños de la reina, como veremos.

[103] Sebastián Neumeister, «Calderón y el mito clásico *(Andrómeda y Perseo,* auto sacramental y fiesta de corte)», *Calderón. Actas,* II, págs. 713-721.

[104] Robert Ter Host, *Calderón. The Secular Plays,* The University of Kentucky, 1982, pág. 5; y págs. 61 y ss., para las fuentes mitológicas. Según este crítico, Calderón logra con el antagonismo entre lo divino y humano los mejores valores de la comedia mitológica. Opina que *La fiera* muestra un desenlace ambiguo en el que vencen a la par Eros y Anteros. Aún estando de acuerdo con la ambigüedad del juicio de Venus y la adhesión de Eros al final feliz, creo es evidente que lo que se canta por extenso es el triunfo del amor correspondido, es decir, de Anteros. El estudio recoge los precedentes lopescos e italianos (Jacopo Peri y Giulio Caccini) de la comedia mitológica.

[105] *Ibíd.,* pág. 5. Para las analogías segismundianas con *La vida es sueño,* véase *infra.*

encuentro, ya sea en el ámbito de lo amoroso o en el épico[106]. Respecto a los orígenes desconocidos, es materia que aparece en otras obras calderonianas, siendo las *Fortunas de Andrómeda y Perseo* una de ellas.

Los contrastes entre lo salvaje y lo civilizado, la naturaleza y la corte, el amor y la guerra, el amor y el odio, la dureza y la correspondencia, el mundo de los dioses y el de los hombres, el de los señores y los criados, etc., crean una constante lucha o confrontación de opuestos tanto en la acción como en el estilo y en los elementos escenográficos que integran la obra. La presencia de los extremos crea un mundo complejo, encarnado en la doble naturaleza de Venus que, por su propia ambigüedad, refleja la que el texto y su desenlace ofrecen a los espectadores[107]. Aun así queda claramente castigada la ingratitud de la desamorada Anajarte que ya desde Garcilaso era modelo de escarmiento; y se premia, a cambio, la feliz conjunción de las parejas que buscan armonía y acuerdo. El estado salvaje queda superado por el cortesano, siendo el amor pieza clave en el decurso de las transformaciones.

El amor como lucha, caza, enfermedad y locura aparece desglosado en la acción hasta su final triunfo, porque, como reza uno de los *Emblemata Amorum* de Otto Vaenius, «Nadie es tan fiero que no pueda amansarse»[108]. Sólo queda la tragedia

---

[106] Los tres se convierten en peregrinos de amores, aunque la causa bélica se cruce en la acción dramática, haciéndola progresar. Las analogías con el peregrino errante de las *Soledades* gongorinas asaltan desde los primeros versos, y no sólo desde el punto de vista estilístico. Sobre el tema, véase Juergen Hahn, *The Origins of the Baroque Concept of «Peregrinatio»*, Chapel Hill, The University of North Caroline, 1973, y A. Egido, *La fábrica de un auto sacramental: «Los encantos de la Culpa»*, cap. VIII. El esquema de la peregrinación, junto al de la batalla (interior en la alegoría sacramental, exterior en la comedia) es constante en toda la obra calderoniana.

[107] Ángel Valbuena, «Eros moralizado en las comedias mitológicas de Calderón», *Approaches to the Theatre of Calderón,* ed. por M. D. Mc. Gaha, págs. 77-94, señala la diferencia marcada por Ficino entre la *Venus Urania,* representación del amor intelectual, y la *Venus Pandemos,* del amor de los sentidos.

[108] Santiago Sebastián López, «Lectura crítica de la *Amorum Emblemata* de Otto Vaenius», *Boletín del Museo e Instituto Camón Aznar,* XXI, 1985, páginas 5-112. En este caso, la fiera Irífile se domestica, porque, como glosó Calderón, *Fieras afemina amor;* y la piedra se ablanda y cobra vida con la

de Anajarte, aunque dulcificada porque la muerte se cristaliza en un proceso casi exclusivamente estético de metamorfosis, levemente teñido de ejemplaridad. Que se transforme en estatua no deja además de ser un alegato a favor de la vida que Pigmaleón ha logrado crear en detrimento de esta otra metamorfosis que se hace en piedra inerte, en escultura muerta, como la de Anajarte.

La fiera muestra el feliz desenlace de una vida entendida como conflicto pero que el amor salva en armónica síntesis de música, danza y voces, tejida en corona festiva para ofrenda de las personas reales. Una vez más, Calderón fue fiel al dictado de la égloga virgiliana: *Omnia vincit amor.* La diosa Fortuna personifica en la máscara el emblema propicio con el que la fiesta termina[109]. En ella, como en el título, se muestra la herencia de Alciato en la obra calderoniana[110]. Las flechas de oro y plomo y la iconografía de Cupido remiten a la tradición emblemática[111]. Anteros eleva las almas a la virtud y a la sabiduría, fomentando la honestidad y la vida espiritual y vence a su hermano, como en el emblema CX: *Amor virtutis alium Cupidinem superans*[112].

Estatua. El rayo o Anajarte permanece fiel a su identidad y al final se petrifica en metamorfosis. Calderón alude levemente al desenlace de Ifis que en la mitología se ahorcó. Con ello, evitó el acto sangriento que hubiese ensombrecido la obra, cambiando su género por el de tragedia y tiñendo un festejo real que la hubiera hecho incongruente. También se aleja Calderón del modelo de Irifile o Erifile propuesto por el padre Vitoria en su *Teatro de los dioses de la gentilidad,* Valencia, 1646, II, pág. 535.

[109] *Infra,* vv. 4017 y ss. Lejos de la *caeca Fortuna,* semejante a Cupido, la de *La fiera* apela a la feliz circunstancia real y se coloca en igualdad espacial con Felipe y Mariana, y como maestra del *ballet de court* y emisaria de los actores. Las alegorías también aparecen en *Fieras afemina amor* del propio Calderón. (Véase la ed. de E. M. Wilson, Kassel, Ed. Reichenberger, 1984, pág. 25), donde salen la Fama, el Valor y la Osadía. Calderón trató también de la Fortuna en el contexto de la caída de príncipes, tan rico en sus comedias (Cfr. Ángel Valbuena Briones, «El tema de la Fortuna en *La gran Cenobia»,* *Calderón y la comedia nueva,* Madrid, Espasa-Calpe, 1977, págs. 136-146).

[110] *Infra,* vv. 4030 y ss. El rayo es patrimonio de Cupido, según el emblema CVII de Alciato, *Emblemas,* ed. cit., pág. 142. Y el amor es más violento que el mismo rayo, pág. 143.

[111] Véase Juan Pérez de Moya, *Filosofía secreta,* Barcelona, Ed. Glosa, 1977, vol. I, pág. 29. Representan, respectivamente, el amor y el desamor.

[112] Emblema CX de Alciato. Los valores positivos del amor maestro,

La omnipresencia de los dioses en toda la obra refleja el peso constante de unas fuerzas externas que actúan sobre el individuo y que éste apenas controla, determinando sus actos de principio a fin[113].

COMEDIA NUEVA

La fiera muestra una evidente ruptura de la unidad de acción aristotélica con los tres asuntos amorosos de que trata y los episodios de dioses y graciosos, si bien ellos andan tan perfectamente engarzados que bien podemos hablar de una particular unidad de acción calderoniana como en otras muchas comedias del mismo autor. Respecto al espacio y al tiempo, la obra se ciñe a la imprecisa localización temporal de los mitos, sin mayor precisión que la del paso del día a la noche y luego al día de nuevo, centrándose la localización en el espacio concreto de Sicilia. La variación escénica convierte

---

médico y fuerza que todo lo cura y vence, son constantemente glosados por la emblemática. San Agustín decía: «Amor magnus doctor est». Vaenius, en su emblema 8, reza: *Amor docet;* y en el 26: «Nihil amante grave». Sobre ello, Santiago Sebastián, *La visión emblemática del amor divino según Vaenius,* Madrid, Cuadernos de Arte de la Fundación Universitaria, 1985, pág. 13 *passim,* y Aurora Egido, «La Universidad de amor y *La dama boba»,* cit. De ahí la lógica incongruencia de don Gutierre en *El médico de su honra* de Calderón que —como el amor y los celos—, curando, mata.

[113] Según se señala en la ed. citada de Pedro Calderón de la Barca, *Fieras afemina amor,* págs. 24-6, la influencia todopoderosa de los dioses en este tipo de obras es evidente y parece agostar la libertad de los personajes, aunque tal imposición puede resultar errónea. Calderón, creo, tiende a mostrar la parcela del libre albedrío junto a la de la predestinación. Ambas no se excluyen, sino que se ofrecen en colisión, en debate continuo y paradógico como en *Fieras.* El hombre a solas no puede vencerse a sí mismo, necesita de la ayuda del Amor perfecto para controlar el mundo de sus afectos. *Fieras afemina amor* sostiene desde el título grandes analogías con la obra que nos ocupa. Ésta fue representada el 18 de enero de 1670 con motivo del cumpleaños de Mariana de Austria y al agrado de Carlos II, al que se dedica el fin de fiesta. Es obra que también ofrece diversas variantes en relación con las distintas fechas de sus representaciones, algunas posteriores a la muerte de Calderón. El Hércules desmitificador y humano que Calderón —en concomitancia con el de Rubens— propone, establece idéntica perspectiva a la que en *La fiera* ofrecen las Parcas y la fragua de Vulcano.

el tablado en topografía múltiple, como hemos señalado, con mutaciones de exterior a interior, de mar a monte, selva, jardín, cueva, gruta y palacio. Calderón lleva a un extremo límite la ruptura de la unidad de lugar con la entrada de espacios ultramundanos, bien que unificando tal variedad en el marco mitológico y gongorino de la isla siciliana.

También es evidente la fusión épico-lírica y la tragicómica en el lenguaje, en los personajes y en la misma acción dramática, según los dictados de la comedia nueva que había creado ya una nueva preceptiva. Todo, sin embargo, se funde armónicamente y entrelaza, para que, como deseaba Lope, las partes se integren en el todo, incluso los pasos cómicos, cuyas sales no se entienden fuera del contexto en el que surgen. Y otro tanto ocurre con la aparición de Parcas y dioses que señalan la fuerza del destino o alegorizan el debate amoroso predeterminando las acciones que los personajes llevan a cabo. La *Poética* de Aristóteles y la horaciana sufren aquí las correcciones y modificaciones propias del nuevo género de comedia y aun quedan superadas por la invención y la variedad en la unidad que son la base estética de *La fiera, el rayo y la piedra*[114].

---

[114] «Ni que de ella se pueda quitar miembro / que del contexto no derribe el todo» dice Lope. Véase la documentada edición de Juan Manuel Rozas, *Significado y doctrina del «Arte nuevo» de Lope de Vega,* Madrid, 1976 y la útil antología de Federico Sánchez Escribano y Alberto Porqueras Mayo, *Preceptiva dramática española del Renacimiento y el Barroco,* Madrid, Gredos, 1972, y Margaret Newels, *Los géneros dramáticos en las poéticas del Siglo de Oro,* Londres, Támesis, 1974. Para la relación entre la perceptiva dramática calderoniana y el *Arte Nuevo:* Ángel Valbuena Briones, «La poética de Calderón», *Calderón y la comedia nueva,* Madrid, Espasa-Calpe, 1977, págs. 45-59. Calderón logra con la mezcla tragicómica un tercer género que, siendo trágico y cómico, es algo más; esa comedia *nueva* que surge, según diría Tirso, en *Los Cigarrales de Toledo* componiendo de dos especies una tercera «como se ve en el Durazno, que injerto en el membrillo produce el melocotón, en quien hacen parentesco lo dorado y agrio de lo uno con lo dulce y encarnado de lo otro» (Cfr. Sánchez Escribano y Porqueras Mayo, *op. cit.,* pág. 211). Casi todos predicaban la mezcla genérica y la estilística, en este y otros géneros. Véase a propósito de la mixtura dulce y grave, el *Exemplar poético* de Juan de la Cueva, ed. de José María Reyes Cano, Sevilla, 1986, págs. 36-7. La estética que dominaba era la de la variedad en lo uno, como predicaba Baltasar Gracián. Sobre ello, mi artículo «La unità y la varietà nell' *Acutezza* di Baltasar Gracián», *Baltasar*

La obra se estructura dentro de los convencionalismos genéricos de la época, presentando unos personajes que por su número generan toda clase de entrecruzamientos, suspenses y equívocos como en comedia de enredo[115]. El caso de Ifis es el más significativo, ya que retarda la explicación de sus orígenes hasta ya pasados casi tres mil versos, cuando trae su armada en apoyo de Anajarte contra las huestes de Céfiro y Argante. Los argumentos mitológicos quedan supeditados a la invención calderoniana de los asuntos a los que sirven. Al ser tres las parejas principales, el final feliz de los casamientos debería haber provocado unas bodas trimembres, pero, como dijimos, el argumento fuerza a castigar las durezas de Anajarte y a premiar la fidelidad y el amor constante entre Céfiro e Irífile, por una parte, y Pigmaleón y la Estatua por otra. Ifis, como galán que no va a compartir tales gozos, ve, sin embargo, según dice el propio Anteros, vengados sus desdenes al ser convertida Anajarte en piedra. Desde la perspectiva del gracioso, Ifis gana ventajas incluso al destino que le marcaba la tradición ovidiana, ya que al librarse del rayo que le iba a matar a él —es decir, al librarse de Anajarte— se zafa de la horca con la que debía cerrar su desdicha amorosa[116].

Gracián: Dal Barocco al Postmoderno. Aesthetica Pre-Print, 18, Universidad de Palermo, diciembre de 1987, págs. 25-38.

[115] Calderón, al multiplicar los argumentos, triplica los personajes del drama, construyendo una maraña de enlaces: Tres caballeros y dos damas, más la estatua. Un barba, tres graciosos, un jardinero, más las Tres Parcas, las cuatro damas y los tres dioses (Venus, Cupido y Anteros), forman ese complejo elenco al que hay que añadir los villanos que acompañan el carro de Pigmaleón, los músicos y la tropa de bailarinas que acompañan a la Fortuna en la máscara. Todo se estructura en torno a ejes bimembres, trimembres y cuatrimembres, en este aspecto, superando cualquier simplificación. Véase Juana de José Prades, *Teoría sobre los personajes de la comedia nueva,* Madrid, 1963, y Diego Marín, *La intriga secundaria en el teatro de Lope de Vega,* Toronto, 1958, donde se ve hasta qué punto *La fiera* amplifica intrigas y, por tanto, personajes, lo que equivale a multiplicar espacios, enredos, etc. El padre Ignacio de Camargo en su interesante *Discurso teológico sobre los teatros y comedias de este siglo,* Salamanca, 1689, da cuenta de «los mil artificiosos enredos» que tejían el paño de la comedia de su tiempo. Claro que él lo hace para atacarla justamente por aquello que *La fiera* lleva consigo, incluida la «gentílica idolatría ajustada puntualmente a las leyes infames de Venus y Cupido y a los torpes documentos de Ovidio en el libro *Arte Amandis».*

[116] No falta la ironía en el tratamiento de Ifis, como se ve cuando al

La mezcla tragicómica de personajes y estilos, acciones y soluciones es fiel a las reglas del decoro. A él se ajustan las referencias al honor, al duelo y a la fidelidad debida. Como en Tirso y en otras obras calderonianas, el cambio de apariencia de un ser noble jamás oculta del todo su verdadero origen[117]. Céfiro sabe adivinar debajo del rostro de Anteo el de su enemigo, la salvaje Irífile logra su identidad natural al verse entre galas palaciegas, y el mismo Anteo se comporta con la sagacidad de un auténtico cortesano bajo su ropaje selvático. En este sentido, Anteo e Irífile representan en la comedia la variante del salvaje que da en astrólogo o nigromántico, y cuya cueva es lugar de estudios mágicos, en íntima relación con las Parcas agoreras y el destino de las flechas labradas en la fragua de Vulcano. Cupido —fiera, rayo y piedra a un tiempo— completará con Anteros y la misma Venus el peso que las fuerzas ajenas a la libertad del individuo determinan su vida. Tampoco falta el disfraz convencional que Ifis toma de jardinero, ni las escenas de escondite que tanto él como Pigmaleón o Anajarte y sus damas llevan a término, creando los perspectivismos propios de la comedia barroca.

La presencia de villanos en la comitiva que acompaña el carro de Pigmaleón casa bien con la tradición dramática del «carmen triunfale», correspondiente al villano lírico y pintoresco que surge como contraste con el ambiente cortesano. Frecuentemente asociado a las fiestas aldeanas de homenaje y bienvenida en las comedias de Lope, refleja unos ideales que ya fueron convenientemente destacados por Noël Salomon[118].

---

sentirse desgraciado por la metamorfosis de Anajarte en estatua, le dice Brunel: «Nos has negociado mal, pues / condenado a ahorcar estabas» (vv. 3963-4). Y véase su referencia al oráculo que marcaba su destino en vv. 3854 y ss.

[117] Recuérdese, por ejemplo, el tema —tan cervantino— de la fuerza de la sangre en *El vergonzoso en palacio*. Los casos podrían multiplicarse. En el teatro calderoniano el tema se engarza con la idea obsesiva del destino y los hados, fundamental en esta obra que parte del dictado de las Parcas, como se observa.

[118] Noël Salomon, *Lo villano en el teatro del Siglo de Oro*, Madrid, Castalia,

La fuerza del amor que arrastra a los personajes es comparable a esa otra que les lleva, como en las novelas bizantinas y en otros géneros barrocos, a ser peregrinos errantes en busca de lo desconocido desde el principio de la obra. Calderón mezcla las peripecias amorosas con acciones guerreras relacionadas con la cuestión hereditaria. Ello permite probar la fidelidad de Ifis, la caballerosidad de Céfiro y Pigmaleón y la crueldad a ultranza de Anajarte. Cada uno de ellos y sobre todo Irífile, muestra unos orígenes oscuros que se van desvelando lentamente, por vía de relación y que sólo se logran descifrar en su totalidad gracias a Anteo —o sea Nicandro—, quien dará al final señas de Irífile como verdadera reina de Trinacria. El trucaje convencional que hiciese entre Anajarte e Irífile en la cuna por escuchar a los hados convierte a ésta en personaje muy similar a Segismundo. Durante toda la obra Irífile proporcionará no pocos paralelismos con los versos y el sentido de *La vida es sueño,* sin que falte a Anajarte despeñada su punto de relación con Rosaura y con el propio Segismundo. El nacimiento de esta «fiera» Anajarte, póstuma de su padre y cuya madre murió de parto, hace de ella el personaje más complejo y el verdadero eje de atracción de la obra, ya que como desdeñosa hasta el límite, no deja lugar para el amor y se convierte en cruel cazadora, pirata y bandolera a un tiempo. Irífile se reviste también de selvatiquez y hombría, pero cede pronto a las galas y se descubre en su desmayo como bella durmiente o se deja encantar como fiera por los ecos de la armonía musical[119]. Las dos son figuras simétricas, cuya oposición inversa, de aldea a palacio, mantienen hasta el final de la obra. Trocadas en la cuna, verán también cambiados sus destinos en el desenlace, cuando el curso de la acción y las palabras de Anteo determinen la anagnórisis. Anajarte, a

---

1985, tercera parte caps. I y VII particularmente. Para los carros, véase la nota al texto, v. 3607, *infra.*

[119] Irífile despertando en la corte y Anajarte luego de la caída del caballo provocan escenas paralelas en la obra que nos ocupa, muy en consonancia con los gustos calderonianos que a veces ofrecen casos de caídas fingidas y desmayos ficticios, como estudió Henry Recoules, «También un canto para tropezar», *Revue des Langues Romanes,* LXXX, 1972, págs. 355-367. *Vide infra,* notas a los vv. 1202 y 3733.

su vez, establece otra simetría de tipo estético con la Estatua, rematada por la metamorfosis inversa que cada una sufre al final.

Irífile (suplantada por Anajarte) se asemeja a Segismundo en el nacimiento que provoca la muerte de la madre (vv. 585-8). Anteo, a su vez, presenta algunas analogías con Basilio, pues se da a los estudios de las ciencias ocultas y representa el intento de dominio de la naturaleza por parte del hombre. Claro que diverge del padre de Segismundo y se homologa a su vez con Clotaldo en la relación sin fisuras que mantiene con Irífile. Como maestro y padre de la fiera, Anteo, hasta cierto punto, es una mixtura de los dos personajes de *La vida es sueño*. Otras son las analogías entre las dos obras y ellas atañen tanto a Anajarte como a Irífile respecto al indómito Segismundo «en traje de fiera», o sea «vestido de pieles». La cárcel de Segismundo no sólo se recuerda respecto al alcázar de Anajarte donde la tiene enterrada como muerta su tío Argante, sino a la propia Irífile, en su atuendo selvático, siendo como es verdadera reina de Trinacria. El tema de los hados en el nacimiento de una persona real, la ocultación, la fiera condición de Segismundo que se traduce en ambición es también marca de la actitud agresora de Anajarte en su estancia palaciega. El sueño aparece igualmente con sus sombras y bosquejos en el despertar de Irífile en palacio. Ella, como Segismundo, abre los ojos a la admiración y se siente atraída por las galas cortesanas. Luego están las referencias intertextuales a la vida como frenesí e ilusión y, sobre todo, la restitución final al trono de los verdaderos herederos en una y otra obra. En realidad, Irífile y Anajarte conforman en *La fiera* el desdoblamiento del personaje de Segismundo. *La vida es sueño* se plantea, sin embargo, desde una perspectiva distinta. La ausencia real de Parcas y Cíclopes, el desdén por lo mitológico hacen que el *sueño* y el *destino* no se ofrezcan por vía alegórica ni externa, sino en la vida interior del hombre, como batalla anímica de contrarios. *La fiera,* en cambio, ofrece una lección mítica que hace más ostensible, por encima del final feliz, la fuerza de los hados y los dioses, de los astros y de los agüeros sobre la vida de unos hombres y unas mujeres que hasta para su final necesitan en su escenario vital la presencia de seres de ultramundo que encarnen las fuerzas que se debaten en su mundo interior.

Por otro lado, las joyas, presentes como agnición posible para probar la identidad de Irífile al final de la obra, son un mero recurso retórico, ya que Céfiro, como caballero enamorado, no necesita más que la palabra y casa con Irífile a la que ama. Pigmaleón logra hacer realidad sus sueños con la Estatua y Anajarte se petrifica. Así el rayo, la fiera y la piedra acaban en «cadáver, reina y mujer» (vv. 3992-93). El destino, las estrellas, los agüeros cubren una amplia área semántica que deja en la acción escasísimo resquicio al libre protagonismo de los personajes. El peso de los dioses se hace también constante determinando sus vidas. Si a ello añadimos el concepto de culpa provocado por el nacimiento de Irífile, veremos hasta qué punto Calderón es fiel a sus principios, mostrando la doble fuerza destino-libertad en toda su ambigüedad poética. También podemos hablar en ésta, como en otras comedias calderonianas, de metateatro, pues todo remite a una ilusión teatral y a una tradición literaria en la que los personajes parecen surgir constantemente para apelar a ella en su configuración y en sus acciones[120].

La obra muestra un alto grado de mecanización en todos sus niveles. Dejando aparte el estilo, hay parejas cruzadas, equívocos, escondites, disfraces, identidades ocultas, secuestros, guerras, confusiones, errores, casualidades, equívocos y enredos propios de la comedia y aquí multiplicados. El nudo, o mejor dicho, los nudos, se extienden desde la primera a la tercera jornada ya bien avanzada, para que el desenlace acontezca, como es de rigor y predica el *Arte nuevo* de Lope, en los últimos versos, con el triunfo de Céfiro, la doble metamorfosis y el descubrimiento de Anteo. Calderón ofrece en esta obra numerosas analogías con otras comedias mitológicas, pero también con las comedias de honor, de capa y espada, de

---

[120] Sobre el tema, Lionel Abel, *A Metatheater. A New View of Dramatic Form,* Nueva York, 1963, T. A. O'Connor, «Is the Spanish Comedia a Metatheater?», *Hispanic Review,* 43, 1975, págs. 275-289, y Bruce Wardropper, «La imaginación en el metateatro calderoniano», *Actas del Tercer Congreso Internacional de Hispanistas,* México, 1970, págs. 923-930.

enredo, etc., señalando hasta qué punto el convencionalismo del género está por encima de la materia mitológica. Entre ellas, cabe recordar el contraste campo-aldea, choza-palacio, libertad-cárcel, además de los pruritos del honor y de la fidelidad. Todo ello teñido por un mundo de fantasía muy cercano al de la épica caballeresca, pero que ha sido tamizado por la óptica cervantina aquí presente en la desmitificación que de los encantamientos y la caballerosidad provocan los graciosos. El mundo de lo maravilloso y extraordinario no está aquí reñido con la verosimilitud, como haz y envés de la poética que la obra encierra. Calderón logra verdaderamente una comedia llena de prodigios que también en el plano de la acción dramática, en el de la escenografía y en el de la música, pretenden admirar y maravillar a los espectadores, particularmente a las personas reales, principales destinatarias de la poesía dramática y de las tramoyas.

La fiera inserta de tal modo la materia mitológica en el marco de una topografía real que crea un ámbito de curiosa verosimilitud en consonancia con otras obras mitológicas. Y ello hasta en la máscara, con el milagroso descenso de la Fortuna y su séquito al espacio y al tiempo del real auditorio[121].

Calderón representa en esta obra el grado de complejidad que la comedia nueva podía alcanzar en España a mediados del siglo XVII, confirmando todas las libertades que en la poética se habían ido permitiendo, tanto en la ruptura de las tres unidades como en la mezcla tragicómica y estilística, apuntalando todas ellas en el amplio terreno de la invención literaria.

---

[121] El padre fray Manuel Guerra y Ribera en la Aprobación a la *Quinta parte* de Calderón (Madrid, 1682), ya destacaba la delicadeza de sus comedias en la traza de la verosimilitud. Su encomio es una clara expresión de la tendencia calderoniana a fundir lo diverso: «Casó con dulcísimo artificio la verosimilitud con el engaño, lo posible con lo fabuloso, lo fingido con lo verdadero, lo amatorio con lo decente, lo majestuoso con lo tratable, lo heroico con lo inteligible, lo grave con lo dulce, lo sentencioso con lo corriente...» (Cfr. Sánchez Escribano y Porqueras Mayo, *op. cit.,* pág. 325). En este punto cabría analizar la huella de Cervantes en la obra calderoniana.

Esta pieza calderoniana mezcla, como decíamos, la tragedia con la comedia, introduciendo en el marco de la fabula-
ción mitológica, personajes, situaciones y diálogos que corresponden al tercer estilo. Y lo hace triplicando los graciosos, como convenía a los tres asuntos y argumentos que
integran la obra, en consonancia con los tres caballeros, a los
que acompañan y sirven. La fiesta cortesana española busca-
ba salidas a la risa y al divertimento en las celebraciones
carnavalescas, en los saraos, en las academias jocosas, en las
piezas menores y también en la comedia mitológica. En eso
no era muy distinta a otras cortes europeas, como es el caso
de la inglesa, con sus *anti-masques* cómicas, puestas en escena
por personajes que no pertenecían a la nobleza[122].

No vamos a extendernos en el desarrollo del *gracioso* en la
obra calderoniana[123]. *La fiera* se atiene, sin embargo, a las
marcas tradicionales del personaje, ampliando efectos por la
complejidad escénica que supone la presencia de Brunel,
Lebrón y Pasquín, si la comparamos con los efectos del
gracioso único en otras comedias. Pero además de la tradición del personaje, cuenta en estas obras el fondo bufonesco,
la traza folklórica y las relaciones con otros subgéneros particularmente proclives a la salida festiva, como es el caso de la
comedia burlesca[124]. Al igual que en ésta, el mundo del gra-

---

[122] Cfr. *Ben Johnson's Plays and Masques,* ed. por Robert M. Adams, Nueva
York, W. W. Norton and Co., 1979. El género de las *masques* tenía una clara
impronta italiana, con una escenografía semejante, como anotaremos, en
algunos casos, a la obra que nos ocupa.

[123] Amelia Tejada, *Untersuchungen zum Humor in den Comedias Calderóns unter
Ausschluss der «Gracioso» - Gestalten,* Berlín, De Gruyter, 1974; Georg Gunters,
«El gracioso en Calderón: disparate e ingenio», CH, 324, 1977, págs. 440-
453 (*vide* bibliografía adjunta), y Barbara Kinter, *Die Figur des Gracioso in
spanischen Theater des 17 Jahrhunderts,* Munich, Wilheem Fink, 1978.

[124] Véase F. Márquez Villanueva, «Planteamiento de la literatura del loco
en España», S No, 10, 1979-1980, núm. 4, págs. 7-25. El asunto atañía
también a Cervantes, según Jean Canavaggio, «Sobre lo cómico en el teatro
cervantino. Tristán y Madrigal, bufones *in partibus*» NRFH, XXXIV, pá-

cioso remite a la parodia genérica, a la crítica social más o menos explícita, a la negación de los valores tradicionales, al mundo al revés y a todo un cúmulo de referentes en el que dominan los refranes, los cuentos, la escatología, el juego de palabras y el disparate[125]. No hay que olvidar el trasfondo de oralidad que llevan constantemente los dichos en escena del gracioso, con su apelación al fondo folklórico tradicional y al habla cotidiana. Por otro lado, la crítica social y a veces política o religiosa se filtra con frecuencia entre los chistes y veras de estos personajes secundarios que en *La fiera,* sin embargo, apenas pasan rozando la crítica de costumbres cortesanas sin mayor trascendencia. Alguna vez, sin embargo, se roza la blasfemia, bien que lexicalizada, como es el caso de las alusiones a las «ermitas» visitadas por Lebrón, para adorar al dios Baco, tan cercanas al «tabernáculo excelente» que en feliz preludio valleinclanesco, dibuja Tirso en el *Burlador*[126].

---

ginas 538-547; Francisco Ruiz Ramón, «El bufón en la comedia calderoniana», *Hacia Calderón. Séptimo Coloquio Anglogermano (Cambridge, 1984),* ed. por Hans Flasche, Stuttgart, Franz Steiner Verlag, 1985, págs. 158-168, analiza la función del gracioso como criado y bufón de corte, libre en el decir y el hacer, dispuesto a provocar la risa y a mezclar la realidad con la imaginación, y el mundo de los héroes con el de los espectadores.

[125] Frédéric Serralta, «La comedia burlesca: datos y orientaciones», *Risa y sociedad en el teatro español del Siglo de Oro, Actes du 3e. Colloque du Groupe d'Etudes sur le Théâtre Espagnol, Toulouse, 1980,* París, CNRS, 1980, págs. 99-125. La relación con el disparate y el perqué de la poesía barroca es evidente. Compárese con lo analizado para la poesía por Blanca Periñán, *«Poeta ludens»: disparate, perqué y chiste en los siglos XVI XVII,* Pisa, Giardini Editori, 1979.

[126] Véase *El Burlador de Sevilla,* II, vv. 152-3 y Ramón del Valle-Inclán, *Luces de Bohemia,* Madrid, Espasa-Calpe, 1971, pág. 137: «tabernáculo», referido a la taberna de Pica Lagartos (la de Pajarillos en Tirso). Además de Amelia Tejada, *op. cit.,* pág. 301. Hay que tener en cuenta los destinatarios a los que va dirigida cada obra. En *La fiera,* los horizontes de expectación no pueden ser más cortesanos y aunque se ridiculice ese mundo en buena parte, todo queda en una vacación verbal a cargo de los criados que no empaña la caballerosidad y grandeza de los héroes. Sobre el tema en la comedia, María Grazia Profeti, «Código ideológico-social en la comedia del siglo XVII», *Risa y sociedad en el teatro español del Siglo de Oro,* págs. 13-23. A todo ello habría que añadir los aspectos cómicos derivados de la propia actuación escénica. Los preceptistas del Siglo de Oro como Pinciano ya se ocuparon de destacarlo. Véase el trabajo de Ana Isabel Lobato Yanes, «La comicidad lograda por signos escénicos no verbales según las preceptivas dramáticas del siglo XVII», *Segismundo,* 43-4, 1986, págs. 37-62.

La comicidad de Lebrón, Pasquín y Brunel no sólo viene dada por sus nombres, sino por la acción y las palabras que, con clara función trimembre, nos ofrecen desde su primera aparición en escena[127]. La risa no supone nunca un resorte meramente verbal, sino que afecta a la vestimenta, a la música y a las mismas mutaciones escénicas. Así cuando recién empezada la obra Lebrón se ríe de la salvaje Irífile, o se burla de las Parcas y de Vulcano, desmitificando las historias y personajes clásicos, haciéndoles descender al ámbito madrileño de la calle de las Hileras o a la de los Herradores. Tal perspectiva crea a veces expectación en el público, motivando o reflejando sentimientos, como ocurre con los gritos de miedo y terror al abrir y cerrarse la funesta gruta de las tres agoreras. Sus voces previenen situaciones o anuncian cantos y voces, sirviendo en muchos casos de acotación escénica. Es el caso de Lebrón, cuando al final de la comedia anuncia la música y la aparición celeste[128]. Este gracioso, criado de Pigmaleón, tiene una importancia capital en la comicidad desarrollada a propósito de la Estatua que enamora a su amo y, lo que es más interesante, desenmascara a Cupido y a los esquemas tradicionales del tópico del loco, enfermo y muerto de amores que representa su amo[129]. La escuela amorosa, con sus sublimaciones neoplatónicas y altos vuelos, a la que los

---

[127] Como se señala en las notas al texto, Brunel procede del *Orlando furioso* de Ariosto y representa una interesante parcela de desmitificación épica en la obra. Los patronímicos de los graciosos de la comedia son de muy diversa procedencia. El de Pasquín o *libelo* no necesita mayores comentarios. En cuanto a Lebrón, es paradigma del cobarde y receloso. El folklore y la tradición entremesil codificaron la retahíla de nombres chuscos provocantes a risa que la comedia mantuvo en paralela función. Sobre ello, véanse los trabajos de A. Iglesias Ovejero, «Figuración proverbial y nivelación en los nombres propios del refranero antiguo: figuras vulgarizadas del registro culto», *Criticón*, 28, 1984, pág. 5-95 y, del mismo, «Figurillas populares del refranero antiguo», *Criticón*, 35, 1986, págs. 5-98, y bibliografía adjunta.

[128] La máscara final carece, en cambio, de partes cómicas. Parece una clara consecuencia de la motivación festiva en honor de la reina que reclamaba una apoteosis celeste y no unos pasos burlescos. No lo creyeron así, en cambio, los que pusieron la obra en Valencia en 1690 y añadieron la mojiganga final.

[129] Cfr. vv. 501 y ss. y 1260-2, para la desmitificación del enamoramiento súbito.

amos sirven queda así rebajada por unos criados que muestran un punto de vista varonil y tildan de valientes o fieras tiranas a las damas que acompañan a Anajarte. Por lo mismo, el gracioso cantará los beneficios de una amante de piedra que ni habla ni gasta en mudar jubones y que por ser Doña Mármol, tiene la ventaja de no sentir celos (vv. 2192 y ss. y 3716 y ss.).

Que Lebrón, en su parodia del *triste* del cancionero o de la novela sentimental (vv. 1978 y ss.) quede fatalmente tocado de amores por las cuatro damas de Anajarte (v. 2292) hace aún más rico el campo de las burlas sobre la materia amorosa (vv. 2289 y ss.) sublimada por su amo. A él se le encomienda precisamente, como a Cupido popular, cantar la letra tradicional:

> *Tened lástima de mí,*
> *que soy niño y solo*
> *y nunca en tal me vi* (vv. 2299-2301).

Conforme la obra avanza, se individualizan más sus papeles, y, como sus amos, logran un perfil más preciso. Brunel recrea el antiheroísmo, fiel a la épica italiana de la que proviene, y con claras huellas cervantinas de una contrahecha caballería andante; aunque también Lebrón deshace el mundo de los duelos convirtiendo los desafíos en mero alarde y lucha verbal que jamás deja de ser pura dialéctica. La caballería sufre un nuevo revés en la comedia mitológica, pues si bien toma de ella numerosos elementos que rayan en lo fantástico y extraordinario, hace que la verosimilitud o la parodia de sus empresas queden desvirtuadas en los graciosos. Y ello al lado de numerosas escenas bélicas entre bastidores que cantan el fragor de las batallas que por mar y tierra llevan a término los personajes principales. Nuevamente el amor y la guerra, los dos vectores de tantas comedias mitológicas, hacen su asiento y quedan parodiados dentro de una obra que los ensalza y tiene como eje conceptual y dinámico.

El honor queda cuestionado, sujeto a la presencia de las dádivas, herencia ovidiano-celestinesca que se patentiza levemente en esta obra con un cuarto en liza, el jardinero, que sirve también a las burlas y a la entrada de Pigmaleón en palacio. Los villanos que acompañan al carro triunfal de la estatua son mero trasunto visual, sin ulteriores consecuencias. Como ocurre en la comedia burlesca y en el teatro breve, los graciosos parodian los diálogos sublimes de sus amos con sus palabras, gestos y movimientos, caricaturizándolos[130]. Calderón refleja así un mundo al revés, invirtiendo los propios términos y situaciones que la obra crea en los terrenos del estilo sublime cultivado por los señores y por los dioses. Quedan, de este modo, puestos en evidencia el heroísmo, la vida regalada, el amor, la palabra y el decoro, gracias a estos personajes proteicos y cambiantes que tienden un puente entre el mundo de la comedia y el del espectador que la contempla buscando su connivencia[131]. La autoburla es, tal vez, la forma más interesante de la comicidad calderoniana, ya que en ella se establece un punto de mira crítico sobre la propia obra[132]. A ello cabe añadir los efectos de intertextualidad que remiten a otros momentos de la obra o a otras obras, tanto de Calderón como de otros autores, así como a la ruptura de la ilusión teatral. En este sentido, hay un momento clave en *La fiera* cuando en la Jornada III, a la pregunta de

---

[130] Luciano García Lorenzo, «Notas sobre lo grotesco y Calderón: La Mojiganga de las visiones de la muerte», *Philologica Hispaniensia in Honorem Manuel Alvar*, III, Madrid, Gredos, 1987, págs. 177-185.

[131] Georg Güntert, art. cit., cree que cada obra tiene un perfil distinto del gracioso, siempre contradictorio, mostrando una gran complejidad que en Calderón ya mucho más lejos del donaire lopesco. En ese sentido, Calderón avanza en los terrenos explorados por Tirso (Cfr. Maya Scharer, «El gracioso en Tirso de Molina: fidelidad y autonomía», CH, 324, 1977, páginas 419-439).

[132] Claire Pailler, «El gracioso y los "guiños" de Calderón. Apuntes sobre "autoburla" e ironía crítica», *Risa y sociedad en el teatro español del Siglo de Oro*, págs. 33-48, señala ese aspecto ya desde las primeras obras de Calderón, tanto en el grueso de la obra como en los apartes. Véase Además S. E. Leavitt, «Notes on the Gracioso as a Dramatic Critic», *Studies in Philology*, XVIII, 1935, págs. 847-850. Y Ángel Valbuena en su cit. estudio *Calderón, su personalidad...*, págs. 153-161, quien analizó la ironía y la reflexión empleados por Calderón sobre sus propios recursos escénicos, particularmente en las comedias de capa y espada, subgénero al que también se acerca la obra que nos ocupa, en la modalidad de la *comedia palaciega*.

Anajarte: «¿Dónde estoy?», Lebrón contesta: «En el tablado» (v. 3743). Pero hay muchas más que expresan el distanciamiento respecto al papel de cada uno en la comedia, como en «a aquello de a mí me toca / rendirla y librarla a mí» (vv. 2490-1). Se cuenta con unos espectadores cuyos horizontes de recepción conoce perfectamente el autor, estableciendo nexos que retocan o evidencian la mecanización del género.

La base de los chistes y facecias de los graciosos es conceptual. Se tiende al uso y abuso de refranes, frases hechas y dichos populares[133]. La agudeza verbal prima en los discursos de los criados, mostrando destellos más o menos ingeniosos. La anfibología reina en los juegos de palabras, como gustaba ya Lope predicar en su *Arte nuevo,* con su significar a dos luces[134]. La *vox populi* aparece en sus consejas y equívocos, o

---

[133] Véase E. J. Gates, «Proverbs in the Plays of Calderón», RR, 38, 1947, págs. 203-315 y, de la misma, «A Tentative List of Proverbs and Proverb Allusions in the Plays of Calderón», PMLA, 64, 1949, págs. 1027-1048. Para más información bibliográfica, Jean Canavaggio, «Calderón entre refranero y comedia: de refrán a enredo», *Aureum Saeculum Hispanum Festschrift für hans Flasche Zum 70. Geburtstag,* Wiesbaden, Franz Steiner Verlag, 1983, páginas 27-36. Entre las muchas referencias, frases hechas y dichos en *La fiera,* tenemos: «(dejar) con la palabra en la boca» (vv. 3-5), «Los niños lo que oyen dicen / o venga bien o no venga» (vv. 447-8), «meterse en docena» (v. 498), «Ruin es quien por ruin se tiene» (v. 499), «cazar con reclamo» (v. 703), «pedir fiado» (vv. 1087-8), «machacar en hierro frío» (v. 1091), «sacar... / de sus quicios» (v. 2492-3), corriente y moliente (vv. 2839-40), irse por su pie (vv. 2874-5), cárcel dorada (vv. 3040-1), etc. Ya decía Mendo en *El alcalde de Zalamea,* jornada I: «Es propio / de los que sirven, refranes» (Cfr. F. C. Hayes, «The Use Of Proverbs as Titles and Motives in the "Siglo de Oro" Drama: Calderón», HR, 1947, págs. 456-463).

[134] Vv. 374 y ss., 1127 y ss. Y *vide* equívoco, en vv. 2257 y 2877. Muchos de los recursos empleados por Calderón en las partes cómicas de esta obra son también frecuentes y aún se agrandan en sus piezas cortas. Sobre ellas, véase la introducción de Evangelina Rodríguez y Antonio Tordera a su edición de Pedro Calderón de la Barca, *Entremeses, jácaras y mojigangas,* Madrid, Castalia, 1983, págs. 30 y ss., así como su amplio estudio *Calderón y la obra dramática corta del siglo XVII,* Londres, Támesis Books, 1983, pág. 89. Ambos fechan, en *ibíd.,* pág. 215, un entremés de Calderón, el de *Las Carnestolendas* entre 1646-1652, que puede servirnos como ejemplo estilístico de los que pudo contener *La fiera,* si es que éstos fueron del mismo autor. Gracián, en el discurso XXXIII de la *Agudeza y arte de ingenio,* vol. II, págs. 53-62, ofrece la síntesis teórica de ese doble significar que conforman la anfibología, el

en los chistes basados en la ignorancia de la clase a la que pertenecen los criados[135]. Otras veces, por el contrario, es el uso de metáforas cultas el que se ofrece en curioso contraste[136].

No falta el juego de palabras basado en la sencillez de la paronomasia o del retruécano, tan abundantes en los chistes, epigramas, sátiras y comedias del Siglo de Oro, casi siempre con una función desmitificadora, como cuando Anajarte se convierte en Ana Juárez por boca del gracioso Lebrón (v. 3741). Más allá del estilo, los graciosos de esta obra son voceros, confidentes o réplica ridícula de sus amos, cuyo diálogo sostienen, fomentan o acompañan, ofreciendo numerosos paralelismos escénicos que se cierran en la escena final con la aparición trimembre que llevan a cabo en torno a la Estatua y sus últimas gracias. Ellos apoyan a sus amos o los contradicen, creando un anticlímax o propiciando cambios en la acción. Su mundo es el de la risa y a ella tienden con sus gestos, sus palabras y sus acciones.

Es evidente que a la comicidad de *La fiera* habría que añadir la que proporcionaron la loa y los entremeses que la acompañasen. Es posible que estas piezas menores fuesen de Calderón o de algún otro autor, como Solís, y que tuviesen alguna conexión con la comedia propiamente dicha[137]. En

---

calambur, el polípote y la paranomasia. Detrás pesaba la rica tradición paremiológica del español faceto. Pero los chistes de los graciosos de la obra practican más el juego verbal que las sutilezas conceptuales. También usarán del diminutivo y del aumentativo, del vocabulario vulgar y del equívoco. Sobre ello, véase Jakob Kellenberger, *Calderón de la Barca und des Komische unter besonderer Benieksichgigung der ernsten Schanspide,* Frankfurt, 1975.

[135] Así los chistes relativos a las focas (v. 2284) curiosamente trastocado, como se anota, en la versión de Vera; al cenador (v. 2314) o a la fuente artificial (vv. 2400 y ss).

[136] Vv. 2849-2850.

[137] Solís escribió la loa para *Darlo todo y no dar nada* de Calderón (1651), obra en la que se festejan los años, el parto y la mejoría de un accidente que tuvo la reina doña Mariana y que nos plantea el problema de la fecha para la cual se escribió *La fiera,* ya que *los años* de la reina se cumplían en diciembre, el 22 y no en mayo cuando ésta se estrenó, como decíamos. Fue autor que se especializó en piezas de espectáculo cortesano, plagadas de mitología, sobre todo a partir de 1650. Interesa destacar que para ellas se empleaban tramoyas complicadas que requirieron la colaboración de Baccio del Bianco, y luego de Antonozzi, como en la loa de *Eurídice y Orfeo.* Frédéric Serralta señala en el

cualquier caso, y aunque ignoremos cuáles fueron, deben tenerse en cuenta a la hora de valorar la obra que nos ocupa, encerrada y mezclada con la voz, la música y la acción de unas obras «menores» más o menos conectadas con la comedia y que servirían de contrapunto festivo y tal vez de apoyo desmitificador a los pasos cósmicos de León, Pasquín y Brunel.

Lenguaje dramático

La cuidada estructura de *La fiera,* con sus plurimembraciones y correlaciones, sus paralelismos y antítesis, ya fue señalada por Dámaso Alonso, quien, no obstante, señaló la libertad dramática con la que Calderón utilizó tales recursos manieristas[138]. Sin entrar en la problemática de los dos estilos

---

artículo ya citado que estas loas suponían una avanzadilla del drama mitológico, preparándolo para el tema y para la fiesta, y deslumbrando al espectador con el aparato escénico. Los entremeses andaban muy implicados también con la ocasión puntual que se celebraba en la corte, favoreciendo el teatro en el teatro. También escribió fines de fiesta o sainetes. En ellos, los mismos personajes de la comedia, sin interrupción alguna, como en *Pico y Canente* (obra escrita por Solís con Ulloa y Rodrigo Dávila en 1651), aparecen en tal fiesta. *La fiera* es un caso más al respecto, como veremos. La versión valenciana de 1690 es en esto ejemplo aparte, ya que se aderezó con piezas menores de diversos autores, como muestra el manuscrito en el que se conserva. Para la trayectoria de Solís como dramaturgo del rey en la época que nos interesa de 1651 a 1660, véase Frédéric Serralta, «Nueva biografía de A. de Solís y Rivadeneyra», *Criticón,* 34, 1986, págs. 84-99. Solís fue, junto a Calderón, uno de los más destacados dramaturgos para las fiestas reales del Buen Retiro. De 1651, aparte de la loa y la ya citada comedia *Pico y Canente,* fue probablemente *El pastor Fido* (comedia en colaboración con Antonio Coello y Calderón), aunque tal vez se estrenase en 1652.

[138] Dámaso Alonso, «La correlación en la estructura del teatro calderoniano», en *Seis calas en la expresión literaria española,* Madrid, Gredos, 1970, páginas 109-175, señala la correlación bimembre como la predominante en el teatro calderoniano, seguida por la trimembre, en menor grado. *La fiera, el rayo y la piedra* corresponde, como su propio título indica, a ese segundo grupo, como *Los tres mayores prodigios, Los tres efectos de amor, piedad, desmayo y valor* y *Amigo, amante y leal.* Claro que, como es fácil comprobar, la fuerte trimembración inicial establecida a todos los niveles se va diluyendo conforme la obra avanza, destacándose la acción hacia el esquema bimembre conformado por Ifis-Anajarte, por una parte, y Céfiro e Irífile, por otra. Las simetrías

calderonianos, es evidente que esta obra presenta la ampulo-sidad y grandiosidad del estilo desbordante barroco, cargado de un lenguaje suntuoso y colorista, con dominio de la subor-dinación y del periodo largo y solemne[139]. El ornato ofrece constantes salidas a la perífrasis y a la hipérbole, a la metáfora verbal y nominal, a la antítesis y a la metonimia. La comedia mitológica calderoniana fue particularmente adicta a la carga simbólica[140] y, en este caso, desde las armas de Cupido al vestido de salvaje, pasando por la misma escenografía, cum-plen esa función que se repite a cada paso en el plano estilísti-co. La base es siempre conceptual, sin que falten casos de agudeza verbal y agudeza de acción, particularmente en el diálogo sostenido por los graciosos[141]. La obra, como micro-cosmía, tiende una red de correspondencias basadas en la analogía y en el consabido uso del lenguaje filosófico, hecho de casuística y silogismos[142]. La lógica es inherente a los recursos ornamentales y a los efectos sensoriales.

estilísticas y argumentales van íntimamente ligadas a las escenográficas. Por otro lado, el ceremonial palaciego y la misma arquitectura teatral de la España de los Austrias siguen esas técnicas simétricas. Para las relaciones entre arquitectura y teatro véase David M. Gitlitzsuny, «Architecture and the *Comedia*», *Bulletin of the Comediantes,* 36, 1984, 1, págs. 23-31, además de Barnard Hewitt ed., *The Renaissance Stage,* Coral Gables, University of Miami Press, 1958, y Julián Gállego, «El Madrid de los Austrias: un urbanismo de teatro», *Revista de Occidente,* 73, 1969, págs. 19-54. Para los aspectos retóricos de la bimembración y las simetrías calderonianas, véase John V. Bryans, *Calderón de la Barca: Imagery, rhetoric and drama,* Londres, Támesis, 1977, pági-nas 39 y ss.

[139] Kurt Reichenberger, «Contornos de un cambio estilístico. Tránsito del manierismo literario al barroco en los dramas de Calderón», *Hacia Calderón. Segundo Coloquio Anglogermano,* Berlín, Nueva York, Walter de Gruyter, 1973, págs. 51-60.

[140] A. A. Parker, «Metáfora y símbolo en la interpretación de Calderón», *Actas del I Congreso Internacional de Hispanistas,* Oxford, 1964, págs. 141-160. Véase además Ch. V. Aubrun, «La langue poètique de Calderón», *Realisme et poésie au théâtre,* París, CNRS, 1967, págs. 61-76.

[141] Sobre el conceptismo, Emilio Hidalgo Serna, «La lógica ingeniosa en el teatro de Calderón», *Hacia Calderón. Séptimo Coloquio Anglogermano (Cambrid-ge, 1984),* ed. por Hans Flasche, Wiesbaden, Stuttgart, Franz Steiner Verlag, 1985, págs. 79-90.

[142] Everett H. Hesse, «La dialéctica y el casuismo en Calderón», *Estudios,* IX, 1953, págs. 517-29. A. Cilveti, «Silogismo, correlación e imagen poética en el teatro de Calderón», RF, LXXX, 1968, págs. 459-497. Además Ángel

La comedia muestra un amplio uso del cultismo, particularmente del esdrújulo, así como del encabalgamiento. La dificultad ocasional queda salvada por las reiteraciones y glosas, porque el verso, fuera de sí mismo, crea situaciones, las anuncia, las explica y las previene o concluye. La palabra expresa lo que se hace y piensa, lo que se ve y oye, ya sean efectos acústicos (truenos, ruido de martillos, cajas, música y canto o baile) o mutaciones escénicas (paso de peces y bajelillos, ascensos y descensos, etc.). La obra empieza, como era usual, *in medias res* y el espectador va poco a poco obteniendo parcelas informativas respecto al pasado por vía de relación, pero siempre creando paréntesis y suspenses. Los deícticos muestran ante los ojos el aquí y el allí del movimiento escénico, desde los inicios de la obra, con técnicas parejas a las utilizadas por su autor en otras comedias y autos[143].

Calderón combina el verso partido o corto, en ágiles secuencias muy simétricas —como las que al principio crean expectación y tensión—, con discursos largos, plagados de todas las argucias retóricas de la *oratio*. Así se usa del arte de mover y conmover, el *attentum parare* y otros recursos tendentes en general a la búsqueda de la admiración[144]. En este

Valbuena Prat, *Calderón, su personalidad, su arte dramático, su estilo y sus obras*, Barcelona, págs. 32-46.

[143] Véase Hans Flasche, «El arte de poner ante los ojos en el auto *La segunda esposa o triunfar muriendo»*, *Calderón and the Baroque Tradition*, Toronto, 1985, págs. 93-108. Se trata de algo más que deícticos visuales, ya que implican sentimientos, acciones, etc., que el actor hace presentes ante los espectadores. Curiosamente Calderón usa la misma fórmula de la *demonstratio ad oculos* en *La segunda esposa* que en 1648 ó 1649 se estrenó justamente para celebrar el matrimonio de Felipe IV y Mariana de Austria, alegorizando las bodas entre Cristo y la Iglesia. También, del mismo Hans Flasche, «Sobre la función del acto de mostrar en el acontecer teatral de la escena (la sintaxis pronominal y la forma dramática en las obras de Calderón), *Uber Calderón. Studiem ausden Jahren 1958-1980,* Wiesbaden, Franz Steiner Verlag, 1980, págs. 448-462, donde se analiza el valor mostrativo, próximo, de tales recursos.

[144] Véase, por caso, el discurso de Anajarte, vv. 508 y ss., *infra*, con su apelación directa a las damas que le escuchan y sus vueltas y excursos y paréntesis. Calderón, como ha señalado John V. Brians, *op. cit.,* págs. 99 y 181 y ss., tiende a crear un lenguaje hiperbólico y lleno de imágenes visuales plagado de notas y expresión de lo sensorial. Se trata, sin duda, de

sentido, el área semántica de los prodigios, las maravillas y lo extraordinario tiñe toda la obra, tanto en la nominación como en la provocación producida por los efectos escénicos y la acumulación en todos los niveles de asuntos, argumentos, personajes y enredos. En los discursos narrativos —como es el caso del de Irífile— domina la subordinación, el hipérbaton, el paréntesis, los incisos, los excursos y, en general, el uso de enfáticos. La palabra crea el contexto espacial con un decorado verbal que no por ello pretende anular el creado por la escenografía, sino que lo complementa o sustituye, si alude a un espacio distinto al organizado en el teatro.

La huella de Góngora es a todas luces evidente, aunque Calderón resuelva las dificultades ante el público espectador y deje en cambio el curso libre a la ornamentación. En este sentido, la hipérbole llega a tensarse hasta el agotamiento (vv. 856-866), como muestra límite de sus posibilidades. El decoro debido a los personajes —dioses y héroes— exagera el tono elevado y el área semántica del trato cortesano, lleno de finezas, requiebros, saludos, ofensas, defensas, reparos y favores. Como en cualquier drama de honor, se apela a sus resortes y a los de la hidalguía. En ese plano, hay un gran choque entre los distintos personajes del drama: hombres, deidades y monstruos (v. 1047), dejando aparte el estilo bajo de los graciosos y el habla femenina que se contrahace con la hombría de Anajarte y de la misma Irífile en su visaje de fiera. El tono sublime que atañe a Venus y luego a la Fortuna es moroso y elevado. Eros y Anteros sostienen una permanente dialéctica en antítesis que se refleja constantemente en la acción dramática y que alcanza su clímax al final de las Jornadas II y III. Ese alto estilo se imposta aún más con la apoyatura de la música y el canto con la que su plática se alza, como elevada hacia los cielos de los que descienden los dioses.

Calderón hace de los discursos de Pigmaleón, Céfiro e Ifis continuos paralelismos. Los que sirven de relación de lo acontecido vienen frenados por paréntesis emotivos que

---

una disciplinada simetría en la que todo está controlado y al servicio del drama.

muestran su mundo interior, como el de Pigmaleón al principio de la segunda jornada. El discurso suspendido (vv. 1522 y ss.) es frecuente, así como la referencia constante a la retórica del silencio que habla callando. Todo ello conviene a la casuística amorosa que raya con la locura o la enfermedad de amor, así como a la categoría de los personajes que se engolfan en la amplificación y en la hipérbole, en el adorno y en el efectismo sonoro. La fusión entre acción y estilo es muy estrecha. De ahí que el duelo se convierta en mera batalla verbal (vv. 1780 y ss.), como suele ocurrir en las comedias de enredo, o que la retórica invada los hechos («Yo es bien paréntesis haga / a mis rencores también...», vv. 1034-5). Calderón trata de lo inefable amoroso irónicamente (el *no se qué,* v. 1373) y de sus sinrazones, trasladándolas al discurso que se carga con ello de admiraciones e interrogaciones, se corta o da en lo patético. Curiosamente es Anajarte, símbolo de la dureza que debe ser castigada, de la soberbia sin freno, la que sostiene los parlamentos más llenos de metáforas y lujo ornamental (vv. 1631 y ss. y 1862 y ss., por ejemplo). Como es frecuente en otras obras *(El burlador* de Tirso o, del mismo Calderón, *El médico de su honra* o *La vida es sueño,* por ejemplo), el lenguaje gongorino viene predicado por personajes, que tras su aparente ostentosidad y belleza verbal, encierran una moral censurable[145].

Existe una gran ambigüedad provocada por la desmitificación que de los mitos y de los tópicos amorosos hacen los criados, ambigüedad extensible al triunfo de Anteros refrendado por Cupido o a la que se da entre la libertad y el destino[146]. El mundo en el que viven los criados, basado en el

---

[145] También Tirso de Molina, en *El Burlador de Sevilla* pone en evidencia la efectividad de un lenguaje poético bello, como el que emplean don Juan o su tío, que está sirviendo a la mentira o que encubre engaños y burlas. Ética y estética se disocian claramente, si tras la belleza poética no subyace el bien obrar. Véase mi artículo «Sobre la demonología de los burladores (de Tirso a Zorrilla)», *Iberorromania,* 26, 1987, págs. 19-40.

[146] Véanse, por ejemplo, las metáforas basadas en la interrelación de los cuatro elementos al final de la jornada II. Anajarte se erige ante Ifis como sol inaccesible, con imágenes cósmicas muy familiares en el drama calderoniano que encubren el juego amoroso. Otros aspectos de la metáfora, en John V. Bryans, *op. cit.,* págs. 12 y ss.

habla cotidiana, la conseja, el refrán y el chiste, choca abiertamente con el de sus amos, y ambos, con el de los dioses, en triple rueda estilística. Hay abundancia de partes líricas. La silva se presta a ello con su libertad estrófica —como la que acompaña la palabra de Cupido (vv. 2014 y ss.)—, apoyándose posiblemente en las delicias del *recitativo* con que esta forma suele presentarse en la comedia mitológica calderoniana. Música y palabra se integran constantemente, creando a su reclamo los espacios poéticos de la noche y de la oscuridad (vv. 2439-2443) Las partes cantadas son evidentemente las más líricas. Los cantos trasladan la batalla amorosa y la real a los terrenos de la dialéctica verbal de los coros alternos. Como veremos, la voz y sus matices son puestos en evidencia constantemente en los espacios del aire por los que serpea o vuela, constatando su existencia material negativa, su poder de encantamiento o su valioso efecto acústico que crea armonía y cautiva a quien la escucha.

Las áreas semánticas de la corte, de la guerra, de la montería, del arte, de la astrología, de la geografía, etc., llevan al lado vocabulario sacado de la terminología judiciaria. El lenguaje jurídico —no en vano retórico— aparece varias veces (vv. 2289-2291) y se hace más patente cuando Venus se convierte en símbolo de la justicia que baja del cielo y, como en una justa, da sentencia a Eros y Anteros tras el debate (vv. 3540 y ss.). Claro que son el lenguaje de la escritura y el del mismo teatro los que, en caja china, se ofrecen de forma más sugerente[147]. Así cuando el anochecer en los teatros del cielo sale pidiendo silencio como en las loas, para que suene en armonía la música con el agua de la fuente.

El aparte ha sufrido una rica transformación en esta obra, particularmente en los discursos finales que crean perspectivas dobles y hasta triples, de aparte en el aparte (vv. 3854-3863). Los de Anajarte, mientras se metamorfosea en már-

---

[147] La escritura y el teatro son referentes internos, como se sabe, de muchas comedias y autos de Calderón. *El gran teatro del mundo* es, tal vez, el ejemplo más evidente y universal. En *La vida es sueño,* vv. 2748-51, Calderón hace que Rosaura diga en medio de su discurso: «Cuando pensé que alargaba / citando aleves historias, / el discurso, hallo que en él / te he dicho en razones pocas...»

mol, son un ejemplo de sabia utilización escénica (versos 3819-3839).

Por más que la obra esté arropada de principio a fin por una escenografía complejísima, la importancia y riqueza de la palabra poética es inmensa, apoyada además por los efectos cambiantes de la polimetría y por la música. Calderón logra con *La fiera* que el teatro unifique y armonice acción, palabras y efectos escenográficos, y hasta a veces consigue que la sinestesia entre unos y otros sea perfecta.

La Fortuna, como *autora* de la obra, la explica y resume, detallando asuntos y argumentos y perfilando la dialéctica amorosa. Al igual que en las loas, tiende un puente entre el mundo de los actores y el del público, prolongando el acto III, en cuyos versos finales normalmente se da la *captatio benevolentiae* de los consabidos perdones por las faltas habidas en el curso de la representación. Nada parece ser accidental en un lenguaje autónomo que logra nueva luz en la acción dramática y en su inserción con los demás niveles de significación de la obra teatral. De ella viene el dictado moral, con los escarmientos que Fortuna predica para aquellos que siguen la errada senda de Cupido o caen en las durezas de Anajarte.

El entramado estilístico y la acción sirven fielmente al trasunto amoroso dentro de las coordenadas neoplatónicas que tomaban como punto de partida la alegoría del cosmos y su relación con el hombre. De ahí que la relación entre el mundo, con sus cuatro elementos, y la microcosmía humana exprese bien los avatares de una obra que se basa en la dialéctica entre el amor divino y el humano[148]. Una red analógica plasma estilísticamente todo tipo de relaciones y correspondencias con la acción y los demás elementos que la integran, dentro de los márgenes de la filosofía dominante. Todo está ligado por la lógica de los conceptos.

---

[148] No olvidemos que los *Dialoghi* de León Hebreo se titularon también *Libro de l'amore divino et humano*. La filosofía cósmico-amorosa de ese texto o *filografía* está muy cercana a la de Calderón que une también la mitología y la astrología con la filosofía del amor. Véase Andrés Soria Olmedo, «Alegoría y mitología en el Renacimiento: Boccaccio y León Hebreo», *Actas de la Reunión de Italianistas Españoles,* Sevilla, 9-11 de diciembre de 1982, págs. 347-364.

Por otra parte, Calderón, fiel a la poética de la polimetría usual en la comedia nueva, refleja en esta obra variedad de metros y estrofas, en íntima correspondencia con la acción y el estilo de la misma, con gran libertad de usos y funciones[149]. El soneto brilla por su ausencia, pero hay diversas formas que van del romance a la silva, mostrando una amplia gama de tonos, tanto en octosílabos como en endecasílabos y ocasionalmente en heptasílabos, pasando por la seguidilla simple, el pareado, la décima o espinela, y la redondilla[150]. Sin que su teatro ofrezca la amplia diversidad métrica del de Lope, es evidente que intensificó el uso de las quintillas, minimizó el de las redondillas y tendió a usar más del metro castellano, relegando el italiano a un lógico segundo término, habida cuenta de que el ritmo normal del español es octosilábico y que su frecuencia en el drama viene a ser el signo del habla común entre los personajes[151]. La variedad de rimas es muy rica en la obra, utilizando la asonancia, la consonancia y la rima aguda, ésta muy ocasionalmente, para evitar así los finales monocordes.

---

[149] Vern G. Williamsen, «The Structural Function of Polimetry in the Spanish Comedia», *Perspectivas de la comedia. Colección de ensayos sobre el teatro de Lope, Guillén de Castro, Calderón y otros,* ed. por Alva E. Ebersole, Madrid, Estudios de Hispanófila, 1978, págs. 33-48, señala la relación entre la métrica y la materia dramática a la que sirve en su análisis de *La vida es sueño* y de *El médico de su honra.* Según este autor, «the romance came to be a signal of the impending close of a play» (pág. 47). Calderón tendió a continuar y avanzar en las tendencias que Lope muestra en sus últimos años. El metro favorito de Lope, la octava, fue desdeñado por nuestro autor, aunque no dejó de emplearla si el asunto era elevado.

[150] Rafael Osuna, *Los sonetos de Calderón en sus obras dramáticas. Estudio y edición,* Chapel Hill, North Carolina St., 1974, pág. 18, cita precisamente *La fiera,* como ejemplo de comedia sin soneto alguno. Calderón se apartó de Lope en el uso frecuente del mismo y aunque al principio lo empleó, poco a poco lo fue abandonando. Véase además el clásico estudio de Harry W. Hilborn, *A Chronology of the Plays of Don Pedro Calderón de la Barca,* Toronto, University Press, 1938. Téngase en cuenta que el soneto fue perdiendo popularidad en el teatro en la segunda mitad del siglo XVII.

[151] Diego Marín, «Función dramática de la versificación en el teatro de Calderón», *Segismundo,* 35-6, 1982, págs. 95-114, señala una frecuencia del 64 por 100 del romance en las comedias de Calderón que fue incrementándose al final de su vida, tanto para lo grave como para lo cómico, evitando la monotonía con variaciones en las rimas. Las redondillas, muy inferiores a los romances, suelen acompasar momentos de tensión amorosa.

La fiera ofrece un claro predominio del romance, al que presta variación con el cambio de rima, utilizando a veces la de tipo cuaternario. Destaca el octosílabo en tiradas sin división estrófica y su presencia es evidente en el consabido final de las jornadas, como cierre de las mismas. Su uso es muy variado. Sirve en ocasiones para el canto, como ocurre en la primera jornada, sin que ello suponga cambios en la rima[152]. La redondilla aparece ocasionalmente, así como la seguidilla simple, los pareados en consonancia con la música y los estribillos cantados. La décima se repite en la primera y la segunda jornada[153] y en cuanto a la silva, se da en cada acto, presentando su libertad combinatoria de heptasílabos y endecasílabos, así como su capacidad lírica, patente tanto en el monólogo de Cupido como en la plática de los otros dioses, con la apoyatura musical correspondiente, indicando así su alto nivel poético[154]. En ella sigue el usual antiestrofismo que la caracteriza, pero con combinaciones de pareado o pseu-

---

[152] Diego Marín, en el artículo citado, señala el acercamiento del romance calderoniano a la redondilla y su uso variado, como ocurre en los diálogos y monólogos de todo tipo de la obra que nos ocupa.

[153] Calderón usa las décimas en tercer lugar de frecuencia, tras el romance y la redondilla, con gran variedad de funciones. La quintilla es escasa y suele acompañar a las canciones.

[154] Sobre la silva, véase un estado de la cuestión bibliográfica y nuevas perspectivas, en mi artículo citado «La silva en la poesía andaluza del Barroco (con un excurso sobre Estacio y las *obrecillas* de Fray Luis)». Además de el estudio ya clásico de H. W. Hilborn, «Calderón's *silvas*», PMLA, LVIII, 1943, págs. 122-148. La silva funcionó con amplios resortes en el drama calderoniano, según Diego Marín, quien en el artículo citado cree que al limitar este autor el número de metros que empleaba, tendió a diversificar sus usos. Williamsen señala, en su ya mencinado estudio, el empleo de la silva como forma métrica clave en los puntos de gran tensión dramática. Calderón, al igual que otros autores, siguió la ilimitada serie poética de la silva, pero su carácter antiestrófico no le impidió ciertas divisiones paraestróficas. También empleó silvas en pareados en *Fieras afemina amor* (vide ed. cit., de E. M. Wilson, págs. 47-52). Un cotejo entre esta comedia y *La fiera* nos hace ver grandes semejanzas métricas entre ambas. La proporción de la obra, por este orden, da las mayores frecuencias al romance, las redondillas y la silva. No cabe duda de que en Calderón se produjo una economía polimétrica. Debemos preguntarnos hasta qué punto pudo influir en ello la inclusión del recitativo y de la música, con las variaciones auditivas que ello supondría respecto al drama ordinario que carecía de ellos o los empleaba muy ocasionalmente.

doestrofas cuaternarias. En ocasiones, la silva lleva acompañamiento musical y debía ser cantada.

Calderón tendió a simplificar la polimetría, como decíamos, evitando cambios superfluos y reduciendo el número de metros empleado por Lope. Claro que ello no implica monotonía, y además hay que tener en cuenta que auditivamente *La fiera,* como obra que contiene partes cantadas, ofrecía variaciones impostadas por la voz, los ecos y la música, con sus repeticiones, glosas y coros que suponían un gran cambio respecto a la comedia ordinaria que carecía de ellos o los empleaba como encuadre o mera ornamentación.

Del desbordamiento verbal, a la contención y al silencio, Calderón traza una obra en la que prima la variedad estilística, métrica y musical, dentro de una bien estructurada unidad armónica.

LA MÚSICA

La importancia de la música en las comedias mitológicas de Calderón desborda los límites ornamentales para caracterizarlas en su parte más esencial, aquella que las conforma como suma de las artes y que da al canto y al acompañamiento instrumental el más alto grado poético en la escala de los valores auditivos. Fue precisamente a partir de 1651 y hasta la muerte de Calderón cuando la música se empleó como recurso constante, tanto en las fiestas como en las comedias y en las óperas propiamente dichas. La influencia operística italiana en la comedia española es evidente, aunque pesaba también el tono declamatorio practicado por los actores españoles como freno al drama exclusivamente cantado[155]. De

---

[155] Véase H. W. Sullivan, «Calderón and the Semi-Operatic Stage in Spain after 1651», en Jurt Levy y Aa. Vv., *Calderón and the Baroque Tradition,* Ontario, Wilfrid Laurier Univ. Press, 1985, págs. 69-90, y la amplia introducción a la música calderoniana de Louise Kathrin Stein, «La plática de los dioses», en la ed. citada de Pedro Calderón de la Barca, *La estatua de Prometeo,* por Margaret Rick Greer, págs. 13 y ss., quien apunta cómo la zarzuela fue un compromiso combinatorio para resolver la dialéctica texto-música *(Ibíd.,* págs. 30-1). Son también interesantes, entre otros, los estudios de Jach Sage,

ahí que la música tuviese una función específica y que acarrease, junto a los influjos italianos, huellas de la tradición musical autóctona. Las comedias combinaban el recitativo con el canto y las viejas coplas cancioneriles con la nueva armonía. La presencia del poeta y libretista italiano Giulio Rospigliosi en Madrid, entre 1644 y 1653, fue fundamental para la promoción de la ópera italiana en la corte de Felipe IV y en la obra calderoniana en particular. *La fiera, el rayo y la piedra* ocupa un lugar importante tras los intentos de Calderón de acoplar la música en comedias anteriores como *El mayor encanto, Amor* (1635), *Los tres mayores prodigios* (1636) y *Auristela y Lisidante* (1637)[156].

La obra muestra en la versión ofrecida por Vera Tassis en 1687 (y posiblemente en el estreno de 1652) la inclusión del estilo recitativo italiano, mezclado con estribillos de tradición española en variados matices que van del canto triste de las Parcas, a la presencia del canto y la música deleitosa de Anajarte y sus damas en el jardín palaciego. La citada edición de Vera amplía considerablemente las acotaciones musicales de la obra, si la comparamos con las impresiones de 1664. La valenciana de 1690 especifica claramente la presencia de tenores y contraltos en los cantos de tritones y sirenas, junto a otras señales diferenciadoras respecto a las representaciones

«Calderón y la música teatral», BH, 58, 1956, págs. 257-300, y Alice Pollin, «Calderón's *Falerina* and Music», *Music and Letters,* 49, 1968, págs. 317-328. De la misma autora, «Calderón de la Barca and Music: Theory and Practice in the Autos (1675-1681)», HR, 1973, págs. 362-370. Otras indicaciones en Charles Aubrun, *La comedia española, 1600-1680,* Madrid, Taurus, 1968, págs. 28-9. Para las poesías de tipo tradicional intercaladas en los cantos de *La fiera,* véase E. M. Wilson y Jack Sage, *Poesías líricas en las obras dramáticas de Calderón,* Londres, Támesis Books, 1964, págs. 66 y 115-6.

[156] L. K. Stein, *op. cit.,* pág. 33, afirma que aunque *La fiera* «was not technically called a *zarzuela,* it was a prototypicaleffort in terms of the use of music». Rospigliosi en una de sus cartas dice haber escrito un texto para representar en Madrid en el que pretendía introducir el estilo recitativo en la corte española. Cabe señalar, sin embargo, la necesidad de distinguir, como digo, entre el texto o textos impresos en 1664 y «1664» y las ediciones posteriores. *La princeps* y la reimpresión no llevan referencias explícitas al recitativo como ocurrió posteriormente en la edición de Vera. Sobre ello, véanse mis dos artículos recogidos en nota 15.

anteriores[157]. Destaca la importancia de la música para aplacar a la fiera Irífile, así como el neoplatonismo de toda su configuración escénica, en armonía perfecta con el desarrollo de la acción. Desde los ruidos a la música nocturna, hay toda una gama variada de funciones que viene particularmente enriquecida por los tonos que los dioses cantan desde su esfera celeste, siendo también musical la batalla que libran en escena Eros y Anteros. La «plática de los dioses» en *La fiera* tal vez tuvo que ver con la de *Andrómeda y Perseo,* obra en la que los dioses emplearon, al revés que los humanos, «un estilo recitatibo: que siendo un compuesto de representación y música; ni bien era representación; sino una entonada consonancia, a quien acompañava el coro de los instrumentos»[158].

El sentido operístico de estas obras es evidente y supone un cambio decisivo en la concepción de la comedia española que gana en matices poéticos y musicales. Para los dioses, se empleaba el recitativo o área y en otras partes de la obra se utilizaban coros o estribillos cancioneriles. La música italiana se abre como vía expresiva de los afectos, sin que ello suponga una ruptura con la tradición musical española. Para Louise K. Stein, *La fiera, el rayo y la piedra* es una auténtica zarzuela que, lejos de adornarse con el entretenimiento de la música, busca la adecuación entre la voz, el tono y el instrumento en íntima ligazón con la acción dramática y sin que ello supusiese para el texto pérdida alguna de su supremacía[159]. Caso

<hr />

[157] L. K. Stein, *op. cit.,* págs. 33-5. De 1652 es la noticia de la existencia de un *violero* en la corte, Manuel de Vega. Esta investigadora basa la mayor parte de sus argumentos en la edición de Vera Tassis, distinta y más rica en acotaciones musicales a la *princeps* de 1664 de *La fiera.* Analiza con detalle la música que un año después del estreno de esta obra acompañaría a las *Fortunas de Andrómeda y Perseo* (1653), incluyendo las partituras que se conservan. Las variantes del manuscrito *Andrómeda* respecto a las versiones impresas nos avisan de la variedad y volubilidad con que la música cambiaba de una representación a otra. De ahí la necesidad de fijarse aisladamente en cada uno de los textos, en la medida de lo posible, y aún cuando carezcamos de las partituras, como es el caso de *La fiera.*

[158] Tomo la cita de esta acotación del Acto I del estudio cit. de L. K. Stein, pág. 40.

[159] L. K. Stein, *ibíd.,* págs. 61 a 72.

aparte sería la música que debió acompañar probablemente la loa y los entremeses de la obra y que desconocemos, pues la máscara con la que termina da claras muestras de su presencia, unida con el baile, como apoteosis final de solo y coros, de armónica integración de las artes como corona festiva para agraciar a las personas reales[160].

La mencionada relación entre Rospigliosi y Calderón fue muy intensa y también afectó a los autos sacramentales, aunque éstos supusieron además la incorporación de la música sacra y la alegorización[161]. Las novedades escenográficas espaciales se unían así a la nueva temporalidad marcada por la música que luego se desarrollaría tan ampliamente en el mismo Calderón y en otros autores[162]. El ritmo sincopado, los tonos melancólicos del *semper dolens,* una cierta *mesura* y el sentimentalismo propio de los españoles parecen los caracteres comunes de las comedias de la segunda mitad del XVII, que incorporaron, como las italianas, elementos populares en coplas y estribillos[163].

La música, en aritmética proporción con la pintura y la arquitectura, representaba la armonía de la fábrica del universo y destacaba los valores del oído, el sentido más perfecto[164]. El contrapunto del silencio jugará también un papel

---

[160] Véase Gaspar Merino Quijano, «El baile dramático: sus cuatro integrantes», *Segismundo,* 39-40, 1984, págs. 51-72.

[161] H. W. Sullivan, art. cit., pág. 70. Véase además Aurora Egido, *La fábrica de un auto sacramental...,* caps. VII y VIII.

[162] Jak Sage, en la ed. con J. E. Varey y N. D. Shergold de Juan Vélez de Guevara, *Los celos hacen estrellas,* Londres, Támesis Books, 1970, cap. VII y, del mismo, «Calderón y la música teatral», BH, LXVIII, 1956, págs. 275-300. En su estudio «The function of music in the Theatre of Calderón», en Pedro Calderón de la Barca, *Comedias,* ed. de D. W. Cruickshank y J. E. Varey, XIX. *Critical Studies of Calderon's Comedias,* Londres, Gregg International y Támesis Books, 1973, págs. 209-227, Jack Sage analiza la filosofía calderoniana de la música y el contexto humanista en el que se inscribe, y añade bibliografía fundamental sobre el tema. Véase además su «Texto y realización de *La estatua de Prometeo», Hacia Calderón. Coloquio Anglogermano (Exeter, 1969),* Berlín, Walter de Gruyter, 1970, págs. 37-52 y 123 y ss.

[163] Jack Sage, en Pedro Calderón de la Barca, *Los celos hacen estrellas,* páginas 180-3. Este autor considera *La fiera* como una obra clave en el desarrollo musical que culmina con las óperas propiamente dichas de Calderón e Hidalgo, *Celos aún del aire matan* y *La púrpura de la rosa.*

[164] Para la integración de la música con las demás artes, Friedrich Blume,

evidente con esa poética y retórica ya ensayada en tantos autos y comedias, como *La vida es sueño,* y que juega también su papel, como ya hemos señalado en esta obra.

Los encantos de la voz y de la música, sus variaciones y matices, aparecen en *La fiera* integrados en consonancia con la acción dramática. La música engañosa y la verdadera se cruzan con las voces y acciones de personajes que glosan la dialéctica entre el amor ciego y el amor correspondido[165]. También aparecen diferenciados voces y tonos humanos y música divina o ultramundana. La música y el canto tienen además un papel mnemotécnico en las comedias calderonianas. Los coros se usaban normalmente en ellas para grabar en la memoria de los espectadores una sentencia o moraleja, destacando partes significativas, que permitían así ser recordadas fácilmente con la apoyatura musical[166]. A ello hay que añadir la importancia de la música como reflejo de la armonía cósmica, con sus cuatro elementos, o como vocera de

Renaissance and Baroque Music. A Comprehensive Survey, Londres, Faber and Faber, 1968, págs. 96-9. James H. Jenssen, *The Musses' Concord: Literature, Music and the Visual Arts in the Renaissance,* Indiana University Press, 1976. Alicia Amadei-Pulice, «El *stile rappresentativo* en la *comedia de teatro* de Calderón», en *Approaches to the Theater...,* ed. por Mc. Gaha, págs. 215-230, y Adolfo Salazar, *La música en España. II. Desde el siglo XVI a Manuel de Falla,* Madrid, 1972, págs. 90 y ss. Para la danza, Mabel Dolmetsch, *Dances of Spain and Italy from 1400 to 1600,* Nueva York, Da Capo Press, 1975.

[165] Jack Sage, «The function of music...», *Critical Studies of Calderón's Comedias,* págs. 213 y ss. El mismo autor en su cit. art., «Texto y realización de *La estatua de Prometeo*», señala el modo especial con el que cantaban los comediantes en las representaciones palaciegas, lleno de melancolía y sentimentalismo, al revés del que se usaba en los corrales, más burlesco.

[166] Miguel Querol Gavaldá, *Música Barroca Española VI. Teatro musical de Calderón,* Barcelona, 1981, pág. 13. Interesa destacar la opinión de este musicólogo respecto a lo difícil que resulta, a veces, simplemente con el texto en la mano, saber el porcentaje que la parte musical tiene en una obra, pues una parte musical que el copista aplica a cuatro versos puede suponer once intervenciones. Ello alargaría considerablemente la duración de una obra. Véase, del mismo autor, «La dimensión musical de Calderón», *Calderón. Actas,* II, págs. 1155-60, donde analiza estadísticamente la obra calderoniana, mostrando sus altos porcentajes musicales. Además, su estudio, *La música en el teatro de Calderón,* Madrid, Instituto del Teatro, Diputación de Barcelona, 1981. Otros aspectos interesantes son tratados por José Subirá, «Musicos al servicio de Calderón y de Comella», *Anuario Musical,* 22, 1967, páginas 197-209.

Dios o del destino de los hombres[167]. Es el caso de las Parcas que anuncian el parto inminente de la fiera, el rayo y la piedra. Los conocimientos musicales de Calderón parece fueron muy amplios y la crítica da cada vez más importancia a su oficio de libretista. Empleó, entre otros efectos, los toques de caja y trompeta para poner en acción muchas escenas y utilizó las chirimías y el clarín para crear solemnidad. El eco, a su vez, fue utilizado para dar el mensaje metafísico de voces e instrumentos[168].

Calderón se sirvió de la música con fines dramáticos, acoplándola al texto poético y a la acción[169]. Por otro lado, al utilizar una combinación de técnicas italianas con otras de tradición española renacentista y tonos cancioneriles, jugó con el papel evocador de la música en el recuerdo de los espectadores. Lo representado se distingue de lo cantado y lo amoroso del canto bélico, con la consiguiente utilización instrumental en consonancia con uno u otro sonido, según era tradicional en los *intermedii* florentinos y en la música barroca de Claudio Monteverdi[170]. Téngase en cuenta además que ya desde Vitruvio se habían analizado los distintos tipos de sonido en relación con el espacio arquitectónico. El sonido consonante, ascendente, se había proclamado como el ideal para el teatro.

---

[167] Miguel Querol Gavaldá, «La dimensión musical de Calderón», *Calderón. Actas*, II, pág. 1159, para *La fiera*, como expresión del maridaje música-poesía y pintura. En esta obra hay un claro paralelismo con los versos de *Argenis y Poliarco*, en la jornada II, que dicen: «Música, noche y jardín hacen lindo / maridaje.» En *La fiera* dice Anajarte: «Letra y tono repetid, / que hacen lindo maridaje / noche, música y jardín» (vv. 2409-2411).

[168] Miguel Querol Gavaldá, «La dimensión musical», *Calderón. Actas*, II, pág. 1160. Louise K. Stein, «Música existente para comedias de Calderón», *ibíd.*, págs. 1161, señala la semejanza de las partituras del Barroco español con las italianas. Véase, de la misma autora, «El Manuscrito Novena: sus textos, su contexto históricomusical y el músico Joseph Peyró», *Revista de Musicología*, III, 1980.

[169] Louise K. Stein, «Música existente para comedias de Calderón», *Calderón. Actas*, II, pág. 1164, señala que la música teatral de este autor está supeditada a su texto, y así limitada en su contenido, duración y forma. La estructura de la comedia y la estética teatral han influido en manera especial en la composición de esta música.

[170] Louise K. Stein, «Música existente...», *Calderón. Actas,* II, pág. 1167.

Desde el inicio de la obra, la voz y los efectos sonoros se sincronizan, como apuntamos, con la escenografía y el texto al que sirven. En ese sentido, las acotaciones marcan los cambios sincopados o la voz y el canto los anuncian o evocan. La utilización de voces y canto en *off* es muy frecuente y a veces éstos amplían escenas de guerra que el espectador debe imaginar más allá del escenario. Curiosamente, en un teatro poblado de efectos escenográficos, Calderón sigue manteniendo los valores órficos y evocadores de la palabra y el canto, recreando los escenarios verbales y anticipándose así a su presencia plástica. La música usurpa terreno a la pintura y a la escenografía o sirve de complemento a ellas, describiéndolas en ejercicio constante de la poética horaciana del *ut pictura poesis*, tal y como se interpretó en el Siglo de Oro. En ocasiones, la voz desde *dentro* precede a la aparición de personajes, como ocurre con la primera salida de Eros y Anteros, o previene acciones y situaciones.

Las excelencias del oído, y también su servidumbre respecto a los *encantos* de la música, aparecen glosadas en la escena de Irífile y sus damas, cuyos cantos alternos van precedidos por el anuncio que puntualiza sus voces y tonos traídos por el viento. Hasta el chiste cabe, entre «pasos de garganta» y «fugas musicales», en ese delicado intermedio de las damas *valientas*[171]. El sonido de martillos es contrapunto prosaico de la fragua de Vulcano «creada» escénicamente con tal reclamo en la mente de los espectadores. Los toques de «¡al arma!» hacen entrar la guerra en la segunda jornada. Nuevamente la música de Anajarte y sus ninfas recreará la armonía paradisiaca del jardín que, junto al sonido del agua de la fuente,

---

171 Jack Sage, «Texto y realización de *La estatua de Prometeo*», *Hacia Calderón...*, págs. 37-52, ha señalado cómo precisamente los actores españoles exageraban el estilo de *garganta*, lleno de quiebros y *melismata*, así como el canto de *pecho*: «Había un estilo de representar hablando o cantando que podría denominarse nacional, estilo que se caracterizaba por un dramatismo vehemente, apoyado en la exteriorización de vivos afectos interiores. Los comediantes solicitaban la "admiración" afectiva más que cerebral» (*Ibíd.*, pág. 43). J. Sage pone a *La fiera* como ejemplo del *stile rappresentativo* italiano y señala que los dioses cantan siempre en ese estilo en las comedias mitológicas, vale decir, representan cantando.

ofrecerá la síncopa de la noche con los tonos musicales y el consiguiente orfismo[172]. La dureza de Anajarte marcará, sin embargo, los ecos del amor vendado y ciego.

En la jornada tercera, las voces dibujarán la acción completa del desembarco, la batalla y las huidas, poblando con ellas el mundo que supuestamente hay entre bastidores. Pero es el canto alterno de solos y coros, formado alrededor de Venus y Cupido, el punto álgido en el que la obra ofrece, en síntesis musical y vocal, la batalla librada entre los dioses. Presumimos que el carro de Pigmaleón, en cortejo procesional de villanos «cantando y bailando con instrumentos musicales», ofrecería lógicamente tonos y voces populares, curiosamente contrastados con la citada parte musical y coral de los dioses. La voz, en su efecto más teatralizador, dará vida a la Estatua, como signo de su acabada metamorfosis en mujer y, por contra, el silencio sumirá para siempre en el mármol el ornato culterano de la retórica que Anajarte ha lucido en toda la obra al transformarse en piedra.

Por último, la música de los dioses presidirá su aparición celeste y la salida de Fortuna en la máscara, con sus dos coros de a siete voces cada uno, cuatro femeninas y tres masculinas respectivamente. El baile de la tropa de doce mujeres acordará, con la filosofía expuesta por Cerone en el *Melopeo y maestro* (Nápoles, 1613), la unión de la danza con la música y las voces acordadas en honor del amor correspondido. Fortuna indica los pasos de las bailarinas y extiende su voz y la música que acompaña el solo y los coros a Felipe y Mariana. Voces y ecos retumban en vivas a los reyes como paradigmas del amor constante que sostiene y une el universo —como sabía Lope— gracias a la música inaudible de las esferas[173].

---

[172] *La fiera* se estrenó de noche, al parecer, y con la luz artificial del Coliseo del Buen Retiro. Según Othón Arróniz, Luis Baccio fue el que ensayó para ella las lamparillas de aceite con productos aromáticos que deleitarían durante la representación. Sobre ello, véanse los *Avisos de D. Jerónimo de Barrionuevo (1654-1658),* Madrid, 1892, II, pág. 300. Antonio Bonet Correa insiste en ello, en «Arquitecturas efímeras, ornatos y máscaras. El lugar y la teatralidad de la fiesta barroca», *Teatro y fiesta en el Barroco. España e Iberoamérica,* estudios dirigidos por José María Díaz Borque, Madrid, Ediciones del Serbal, 1986, pág. 36.

[173] El baile, en correspondencia con la música, proporcionaría el equiva-

La fiera supone un esfuerzo original en la creación de un espectáculo verbal y visual, en cosonancia con los dictados de la *opera in musica* italiana, pero adaptado a la tradición y a los gustos españoles[174].

LA EVOLUCIÓN ESCENOGRÁFICA DE «LA FIERA, EL RAYO Y LA PIEDRA»

Como ya se ha señalado, *La fiera, el rayo y la piedra* se estrenó por primera vez en Madrid, en el Coliseo del Buen Retiro, en el mes de mayo de 1652. Creemos que ya que el cumpleaños de la reina Mariana de Austria era el 22 de diciembre, y que la *fiesta* de la representación tenía como motivación tal efemérides, es muy posible que la obra fuese escrita en 1651 y, por razones que ignoramos, el estreno se pospuso a mayo del año siguiente, como ocurrió con otras obras, aunque se nos escapen las razones que pudieran motivar tan notable —aunque no infrecuente— retraso.

La primera impresión de 1664 (y la reimpresión hecha entre esa fecha y 1674 a la que la crítica denomina de «1964»), ofrece una puesta en escena que bien pudo corresponder a la del estreno en lo esencial, pero que es posible contenga algunas variantes escenográficas textuales, como ocurre al menos con el propio título, ya que León Pinelo llama a la obra estrenada en 1652 *Las durezas de Anajarte y el amor correspondido*. La edición de Vera Tassis (1687), a su vez, presenta notables cambios respecto a la primera, ganando en complejidad y matices escenográficos y musicales. Por otro lado, la versión

---

lente armónico del movimiento de los cuerpos. Sobre éste, véase T. Barclay, «The importance of the dance in the Spanish *comedia* before the eighteenth century», *Bulletin of the Comediantes,* X, 2, 1958, págs. 21-3. Todo lo dicho, como es lógico, se refiere, salvo indicación contraria, a la representación que supone la edición de 1664, pues, como hemos dicho, la de Vera Tassis y la del ms. valenciano de 1690 representan un punto de vista musical con notables variaciones, aunque tampoco de éstas se conservan las partituras correspondientes.

[174] H. W. Sullivan, «Calderón and the Semi-Operatic Stage in Spain after 1651», págs. 89-90.

valenciana de 1690 constituye un claro ejemplo de aprovechamiento de la obra de Calderón para una ocasión diferente y con cambios notables en casi todos los aspectos, y otro tanto ocurre con los manuscritos dieciochescos que transforman la obra siguiendo los nuevos gustos de la época[175].

Con el tiempo, la escenografía de *La fiera* fue haciéndose más compleja, su duración se alargó no sólo porque se añadieron nuevas mutaciones escénicas, sino porque aumentaron las partes cantadas. Basta comparar la *princeps* con la edición de Vera para comprobarlo, o cotejar ambas con el manuscrito valenciano. En el siglo XVIII, sin embargo, ocurrió todo lo contrario. Los espectadores pedían otro tipo de comedia y la España borbónica se decantaba, en este caso, por una mayor brevedad en las comedias festivas cortesanas.

De la puesta en escena de 1652 sabemos que tuvo siete mutaciones escénicas. Es difícil decir exactamente si la versión de 1664 las mantiene, pues todo depende de si consideramos o no mutaciones la cueva de las Parcas y los descensos aéreos de los dioses. Lo que sí es cierto es que esta representación cambió la inicial perspectiva de mar a la de bosque y

---

[175] No vamos a entrar en la descripción pormenorizada de cada una de las puestas en escena. Las implicadas en los textos impresos de 1664 y «1664» y 1687, así como en el manuscrito de la valenciana de 1690, pueden verse en mis dos artículos citados en nota 15, *supra*. Sobre las representaciones dieciochescas, me ocuparé en otra ocasión. El lector de esta edición podrá comprobar por sí mismo las variantes escenográficas y textuales de las citadas impresiones del siglo XVII. Véase además el trabajo fundamental de N. D. Shergold, *A History of the Spanish Stage*, págs. 305 y ss., y para la representación valenciana, Ángel Valbuena Prat, «La escenografía de una comedia de Calderón», *Archivo Español de Arte y Arqueología*, XVI, 1930, págs. 1-16. Sobre las variantes de tipo textual y la bibliografía pertinente nos ocuparemos más adelante. La versión valenciana, según el manuscrito 15.614 de la Biblioteca Nacional, con sus ricos dibujos y las piezas menores que completaron la representación, acaba de ser publicada por Sánchez Mariana y Javier Portús, en edición no venal, Madrid, Ministerio de Cultura, 1987. Para la historia del teatro valenciano, véase mi artículo citado en nota 15, *supra*, y Pasqual Mas i Usó, «El teatro valenciano en el Barroco tardío: estado de la cuestión», *Criticón* (Toulouse), 36, 1986, págs. 33-42. Sobre José Caudí, arquitecto y decorador», *Calderón. Actas*, III, págs. 1651-1671. Para Bayuca, véase M. A. Orellana, *Biografía pictórica valentina*, ed. de Xavier de Salas, Valencia, 1967, págs. 367 y ss.

luego a la de palacio y jardín, terminando por ofrecer la de teatro regio. A ello hay que añadir la presencia de la cueva de las Parcas, los citados ascensos y descensos de Venus, Cupido y Anteros, además de la presencia de la fuente artificial y del carro de Pigmaleón con la Estatua. En la máscara final se produce la aparición de la Fortuna y su séquito de bailarinas.

La versión de Vera Tassis, aparte de otros cambios, como el de una mayor y más rica utilización de los espacios celestes y los consiguientes ascensos y descensos de los dioses, además de las variantes musicales, muestra tras la cueva de las Parcas, la aparición en el foro de la fragua de Vulcano, evocada sólo por la palabra en la edición de 1664[176]. Tras la Jornada I, la II señala un cambio de palacio a jardín que no está explícito en la primera versión. Y respecto a la III, vemos un nuevo cambio indicado en sus comienzos («Múdase el teatro en el de monte»), así como una complicada mutación de cielo, con Anteros y Cupido en tronos de nubes, y Venus sobre una estrella. Respecto a la máscara, no ofrece cambios sustanciales desde el punto de vista escenográfico, salvo los implicados por la letra, la música y, tal vez, por la danza. La versión de Vera, fruto de una representación más cuidada, presentó nueve mutaciones a lo largo de las tres jornadas, sin contar las implicadas por el aumento de los vuelos de los dioses. De ella salieron numerosas reediciones y en ella se basaron quienes estrenaron la obra en Valencia a finales de ese siglo, lo mismo

---

176 Baccio murió en 1657, como dijimos, pero ello no quiere decir que sus maquinarias y diseños no se aprovechasen posteriormente para el reestreno o reestrenos de la obra que se hiciesen en el Coliseo. Sobre las fechas, véase mi artículo citado «Dos variantes escenográficas de *La fiera...*». La data de 1665 es la de la muerte de Felipe IV, tras la que hubo cuatro años sin comedias, como se sabe. Puesto que la obra fue dedicada a la par que a Felipe IV y a Mariana, a su hija, la infanta Margarita, cabe tener en cuenta también que ésta vivió en Madrid hasta su casamiento por poderes en 1665, año en el que se marchó a Viena donde murió. Así la edición de Vera parece aludir a una representación anterior a ese año de 1665, distinta de la primera (y tal vez de alguna otra posterior), y en honor de las tres personas reales citadas, con la presencia de la infanta en el teatro, que por su escasa edad no podría lógicamente estarlo en el estreno de 1652.

que quienes la imprimieron posteriormente, incluidos los editores modernos. De ahí el interés de ese texto para poder reconstruir las posteriores muestras de la obra.

La valenciana de 1690, hecha con ocasión de las bodas de Carlos II con Mariana de Baviera, se aleja del original calderoniano no sólo por la distinta motivación de la misma, sino porque la loa, los entremeses y la mojiganga final fueron obra de otros autores, así como la misma escenografía, llevada a termino por Jusepe Gomar y Bautista Bayuca, discípulos de José Caudí, que trabajó con éxito para el Coliseo del Buen Retiro. La música no cambió, siguiendo las directrices del texto de Vera Tassis, pero sí el telón, así como el estilo de línea churrigueresca de la arquitectura efímera y las pinturas que conforman la escena[177]. El teatro en el que se representó la obra tenía unas características muy distintas a las del Coliseo y se aderezó precisamente para el estreno valenciano de la obra en el Salón de las Guardias del Conde de Altamira, con el fin de que luego sirviera para otras representaciones posteriores. Con tal motivo, se dispuso un estrado especial con

---

[177] La música estuvo a cargo del maestro de capilla de San Martín que hizo la composición de la obra. Aunque Louise K. Stein cree que no hubo cambios en la música en relación con el texto de Vera, es lógico pensar que el maestro valenciano diese una versión particular al interpretar la partitura. Cabe destacar la utilización prologal de la loa, debida a la pluma de Francisco de Figuerola, con tramoyas por las que descendían Alemania y España, así como los bastidores de tierra y mar en borrasca, a semejanza de comedia. También contenía la loa bailes de ninfas. Al final de la misma, los bastidores de bosque se corrieron hasta los domos y en el foro apareció una mutación de mar, con olas que amenazaban tempestades con las que empezó la comedia. Un dato importante sobre ésta es el aportado por N. D. Shergold y J. E. Varey, en *Genealogía, orígenes y noticias de los comediantes de España,* Madrid, Támesis Books, 1985, págs. 552-3. Nos indican que en el estreno valenciano de *La fiera* intervino la actriz Ana de la Rosa. También actuó en Madrid (1704) en la compañía de Manuel de Villaflor y en otras compañías como la de Miguel Sala y Agustín Pardo. También señalan que en las cuentas del Hospital General consta que las compañías de Miguel de Castro y Esteban Vallespín representaron en Valencia en 1690. Este último, tras el estreno de *La fiera,* pasó a Granada, donde quebró y traspasó su tropa a Francisco Correa. El autor de dicha *Genealogía* era valenciano y trabajaba en Valencia en 1690, por lo que los datos aportados son de primera mano. Al parecer, él también ocupó algún cargo especial en la representación de *La fiera* en 1690 (*Ibíd.,* págs. 31-2).

entrada independiente y ventana para poder servir refrescos en el que se situaron la virreina y sus acompañantes. Otros nobles gozaron de lugar privilegiado en aposentos especiales. La existencia de aposentillos para el público, en hileras de sillas dispuestas enfrente del escenario, hace recordar las que existían en el teatro de la Olivera de la misma ciudad de Valencia. Había también tres hileras de sillas colocadas sobre tres gradas cubiertas de seda y elevadas nueve palmos del suelo. El escenario gozaba de amplio espacio para los tornos, contrapesos y maderajes de las tramoyas y fue dispuesto en la luna de la escalera de dicho Salón de las Guardias. El tablado tenía «la inclinación que pide el arte elevándose del suelo de la sala hasta 4 palmos y medio». Sobre él se conformó el frontis, en cuya portada se vio la cortina «como índice y jeroglífico» de la fiesta, pintada por Gomar y Bayuca. Los dibujos del manuscrito detallan paso a paso las mutaciones existentes y nos dan exacta noticia de ese telón en el que aparece un Cupido flechero en el aire como compuesto de fiera, rayo y piedra, mientras Venus, sobre un pabón, consulta el oráculo de las Parcas que le señalan un tigre, un rayo y una estatua de mármol, desvelando así el enigma del tirano diosecillo. Rezaba el mote:

A ser obsequiosa medra
Del feliz Carlos Segundo
Hoy vuelve a nacer al mundo
La fiera, el Rayo y la Piedra.

Dos ángeles tenantes sostienen este lema orlado y sobre ellos se dibuja en una cinta el epigrama del humanista valenciano Jaime Falcó: «Tigrin ait Lachesis: Silicem, Cloto: Atropos, Ignem: Falco. Epigram, 70.»

La loa también tenía su parcela iconográfica en el telón, ya que en la parte inferior estaban a los lados un águila y un león sobre los que cabalgarían en la loa Alemania y España.

Un recuento de las mutaciones de esta representación de *La fiera,* descontando las implicadas por las piezas menores anexas, presenta en el texto un total de nueve cambios que los dibujos parecen ampliar a un total de trece; algunos, claro, sólo parciales, puesto que atañen únicamente al foro. Dichos cambios parecen sujetarse a la versión de Vera Tassis, pero con algunas variaciones importantes, como un mayor uso de efectos lumínicos, acuáticos y musicales, empleo de mascarillas por parte de los Cíclopes y conversión de la «oficina» de Vulcano en una perspectiva de armas que convierte la fragua en una armería palaciega. Hay también más efectismos escénicos provocados por el hecho de que la estatua del jardín sea representada por una actriz que luego hace más verosímil la metamorfosis humana posterior.

Los vuelos de los dioses se efectúan con cambios en el espacio aéreo, como la nube de Cupido que se transforma en sol con rayos dorados o la estrella de la que baja Venus y la corona real descendente. El desenlace cambió totalmente con la edición de la Mojiganga y sus tramoyas. Cuando la obra se representase para el público en general en el corral valenciano de la Olivera, es posible que surgiesen los cambios lógicos que su espacio impusiera, aunque su escenario gozaba de todas las posibilidades escénicas de la maquinaria teatral a la italiana.

Otros detalles de esta puesta en escena recrean a través de los dibujos la vestimenta de ninfas, salvajes, caballeros, etc., poniendo ante los ojos hasta los instrumentos de las damas que acompañan a Anajarte en el concierto del jardín, y dan noticia del suelo cambiante: ajedrezado, empedrado o silvestre —según la escena—, o de las cortinas, estatuas y demás características del escenario trágico, es decir, de corte palaciego[178].

---

[178] Una de las cosas que más llama la atención en los dibujos del manuscrito valenciano, aparte de las bambalinas que cambian constantemente la techumbre, es el diseño cambiante del suelo que va transformándose, como decíamos, en consonancia con las escenas marcadas por los bastidores y el foro. Los bastidores de la loa son tres a cada lado, además del foro de marina. En la comedia, aparecen cuatro de bosque y cuatro de marina (éstos en consonancia con el bastidor del foro) más un suelo empedrado y nubes en la techumbre. Luego hay seis de bosque, con el foro de otro tanto, nubes y un suelo con plantas. A continuación, se abre la cueva de las Parcas en el foro. Después se vuelve a la anterior disposición de bosque, pero con ocho bastidores, y luego se sustituye el foro de bosque por una cabaña con chime-

Si Pinelo dice que duró siete horas la representación de 1652, el texto de 1690 señala que la fiesta se prolongó desde las siete de la tarde hasta pasada la media noche. Tras el estreno de *La fiera* en el Coliseo madrileño ante los reyes, hubo otras dos representaciones para los Consejos y la Villa de Madrid respectivamente. Más tarde la obra se ofreció durante treinta y siete días al público en general. La puesta en escena de los valencianos, tras el estreno en el palacio del virrey, se extendió en el número indeterminado de los muchos días en los que el relator dice pudo gozarla el pueblo

nea humeante. La armería de Vulcano tiene ocho bastidores y bóveda, techo ajedrezado y fuego en la fragua propiamente dicha. Ésta aparece delante de una especie de roca. Los bastidores llevan dibujos de armas, corazas y demás aderezos bélicos. Tras la fragua, se vuelve al escenario de bosque, con tres bastidores a cada lado y cabaña en el foro. Así termina la I jornada. En la II, se sustituye la cabaña del foro por un palacio o castillo que aparece al fondo de ocho bastidores de bosque. Luego se pasa a un jardín a la italiana, con simetrías vegetales en el foro, en los ocho bastidores y en el suelo; siendo el techo de nubes y teniendo en el centro la fuente con la estatua y a Venus volando, como ya se hiciera en la jornada I y se repetirá en la III. El foro de palacio se cambia por la puerta y cerca del jardín; el suelo pasa a ser de bosque, en consonancia con los bastidores. Desaparece dicha puerta y se recrea el bosque en el foro. Posteriormente hay un escenario todo celeste con los signos del zodiaco en los ocho bastidores y en el foro. En el techo están la estrella de Venus, el sol y la luna, Cupido y Anteros sobre flores, y en el suelo, matorrales. El salón que aparece posteriormente lleva, como dijimos, columnas, cortinas, estatuas y foro en perspectiva. Allí aparecerá el carro de Pigmaleón. El templo de Venus tiene la compleja corona real descendente para los dioses, columnas y una estatua en el fondo. Con él se cerrará la obra, en apoteosis triunfal. Creo que el hecho de que unas veces aparezcan seis bastidores y otras, ocho puede deberse a un descuido del dibujante del manuscrito, pues parece lógico que fuesen siempre los mismos. Es muy posible que, dadas las dimensiones del escenario del Coliseo del Buen Retiro, el número de bastidores allí empleados fuese mayor. El teatro del palacio madrileño tenía mayores posibilidades para la perspectiva escénica, dada su magnitud. La representación valenciana en el palacio del virrey es un rico ejemplo de esa historia, aun sin escribir, de las llamadas representaciones *particulares*. Para los aspectos musicales de la representación valenciana, véanse las observaciones de L. K. Stein en la citada ed. de *La estatua de Prometeo*, págs. 33 y ss. Ella contradice a Shergold quien creía en un incremento de la música en la edición valenciana que parece contradecirse con el análisis efectuado por dicha musicóloga. Ella aporta una noticia de 1652 sobre la obra referente al violero Manuel de Vega (Cfr. B. N. de Madrid, Ms. 14046/145).

valenciano en la Olivera, añadiendo cómo éste se maravilló ante los efectismos de una fiesta que ya pretendió alcanzar la admiración en la idea original de Calderón y Baccio del Bianco, como hemos visto.

Independientemente de otras posibles representaciones que pudiera haber habido en el siglo XVII y de las que no tenemos noticias, las del XVIII, cuyos manuscritos llevan censura de 1762 y 1765, son una rica muestra de reelaboración teatral en todos los sentidos y claro testimonio de las libertades con las que los autores de comedias y los actores trataban los textos dramáticos a la vista de las condiciones materiales y de las exigencias del público[179].

El manuscrito madrileño preparado para la Navidad del año 1761, tiene todas las marcas superpuestas de la reescritura hecha por el *autor* de comedias o los mismos comediantes que retocaron paso a paso el texto, reduciendo considerablemente la longitud de la obra[180]. El reinado de Carlos III

---

[179] Los manuscritos, cuyo conocimiento debo a la referencia facilitada por Kurt y Roswhita Reichenberger, *Manual Bibliográfico calderoniano*, vol. I, pág. 162, están formados por tres copias de *La fiera*, de nueve cuadernillos en total, tres por cada copia, en formato de 21 × 15 cm. (Mss. 1-29-8, fichero de Teatro: «Comedias en tres actos», Ref. F. D. 871-2). La última copia que reza «Navidad del año 1761» no ofrece alteraciones ni tachaduras y no lleva censura. La representación de 1761 se ofrece en su hechura en la primera copia, ya que ésta está llena de correcciones y enmiendas marcadas por otra mano y con otra tinta sobre un original al que se corrige constantemente. Lleva la data indicada («Para Navidad del año 1761»). El número de banderillas pegadas es enorme y supone una cantidad impresionante de variantes textuales que confirma la transformación que cualquier original sufría en la versión escénica que una compañía podía ofrecer. También se indica a continuación el siguiente dato escenográfico: «Águeda de la Calle», que suponemos alude a la compañía que la representó (*infra*, nota 182). El número de variantes tendentes a suprimir versos indica una tendencia permanente a la reducción de la obra.

[180] Leg. 6, núm. 14. Lleva censura de 1762. Al final de la I jornada hay 1280 versos y se especifica: «tiene de menos 0220»... «Quedan, aún... 1060» y luego se añade: «en la segunda revista; le quedan sólo 930, se le han quitado 130, y en él todo, de como antes estaba: 350», hasta llegar, tras un leve cambio final, a 1056 versos. La jornada II lleva numerosas banderillas que van reduciendo el original del que se parte, de 1400 versos, a 940, especificándose que entre la I y la II se han restado 752 versos. La jornada III, también con muchísimas tachaduras, queda reducida a 910 versos, es decir,

(1759-1788) hace suponer una representación de esta comedia dentro del marco político del Tercer Pacto de Familia (1761-2) en una España alejada de los gustos que, ya pasado un siglo, generaron la escritura y la escenografía de *La fiera, el rayo y la piedra* a la que se le merman más de mil versos y se le hacen constantes cambios, transformando enteramente el final y adaptándola a un público y a unas circunstancias totalmente diferentes.

La segunda copia dieciochesca lleva al final licencia de 27 de junio de 1765 y censuras de los días 11, 18 y 21 de agosto de ese año, pero además confirma se representó en el año 1773, para el Corpus. Al parecer, esta última representación no duró más de cinco días, y eso que llevaba dos sainetes y tonadillas nuevas[181]. Dado que estas indicaciones son de otra letra y van, como digo, añadidas a la copia censurada en 1765, es posible que nos encontremos no con dos, sino con tres representaciones consecutivas: 1761, 1765 y 1773, siendo la tercera y última la confirmación de un evidente fracaso[182]. La segunda coincidió con la supresión, ese año de 1765, de los autos sacramentales. El público, al parecer, tampoco toleró la sustitución de la alegoría sacramental por la fiesta mitológica barroca para el día del Corpus, ni siquiera con «las

---

se le han quitado 250. Lleva fecha de la censura: «Remítese esta comedia titulada La Fiera, el Rayo y la Piedra, al Censor, y Fiscal de ella...» Firmado a 27 y 29 de mayo de 1762, y el último permiso a 25 de junio. Curiosamente se van quitando versos hasta llegar a los tres mil aproximadamente, cantidad que iba bien con la que las comedias tenían a principios del XVII y que luego se fue ampliando en el teatro calderoniano de corte.

[181] Leg. 15, núm. 13. Se detallan las ganancias del primer día: dos mil ochenta y un reales, y se dice que «por caer mala la dama la remedió la graciosa». El manuscrito merecería una más detallada descripción y estudio aparte, ya que lleva indicaciones de quién hizo cada papel y otros datos que no podemos incluir aquí. Como decimos, la censura es de 1765 y añade se representó en 1773.

[182] La copia, con censura de 1765, dice haber sido representada por la Compañía de Nicolás de la Calle y se basó presumíblemente en la versión reducida de 1761. Ignoro quién puede ser éste supuesto *autor* de comedias, aunque la tradición de actores y autores de comedias con ese apellido es enorme, como puede verse en N. D. Shergold y J. E. Varey, *Genealogía, orígenes y noticias de los comediantes de España*, *vide* índice onomástico. Esta obra recoge también la familia de cómicos españoles de principios del XVIII.

muletas» añadidas, que diría Quiñones de Benavente, de los sainetes y tonadillas.

El final de la obra cambia en estas versiones, así como los destinatarios. El tiempo y el espacio transformaron *La fiera, el rayo y la piedra,* ofreciendo un curioso caso para la historia del teatro, en el que se marcan los cambios textuales y escenográficos a los que se someten los dramas con el paso de los años y, en definitiva, un capítulo más para la historia de la recepción literaria.

Palacio y jardines del Buen Retiro

Criterios de la edición

De *La fiera, el rayo y la piedra* no se conserva manuscrito alguno de los años en que vivió Calderón. Los tres existentes son posteriores y representan, como hemos dicho, estados muy evolucionados de los textos originales, aparte de toda clase de variantes escenográficas, fruto de diversas reposiciones. Gracias a Kurt y Roswitta Reichenberger contamos con la catalogación de las impresiones y manuscritos de la obra, lo que nos evita la descripción detallada de cada uno de ellos[1]. No existe en la actualidad ninguna edición crítica de la

---

[1] Véase Kurt y Roswitha Reichenberger, *Manual Bibliográfico Calderoniano*, I, Verlag Thiele & Schwarz, Kassel, 1979, págs. 14 y ss., y 260-2 particularmente. En *ibíd.*, III, pág. 27 (y *vide* págs. 23 y ss.), se señala cómo *La fiera, el rayo y la piedra* aparece citada en las siguientes *memorias de apariencias: Memoria de las comedias que escrivió Don Pedro Calderón de la Barca la qual hizo por mandato del Rey Nuestro Señor D. Carlos II y la llevó don Francisco Marañón a su Magestad,* posterior, según Wilson a 1677 (Cfr. E. M. Wilson, «An early list of Calderón's comedias», *Modern Philology,* 60, 1962-3, págs. 95-102) y *Memoria de comedias de don Pedro Calderón enviada al Excelentísimo señor Duque de Veragua* (esta lista es de 24 de junio de 1680). En el *Manual Bibliográfico III*, págs. 49 y ss., se recogen las descripciones bibliográficas y se analizan los problemas de las sueltas en págs. 67 y ss., 79 y 93. Sobre ello, véanse además los trabajos de Jaime Moll, «Problemas bibliográficos del libro del Siglo de Oro», *BRAE,* 59, 1979, págs. 49-107, y «Las nueve partes de Calderón editadas en comedias sueltas (Barcelona, 1763-7)», *BRAE,* 51, 1971, págs. 259-304; así como E. W. Hesse, «The Publication of Calderón's Plays in the Seventeenth Century», PhQ, 27, 1948, págs. 37-51. Para las sueltas de Calderón, son particularmente útiles las páginas del citado *Manual Bibliográfico* donde se apunta la dispersión de las mismas y las dificultades que, en general, presenta su datación. Las sueltas de *La fiera,* en *ibíd.*, III, págs. 109, 123, 254-5, 375, 527-8 y 685. La obra aparece catalogada cronológicamente en la serie calderoniana (*ibíd.*, III, pág. 738), después de *Darlo todo y no dar nada* (1651) y *Las Fortunas de Andrómeda y Perseo*

misma y las más modernas se atienen con grandes libertades y no pocos errores a la edición de Vera Tassis, o a un fundido de ésta con la primera. Pero muchos de los problemas relativos a esta obra y a la *Parte* que la contiene han sido resueltos. El detallado y preciso estado de la cuestión de D. W. Cruickshank sobre la crítica textual de las comedias calderonianas no sólo recoge una puntual descripción histórica sobre el tema, sino que ofrece numerosas aportaciones que resuelven los problemas textuales o indican el camino a seguir por los nuevos editores[2].

La obra que nos ocupa apareció por primera vez en la *Tercera parte de comedias* de don Pedro Calderón de la Barca, que, como la *Quarta* y la *Quinta,* fue impresa sin que su autor interviniese en el proceso. A pesar de ello, los críticos coinciden en que esos textos nos permiten, a falta de otro testimonio mejor, acercarnos lo más posible al original calderoniano. La *Primera parte* había aparecido en Madrid, 1636, y fue reimpresa cuatro años más tarde. En 1637 apareció la *Segunda parte,* que sería reimpresa muchos años después. Más de un cuarto de siglo separa estos volúmenes de la primera edición de la *Tercera parte* (1664) en la que apareció *La fiera, el rayo y la piedra,* mostrando los complejos problemas que se deducen de la miseria de la industria del libro en el siglo XVII español[3].

(1653). Respecto a la cronología *(ibíd.,* III, pág. 730), se dice que entre 1638 y 1662, se representaron once comedias de Calderón en los teatros reales. De *La fiera* se tiene la noticia que dio León Pinelo. Desconocemos el nombre de la compañía que la estrenó.

[2] D. W. Cruickshank, «The Textual Criticism of Calderón's comedias: a survey», en Pedro Calderón de la Barca, *The Comedias of Calderón,* a facsimile edition prepared by D. W. Cruickshank & J. E. Varey, Londres, Gregg International Pub. Ltd. & Támesis Books Ltd., 1973, vol. I, págs. 135 y ss. Citaremos este vol. a partir de ahora como *The Textual Criticism.*

[3] D. W. Cruickshank, *ibíd.,* pág. 29, señala que Calderón publicó su obra en el periodo más pobre de la historia de la imprenta española (1630-1730), lo cual se comprueba fácilmente a la vista del formato y demás aspectos materiales que caracterizan sus obras impresas. Sólo en casos como el del precioso manuscrito valenciano de *La fiera* (1690) o el del mencionado ejemplar de *Andrómeda y Perseo,* en Harvard, se muestran lujos caligráficos y otras calidades de papel, tintas, dibujos, etc., que son producto del destino de los manuscritos para realce de la nobleza o de la realeza que promoviera las representaciones, como es el caso de ambas comedias.

A la consabida pobreza de formato e impresión, hay que añadir la proliferación de sueltas encuadernadas en volúmenes que apiñaban el texto para ahorrar papel, sin preocuparse los impresores de mantener rigor textual o de autoría[4].

La *Quarta parte* apareció en 1672, y sin la venia entusiasta de su autor que, sin embargo, revisó la segunda edición de 1674. Respecto a la *Quinta parte,* salió en 1677, fue desestimada totalmente por Calderón y ofrece una complicada problemática textual que se amplía aún más con la edición que contra ella hiciera Vera Tassis. *La fiera* se publicó, como se ha indicado, por primera vez en Madrid, en la *Tercera parte de comedias* de Calderón, en 1664, entre *La púrpura de la rosa* y *También hay duelo en las damas*. La portada de esta impresión, denominada *Excelmo* por los críticos, y a la que llamaremos E en la presente edición, es como sigue:

> E: TERCERA PARTE DE / COMEDIAS / DE D. PE-DRO CALDERON DE LA BARCA, / Cauallero de la Orden de Santiago. / DEDICADAS / AL EXCEL^mo. SEñOR D. ANTONIO PEDRO ALVAREZ / Ossorio Gomez Davila y Toledo, Marques de Astorga y San-Roman, / Conde de Trastamara y Santa Marta, Duque de Aguiar, Conde / de Colle, Conde y Señor de las Casas de Villalobos, Señor del Paramo y Villamañan, & c. [escudo] / CON PRIVILEGIO. / EN MADRID, Por *Domingo Garcia Morràs*. Año de 1664. / A costa de Domingo Palacio y Villegas, Mercader de libros. Vendese / en su casa frontero de Santo Tomas.

Las fechas de los preliminares indican que la obra se acabó de imprimir el 9 de agosto de 1664[5]. Gracias a E. M. Wilson,

---

[4] D. W. Cruickshank, «Introducción: Calderón y el comercio español del libro», en K. y R. Reichenberger, *Manual Bibliográfico Calderoniano,* III, págs. 9-15, plantea el problema de las sueltas calderonianas, añadiendo abundantes pruebas para su fechación y autoría. Y *supra,* nota 1.

[5] *Vide* K. y R. Reichenberger, *ibíd.,* I, págs. 19 y ss., para las ediciones completas. El «Papel al Autor» de la *Tercera parte* lleva fecha de 2 de agosto de 1664. La aprobación es de 15 de junio de ese año y la licencia del Ordinario, de 17 de ese mismo mes. Un «Papel al Autor» de don Sebastián Bentura de Vergara Salzedo lleva la data de 2 de agosto. La Suma de la Tassa y la Fe de erratas son del día 9 de ese mes. Contiene doce comedias. Aparte de *La fiera* y

sabemos de la existencia de diez ejemplares de E, uno de los cuales, el de la Biblioteca Nacional de Madrid (R / 10637), nos ha servido como base de la presente edición[6]. Pero, aparte de esta edición ordinaria de *Excelmo* de la *Tercera parte*, existe otra llamada *Excelentissimo* o de «1664» a la que nos referiremos como Eo, de la que existe un único ejemplar en la Biblioteca Universitaria de Cambridge (U. L. Cambridge, Hisp. 5.68.12) y que se puede consultar en la edición facsímil de Cruickshank y Varey[7]. Esta edición de Eo, salvo en los detalles señalados por Wilson, es aparentemente idéntica a la anterior, con los mismos títulos y fecha, aunque presenta cambios de línea, errores de foliación y diversas variantes, algunas de consideración, como veremos. Pero por lo demás es una reimpresión página por página de E.

La prioridad de E está fuera de duda y, aunque todavía quedan incógnitas sin resolver respecto a este raro caso de Eo, parece que se trató de una reimpresión corriente cuya data, «1664», puede querer decir que se hizo entre ese año y 1674, fecha en la que expiraba el privilegio obtenido para la primera[8]. D. W. Cruickshank ha apuntalado la prioridad y

---

las dos ya mencionadas, están: *En esta vida todo es verdad y todo mentira, El maestro de danzar, Mañanas de abril y mayo, Los hijos de la Fortuna: Teágenes y Cariclea, Afectos de Odio y Amor, La Hija del aire. Primera parte, La Hija del aire. Segunda parte, Ni amor se libra de amor y El laurel de Apolo.* Calderón ya había publicado las *Partes Primera y Segunda.* Sobre la relación de los problemas de la *Segunda y la Tercera* ya llamó la atención H. C. Heaton, «On the *Segunda Parte* of Calderón», HR, V, 1937, págs. 208-224. D. W. Cruickshank, «On *the Tercera Parte* of Calderón-1664», *The Textual Criticism,* págs. 107 y ss., describe puntualmente las ediciones de *Excelmo y Excelentissimo* así llamadas por E. M. Wilson en 1962 porque en el título se diferencian en ambas sólo en esa palabra. Véase además E. W. Hesse, «The two versions of Calderón's *El laurel de Apolo,* HR, XIV, 1946, págs. 213-34.

[6] E. M. Wilson, «On the *Tercera parte* of Calderón-1664» (1952), reimpreso en *The Textual Criticism,* págs. 107-116. En el vol. VIII de la citada colección facsímil *The comedias of Calderón* se encuentra la *Tercera parte* de 1664 (E), que hemos cotejado con el ejemplar citado de la Biblioteca Nacional de Madrid.

[7] El ejemplar de Eo, de la Biblioteca de Cambridge (U. L. C. Hisp., 5, 68, 12) fue reproducido en *The comedias of Calderón,* vol. IX.

[8] E. M. Wilson, «On *The Tercera* parte...», recuerda que también hubo dos ediciones de la *Primera* y de la *Quarta* partes. No parece, sin embargo, que se escondiese detrás de la falsa data de Eo ninguna intención particular en

superioridad de *Excelmo* (E) sobre *Excelentissimo* (Eo)[9] y ha señalado la posibilidad de que Fernández de Buendía interviniese en la reimpresión de la segunda entre 1664 y 1674, junto con otros impresores y sin que Calderón colaborase en ella[10]. Este último extremo es muy probable que también se diese en la primera edición, lo cual hace aumentar las cautelas a cualquier editor de la *Tercera parte* respecto a sus dos primeras salidas de la imprenta. El caso de Calderón no fue único. Tirso y Lope también se quejaron de las alteraciones sufridas en sus textos y de la falta de control que tenían sobre ellos. Calderón hizo hincapié en los problemas de falsa autoría en la *Quarta parte* (1674), y en esta *Tercera* (1664 y «1664») se hace eco de lo que don Sebastián Ventura de Vergara Salcedo le dice en el «Papel al Autor» de los preliminares:

> Señor D. Pedro, no solo yo, sino quantos aplauden, y veneran por primeras las Comedias de v.m. sienten el que anden diminutas, y llenas de errores de la Imprenta, assi las sueltas, como las que en partes diferentes de libros se han dado estos años a la Prensa; y tambien el que muchas buelen con el nombre de v.m. no lo siendo, y alguna de v.m. con el ageno; motivo bastante para que fiado en la merced que me haze, resolviesse recoger essas doze, y darlas a la estampa, por eximirlas del riesgo que las demas han padecido.

---

relación con las licencias, sino que se trata de una reimpresión página por página de *Excelmo* llevada a cabo por varios impresores; entre ellos probablemente estaría García Morrás.

[9] D. W. Cruickshank, «The printing of Calderón's *Tercera parte*», *The Textual Criticism,* págs. 117-141, resume el estado de la cuestión sobre los problemas de la *Tercera parte* y avisa a los editores de que deben usarla con cautela al carecer ésta de la autoridad calderoniana.

[10] D. W. Cruickshank, «Calderón's *Primera* and *Tercera partes*: the reprints of "1640" and "1664"», en *The Textual Criticism,* págs. 154 y ss. Recuérdese que ya casi todas las *Partes* de la obra de Lope aparecieron en más de una edición, aunque con distinta marca de lugar y fechas. En el caso de Calderón, la *Primera parte* y la *Segunda* corrieron a cargo de su hermano José Calderón, pero las *Partes Tercera, Cuarta* y *Quinta* lo fueron por otros. Calderón repudió, como apuntamos, la *Quinta*. Sobre éste y otros problemas relacionados con el tema, véase Arnold G. Reichenberger, «Editing Spanish *Comedias* of the XVII-th Century: History and Present-Day Presence», *Editing Renaissance Dramatic Texts English, Italian and Spanish,* ed. por Anne Lancashire, Nueva York-Londres, Garland Pub. Inc., 1976, págs. 69-96.

Pero Calderón no sólo lucha en la dedicatoria de *Excelmo* al Marqués de Astorga contra los problemas de falsa autoría, sino contra las ediciones defectuosas, pidiendo salgan «corregidas, enmendadas, y cabales». Claro que estas afirmaciones las hace indirectamente, y por referencia al «Papel» de Sebastián Ventura, y aparecen paradójicamente impresas delante de esta *Tercera parte* llena de esos defectos que se pretenden evitar y aun de otros mayores, como veremos ocurre con el desenlace de *La fiera*. El editor de la *Tercera parte* (E) era un poeta de poca monta que pretendía pasar por amigo de Calderón y que no le comunicó a éste sus intenciones editoriales hasta que el volumen estuvo impreso, salvo los preliminares[11].

De *Excelentissimo* sabemos fue reimpresión legal con todos los requisitos, pero no hay evidencia alguna de que Calderón hiciese revisión de esa tirada, por lo que apenas ofrece interés a los editores y estudiosos[12]. El caso particular de *La fiera* hace, sin embargo, que *Excelentissimo* cobre un relieve mayor que en el caso de las demás obras de esta *Tercera parte* («1664»), ya que facilita una mejor lectura, sin repeticiones, del desenlace de la misma, como la crítica se ha ocupado en señalar.

Margaret Rich Greer ha planteado la problemática de los finales de la comedia calderoniana que, como ella misma señala, coinciden con las numerosas variantes que presentan en sus finales tanto los romances como la poesía épica tradi-

---

[11] D. W. Cruickshank, *The Textual Criticism,* pág. 6. También ahí insiste en la prioridad de *Excelmo* sobre *Excelentissimo,* reafirmando que llevan la misma fecha «and the same imprint and woodblock on the title-page». Las ediciones de Wilson, G. Edwards y del propio Cruickshank, respectivamente, de *La púrpura de la rosa, La hija del aire y En esta vida todo es verdad y todo mentira* apuntalaron las tesis de Wilson y aportaron nuevos datos a la problemática de la *Tercera parte* que en el caso de *La púrpura* se mostraba como superior al de una copia manuscrita de 1662. Las otras obras presentan una problemática muy distinta que apoya la necesidad de atender separadamente los problemas que afectan a cada obra en cuestión.

[12] D. W. Cruickshank, *ibíd.,* pág. 8, apunta que *En la vida* ofrece la evidencia de tres impresores que se repartieron el trabajo de componer *Excelentissimo.*

cional[13]. *La fiera* representa un caso particular de comedia en la que las variantes textuales del desenlace se deben a errores del copista o del impresor en esos cinco folios (ff. 241-246) que ofrecen de forma tan diferente la primera y la segunda impresión (E y Eo, respectivamente). Para Greer, el compositor de E repitió treinta versos, omitiendo a la vez parte de una escena que tenía otros tantos[14]. El impresor de Eo advirtió el error y trató de corregirlo reordenando los ya existentes de forma lógica, aunque no por ello ofreciese una lectura totalmente satisfactoria, ya que quedan sin resolver algunos problemas escénicos de entrada y salida de personajes y siguen faltando los versos omitidos en la primera edición[15]. Es evidente, por tanto, que en la reimpresión de Eo faltan también esos versos sin los que el texto queda truncado y de los que tampoco se pueden ofrecer lecturas mejores en las ediciones posteriores de la obra, ya que la de Vera Tassis se basa en Eo y de ella derivan las demás. Vera repite en este punto la versión de *Excelentissimo* y, por tanto, sus carencias.

El problema del desenlace sigue sin solución, aunque Eo ofrezca una puesta en escena más lógica y viable que la de E y, por tanto, nosotros seguiremos en este caso las directrices

---

13 Margaret Rich Greer, «Calderón, Copyists and the Problem of Endings», *Bulletin of the Comediantes,* 36, 1984, 1, págs. 71-81, ha señalado un mayor número de variantes y alteraciones de los textos calderonianos en los finales de página, de acto o de obra. Ello lo atribuye a tres causas: primera, que Calderón —o el *autor de comedias*— haya reescrito la obra; segunda, que la alteración se deba a diferentes tipos de representaciones; y tercera, que se deba a errores del copista o del impresor de la comedia. Greer recoge las famosas palabras que Calderón dijo al respecto al prologar la *Quinta parte,* cuando habla del ahorro de papel, «pues donde acaba el pliego, acaba la *Iornada* y donde acaba el quaderno, acaba la Comedia» (*Ibíd.,* pág. 74). Sobre este aspecto, véase mi Introducción a la ed. facsímil de Baltasar Gracián, *El Político,* Zaragoza, Institución Fernando el Católico, 1985.

14 M. R. Greer, *ibíd.,* pág. 72. Calderón y otros escritores solían escribir treinta versos en cada cuarto de folio, lo que explica la posible equivocación del copista.

15 *Ibíd.,* pág. 73. M. R. Greer señala que el manuscrito valenciano sigue a Eo y añade versos en torno a Carlos y Mariana, sin que ello nos sirva, por tanto, de ayuda alguna para establecer correctamente el texto. Respecto a Vera Tassis, como señalara la autora y apuntamos luego, sigue en ello a *Excelentissimo* y no añade, claro está, esos versos perdidos que pudieran reconstruir el texto original.

marcadas por la reimpresión[16]. Los vacíos de una página son, sin embargo, imposibles de subsanar[17]. Y mientras no aparezca otro testimonio manuscrito o impreso en el que se encuentren los versos perdidos, los editores modernos se ven obligados a seguir el texto incompleto de Eo, como ya lo hicieran los editores anteriores a partir de Vera[18]. El texto de la puesta

[16] Respecto al desenlace, téngase en cuenta que a partir del v. 3948, E lleva seis versos que se han suprimido en las ediciones siguientes de Eo y V: «a cuya causa también / a los dos he de seguir / de Venus al templo, en que / no falte mi sacrificio. *Vase.* // CÉFIRO —yo he de acompañarte a él. *Vase.* // ANTEO— y yo seguir a los dos». Y repite prácticamente el texto de Eo, salvo en las variantes que se señalarán, pero que no cambian la disposición de éste. Y otro tanto ocurre con el ms. 14.614 de la BN, es decir, el de la representación valenciana, salvo en los versos dedicados a Carlos y Mariana. Como ha señalado M. Rich Greer, «Calderón, copyists, and the problem of endings», el compositor de E repitió treinta versos dos veces (una hoja en cuarto del manuscrito del que copiaba) y se olvidó a la vez de una escena que probablemente ocuparía otros tantos. Los versos repetidos en Eo y V equivalen, en nuestra edición, a los vv. 3917-3948. Pero dejando aparte esta repetición del texto de E, es evidente que hay una incongruencia al hacer que Irífile que, aparentemente se había ido, reaparezca diciendo los versos 3947 y ss. Eo y V coinciden, tras la supresión de los seis versos citados, en colocar los versos 3949-3964 («Y ahora...», hasta «estabas») y después continúan con los versos 3965 y ss. que en E seguían a los seis suprimidos.

[17] Es evidente que como señala Rich Greer, las incongruencias siguen existiendo. La acotación *Vanse las dos* (v. 3957) no tiene sentido, ya que inmediatamente los graciosos quieren retirar a Anajarte convertida ya en estatua. Creo, sin embargo, que la cosa puede tener solución si pensamos que los versos 3954-7 no los dice Anajarte convertida en Estatua, sino la Estatua de Pigmaleón, convertida en mujer, y por tanto verdadero «prodigio», como le dice Irífile (y como Pigmaleón la había llamado antes: v. 3885). Después de salir ambas, Anajarte-Estatua sería desplazada por los graciosos. Ésta ya había sido petrificada con anterioridad (vv. 3819-3839) y permanecería quieta y callada hasta el final («helada» «a la vista» y «al tacto»), en tanto que la Estatua de Pigmaleón, ya mujer, habla por extenso y anda tras descender del pedestal (vv. 3874-3884 y 3897-3900).

[18] Reconstruir una columna tipográfica o una hoja de ms., sin mayores auxilios que su existencia, es a todas luces imposible. Creo, sin embargo, que esa columna perdida terminaba en los seis versos de E que omiten E y Eo, y que los que rezan «...a cuya causa», los dice Pigmaleón que con Céfiro y Anteo se va al templo de Venus. Luego desaparecerán Irífile y la Estatua de Pigmaleón. Los graciosos e Ifis con la Estatua-Anajarte permanecerían en escena para observar el debate final de Eros y Anteros en el cielo, junto a Venus. Pero es evidente que la apoteosis final no pedía aquí la reunión de todos los actores, sino su dispersión. A partir del verso 3979 los graciosos e

en escena de Valencia en 1690 no ayuda, desde luego, a subsanar esta laguna textual y escenográfica[19].

La fiera se presenta como un caso típico de comedia que hubo de ver trocado su desenlace al ser puesta en escena en ocasiones diferentes, como ocurrió también con *Andrómeda y Perseo* o con *El mayor encanto, amor,* siendo a veces el propio Calderón el que actuaba en el proceso modificador. En el caso de la obra que nos ocupa, es evidente que *Excelentissimo* ofrece, como decimos, un final más coherente en este punto que *Excelmo;* y Vera, al seguir a Eo, no añade nada nuevo al respecto. Vera era amigo de Calderón y aunque ha tenido numerosos detractores, hoy goza de una cierta estimación entre los especialistas de la crítica textual calderoniana[20]. Por lo que atañe a la *Parte* que nos interesa, es decir, a la *Tercera,* ésta se publicó por Vera en 1687 por primera vez, cambiando en ella el orden de las obras tal y como habían aparecido anteriormente en E y Eo[21]. Vera no siguió el texto de *Excel-*

---

[19] Ifis estarían cercanos a sus salidas para ver cómo se rasgaba el cielo. Y, sin duda, abandonarían la escena rápidamente para dejar paso a la máscara (vv. 4017 y ss.). Todo ello creo que apoya (contra la opinión en este punto de Rich Greer) la tesis, que nosotros apuntamos con otros argumentos, de N. D. Shergold: Vera Tassis se debió basar en algún manuscrito adicional, aunque éste partiese de Eo (o de un ejemplar impreso de Eo con adiciones manuscritas del autor o de quienes repusieron la obra posteriormente). El careo del resto de las variantes de V (sobre todo la del verso 4076), particularmente las escenográficas, hacen pensar en una representación distinta a la del texto de E.

[19] Quienes hicieron la puesta en escena en 1690 en Valencia, a la vista del problema de los versos dichos por la Estatua (3954-7), hicieron que fuese Anajarte la que dijera desde la mitad del verso 3956 al 3957, creando una nueva variante («mármol fuí», por «mármol frío» de E, Eo y V). Con ello desaparece la alabanza de la prodigiosa Estatua de Pigmaleón a la prodigiosa Irífile, pero se gana en lógica. Esta variante *opus ingenii* no creemos, sin embargo, oportuno adoptarla.

[20] Véase la reivindicación de Vera que lleva a cabo, apoyándose en algún caso en las opiniones de N. D. Shergold, D. W. Cruickshank, *The Textual Criticism* , págs. 12 y ss., donde señala cómo Hartzenbusch y los editores modernos que lo han seguido dependen también de la edición de Vera Tassis.

[21] D. W. Cruickshank, *ibíd.,* págs. 21-2 analiza todo lo relativo a las ediciones fantasmas y a las sueltas, y señala cuáles son las ediciones genuinas de Vera. El mismo, en su edición de Pedro Calderón de la Barca *En esta vida*

mo, sino el de *Excelentissimo* o, como mantenemos aquí, una versión basada en Eo con enmiendas para una puesta en escena diferente. Aunque los criterios de Vera, muy de época, le hiciesen enmendar con excesivas libertades los textos de Calderón cuando él creía que con ello los mejoraba o limpiaba de aparentes errores, tendió a corregir con acierto, lo cual convierte sus ediciones en una base posible para que los editores modernos las tengan en cuenta en las enmiendas textuales[22].

En la presente edición, como ya se ha indicado, aceptamos como base el texto de *Excelmo* (salvo en los mencionados versos finales en los que tomamos como punto de referencia a Eo) según el ejemplar citado R / 10637 de la Biblioteca Nacional de Madrid[23]. Las notas a pie de página indican

todo es verdad y todo mentira, Londres, Támesis, 1971, junto con Gwyne Edwards en Pedro Calderón de la Barca, *La hija del aire,* Londres, Támesis, 1970, págs. LXXI y ss., han probado la dependencia de Vera respecto a Eo. Aunque se señala también el caso particular de *El laurel de Apolo* para el que Vera tuvo a la vista otra base textual distinta. Téngase en cuenta que la aprobación de la *Tercera parte* (1687) de Vera es de junio de 1664. En el caso de *La fiera* es muy probable, como señalamos, que el texto de este amigo de Calderón, Vera Tassis, se basase en una puesta en escena posterior a 1652 y anterior a 1665.

[22] Esa es la documentada opinión de D. W. Cruickshank: «It seems clear from this that a modern editor who uses Vera's emendation to correct a *demostrable corruption* stands a reasonable chance of restoring what Calderón wrote. Vera's critics have gone too far, and the balance must be restored», *The Textual Criticism,* pág. 22. Este crítico nos avisa de la nula utilidad de la segunda edición de Vera Tassis o *Pseudo-Vera Tassis,* lo que nosotros hemos seguido, prescindiendo de ella, tras haber consultado un ejemplar de la Biblioteca Nacional de Madrid. A la luz de las múltiples variantes escenográficas, y no sólo textuales, de Vera, bien podemos aventurar que la versión que él manejó, obviamente basada en Eo, hubiese servido para una representación posterior en el Coliseo del Buen Retiro, con las enmiendas pertinentes que Calderón pudo haber hecho en una memoria de apariencias nueva o en los cambios que considerasen oportuno añadir el *autor de comedias* y el escenógrafo. Cuesta creer que Calderón revisase ese texto intermedio entre Eo y V. De haberlo hecho, hubiera enmendado, sin duda, el hueco de los treinta versos más que faltan en el desenlace a partir de E. El profesor G. Edwards, en su ed. cit. de *La hija del aire,* pág. LXXVI, señala numerosas lecturas arbitrarias de Vera respecto a *Excelentíssimo* en esta obra, pero atiende a las variantes de Vera cuando E y Eo muestran incorrecciones evidentes.

[23] También lo hemos cotejado con el ejemplar (E) de la reproducción facsímil ya indicada.

todas las lecturas diferentes que ofrece el texto de *Excelentíssimo* según el facsímil del único ejemplar existente ya mencionado[24]. Del cotejo de ambas ediciones hemos llegado a conclusiones idénticas a las expresadas por los críticos que se han ocupado de analizar los problemas textuales de la *Tercera parte* (1664 y «1664»). Esto es, la superioridad de E respecto de Eo y la reimpresión página a página de ésta respecto de aquélla. No obstante, en alguna ocasión Eo corrige a E acertadamente y, por lo que al final se refiere, mejora, como señala Greer, el error producido por los versos repetidos y la reordenación de los mismos. Eo se hace, como decíamos, de imprescindible ayuda en el caso de esta obra.

Respecto a la edición de la *Tercera parte* (Madrid, 1687) de Juan de Vera Tassis, hemos seguido la del ejemplar de la Biblioteca Nacional (T. i / 102) al que denominaremos V. De él ofrecemos las variantes correspondientes respecto a E y Eo. También en este punto estamos de acuerdo con los investigadores que han señalado la dependencia de V respecto a Eo, incluido el final de la obra. La edición de Vera, aunque cuenta, como en el caso de otras obras editadas por él, con numerosas correcciones innecesarias y gratuitas, sirve a veces para enmendar algunos errores de E y así lo hacemos constar en las notas. Consignamos todas las variantes de lectura que Vera ofrece respecto de las dos ediciones anteriores, teniendo en cuenta que a veces discrepa de Eo[25]. Con ello creemos poder contribuir en algo a la tarea futura de los editores de *La fiera, el rayo y la piedra*. Los lectores tendrán también a la vista las variantes escenográficas que el texto de Vera implica, pues como ya indicara N. D. Shergold y hemos constatado anteriormente, V representa una puesta en escena bastante diferente de la de E (y por lo mismo, de Eo). Los aspectos

---

[24] De éste hemos consultado igualmente la edición facsímil de Cruickshank y Varey.

[25] Según D. W. Cruickshank, *The Textual Criticism,* págs. 21-2, éste y el ejemplar T-18 y 2 de la B. N. de Madrid, que también hemos consultado, son genuinos, desestimando otras ediciones falsas de esa misma Biblioteca como el R. 11.347. Sobre los problemas de la edición *Pseudo-Vera Tassis,* véase también D. W. Cruickshank, «Introducción: Calderón y el comercio español del libro», *Manual Bibliográfico Calderoniano,* III, pág. 13.

musicales son también importantes y el lector podrá así verificar a pie de página los notables cambios que separan la versión de V de las anteriores[26].

Creemos que la versión de Vera muestra suficientes variantes escenográficas, además de las de la máscara, en la que el nombre de la infanta Margarita sustituye al de la reina, como para hacer pensar en que éste tuvo ante sí una versión enmendada y derivada de Eo, con abundantes retoques escenográficos y ampliaciones musicales que Vera enmendó a su vez *opus ingenii* en la mayor parte de los casos. Sus correcciones son a veces acertadas y ayudan a enmendar los errores de E, repetidos o no en Eo. Hay varios casos en los que en lugar de coincidir con Eo, V coincide con E, pero ello siempre en aquellos en los que Eo yerra. Las variantes de V son bastantes, particularmente en cuestión de deícticos o contracciones (*de el - del,* etc.). Corrige los defectos métricos y muestra una gran independencia, aunque, como veremos, no siempre acierte. Su texto es de gran ayuda y, en cualquier caso, ineludible a la hora de perfilar lo que fue una puesta en escena diferente a la primera[27]. Vera sirvió de texto base a la esceni-

---

[26] V sigue los errores comunes a Eo en numerosos casos. Cuando V coincide con E y no con Eo, como sería lógico, es porque corrige un error de Eo. Véanse vv. 39, 230, 275, 354, 419, 1077, 1248, 1262, 1598, 1851, 2530, 3217, 3227-8, 3329, 3433, 3583, 3716 y 3784. Las lecturas de V no siempre mejoran las de E y Eo (se excede en las ultracorrecciones, errando en vv. 3056 y 3062, por ej.), pero sigue a Eo cuando éste enmienda errores de E. V enmienda errores comunes de E y Eo (caso del error de E y Eo respecto a *cuja* en v. 3164 o véase el 3178) y enmienda por su cuenta numerosas veces, particularmente en las acotaciones, añadiendo versos (vv. 2668 y ss.) y manteniendo con ambos diferencias tipográficas. El verso 2446 lo enmienda, por incompleto en E y Eo. Respecto a si el texto de Eo con las correcciones implicadas por una nueva puesta en escena manejado por Vera era o no fruto de las correcciones hechas por Calderón es difícil de precisar, aunque resulta muy raro, por incompleto, que de haberlo hecho, éste no hubiera arreglado las incongruencias del desenlace, añadiendo los versos perdidos. Parece más lógico creer que Vera tuviese a la vista un texto con enmiendas a Eo, fruto de las revisiones llevadas a cabo por quienes repusieron la obra en escena.

[27] En *En la vida todo es verdad y todo mentira,* ed. cit., págs. LXII y ss. no ocurre así. D. W. Cruickshank demuestra que las correcciones de Vera están basadas en la *Tercera parte,* se deben a su pluma, y no a un texto intermedio de Calderón que éste hubiese remozado para otra puesta en escena, como

ficación valenciana de 1690. Pero ese manuscrito es también un modelo de variaciones escenográficas y de todo tipo para la nueva reposición de la obra. De Vera derivaron también las ediciones posteriores, incluida la de Hartzenbusch, que la usó muy libremente, y la de Valbuena Briones. Aunque éste mezcló a su buen entender la versión de Vera con la de 1664 de la *Tercera parte* y siguió en algunos casos la de Hartzenbusch[28]. Ni que decir tiene que estas ediciones, como la muy reciente del manuscrito valenciano, nos han sido de gran utilidad a la hora de resolver algunos problemas, y así lo hemos hecho constar; aunque hemos procurado hacer una edición lo más ajustada posible a la edición de E, 1664, diferenciándola claramente de la de V, que, insistimos, es producto de otra puesta en escena de características textuales y escenográficas diferentes, así como de las demás reposiciones.

Verificada la consulta de una buena parte de los ejemplares y de las ediciones de *Partes* o sueltas de *La fiera* reseñadas por los Reichenberger, no hemos acudido a todas ellas en la presente edición, por razones de diversa índole, entre ellas el imperativo del espacio y las tiranías del tiempo. De la edición denominada *Pseudo-Vera Tassis,* así como de la de Apontes y otras impresiones del XVIII y XIX pueden verse los ejemplares existentes en el tantas veces mencionado *Manual bibliográfico* de K. y R. Reichenberger. La fortuna de *La fiera* en el presente siglo no ha sido muy grande. Suelta sólo ha aparecido en la citada edición del Ministerio de Cultura, según la representación valenciana de 1690. Valbuena Prat la recogió en las *Comedias mitológicas* II de Calderón (Madrid, CIAP, 1931) y Ángel Valbuena Briones en las *Obras Completas* I, del mismo (Madrid, 1966, 5.ª ed.).

suponía N. D. Shergold, aunque cree que este investigador pudo estar en lo cierto al sugerir que las acotaciones de Vera se basaron en una puesta en escena posterior a la primera. La costumbre de cambiar los textos impresos para las puestas en escena está ampliamente documentada. Cruickshank muestra la importancia del texto de Vera quien tuvo en la mano para su edición adaptaciones de Calderón hechas sobre versiones anteriores para nuevas puestas en escena.

[28] A idénticas conclusiones llegó respecto a *En esta vida todo es verdad y todo mentira,* ed. cit., pág. LXVIII. D. W. Cruickshank.

Respecto a los manuscritos del siglo XVIII, requieren, como se señaló, estudio y consideración aparte, tal como se ha hecho con el de Valencia[29]. Son riquísimos modelos de recreación textual y escenográfica, plagados de cambios sin cuento y ejemplo de la evolución de los gustos teatrales respecto a los originales calderonianos. Su estudio queda fuera del alcance de estas páginas.

Calderón, como otros dramaturgos de su tiempo, refundió sus obras cuando los cambios en la ocasión o en la maquinaria escénica así lo requerían. También se daba el caso de refundir una obra existente por parte de otro u otros autores que la empleaban con gran libertad para otra festividad y en fechas muy posteriores. Esto es lo que ocurre con el manuscrito valenciano y con los del siglo XVIII, con la intervención de otros *autores de comedias,* la inserción de loas y entremeses o bailes diferentes, cambios musicales y de localización escenográfica. Calderón sometió sus obras a un doble proceso de reescritura y refundición que, lejos de empobrecer la visión que podamos tener sobre su obra *en marcha,* la engrandece, mostrando la maleabilidad de la obra artística, su capacidad de adaptación y, en definitiva, de ser clásica. Máxime cuando son otros autores los que se encargan de mudarla y transformarla sin que de ella se reste lo esencial. El teatro, como la poesía tradicional, *vive en variantes* y cualquier momento de la cadena en la que se desarrolla debe tomarse en consideración, más allá de la concepción cerrada de un texto inamovible, auténtico o puro. Adjetivos éstos que deben ser desestimados tratándose de un género como el teatral, que vive y pervive en los escenarios y no sólo en la transmisión manuscrita o impresa.

---

[29] En los inicios de esta edición pensábamos haber incluido en nota todas las variantes escenográficas del ms. valenciano, para que el lector pudiera tener a la vista otra puesta en escena diferente, ya que el artículo de Valbuena Prat en RABM, por otra parte muy útil, estaba lleno de errores de transcripción, pero la ed. de Sánchez Mariana en 1987 lo ha hecho desaconsejable y lo hemos eliminado. El lector curioso puede tener ahí a la vista no sólo el texto resuelto (pues el manuscrito está en un estado que hace muy difícil su lectura), sino los preciosos grabados que reproducen la evolución de la obra con un detalle visual imposible de encontrar en ninguna otra obra de la época, con tal extensión y detalle.

Cada una de las puestas en escena nos parece tan estimable como las otras. El teatro es algo vivo y corresponde a los gustos de cada *autor* y de cada compañía aproximarse a los primeros originales con afán de calco o de enmienda. Ello no quita, sin embargo, para que, desde el punto de vista editorial, nos parezca fundamental el respeto a cada uno de esos momentos del proceso de transmisión de una obra que reflejan los manuscritos e impresos existentes tratándose de una pieza teatral.

Las notas indican las variantes de Eo y V, como es usual, según el número de verso de E. Si se trata de acotaciones, lo hacemos indicando el número del último verso tras el que van colocadas. Algún error en el nombre de los personajes en E va subsanado entre corchetes y se aclara a pie de página. Por lo demás, respetamos al máximo la versión de E, bien que modernizando la puntuación y la ortografía, salvo en los casos que suponen una diferencia respecto a la pronunciación. Hemos unificado *extraño, extranjero, extremo, extrañeza, extremara* y *expirase* —con *s* en E— debido a que la ortografía del XVII no distinguía entre una y otra grafía. Calderón no escribió para los impresores, sino para los actores. No empleaba casi acentos, puntuaba poco y utilizaba pocas mayúsculas[30]. Respecto a éstas, y tratándose de una obra mitológica en la que aparecen la Fortuna y Eros y Anteros (como Amor vendado y ciego y como Amor correspondido respectivamente), hemos respetado la tradición mítica y las personificaciones que piden el uso de mayúsculas, como es el caso de la Ocasión. También resolvemos las abreviaturas en los nombres de los personajes, numeramos los versos según el uso tradicional y destacamos las partes cantadas según se deduce del contexto, aunque a veces existan dudas, al no haber partitura alguna y no ser claras o explícitas las acotaciones a este propósito. De cuánto podía alargarse el texto con las repeticiones del canto, ya hicimos referencia en la introducción,

---

[30] D. W. Cruickshank, *The Textual Criticism,* pág. 34, añade a ello que las ediciones de la época siguen esos mismos procedimientos. Los impresores de la *Tercera parte* de 1664 y «1664» tenían a su vez sus propios criterios, a la hora de puntuar y de pronunciar, distintos a los que luego tendría Vera.

pero resulta imposible constatarlo en la ampliación de versos sin la apoyatura musical. Hemos procurado, en éste como en otros casos, no seguir a Vera, ya que su texto supone un estado musical diferente, como el del manuscrito valenciano, con el uso del *recitativo,* dejando para las notas dicha versión de V. El respeto a E ha implicado conservar también formas como *tray, quitalla,* etc., como viene siendo usual en las ediciones más solventes de Calderón, según se explica en las notas correspondientes. En los casos de duda, hemos optado por anotar las otras opciones, para que el lector crítico disponga. Toda alteración respecto a E, salvo las tipográficas (que pueden además ser solventadas por el lector curioso al existir un facsímil), será consignada puntualmente en las notas o entre corchetes en el texto. En éste van indicados los cambios de estrofa, dejando los espacios convencionales, o sea, sangrando cada vez que hay variación métrica. Hemos puesto en cursiva las partes cantadas cuando se indica que lo son o cuando se desprende del contexto. Las notas referidas a la edición de Vera muestran a este respecto mayor parte cantada que en E y Eo, lo cual se deduce también de los *dramatis personae* de V que parecen exigir más voces.

Hemos optado por ofrecer una bibliografía selecta que ataña a *La fiera* y a sus problemas literarios y escenográficos, sin constatar las casi trescientas entradas bibliográficas que hay en el aparato crítico de esta edición. Anotamos sin exhaustividad, aclarando los vocablos, refranes, alusiones mitológicas, históricas o de otro tipo que parecía necesario, tratando de no agobiar demasiado al lector en un texto que, como decía Góngora en su conocida epístola, invita a que éste disfrute venciendo las dificultades.

Editar una obra de teatro implica tal cantidad de posibles alteraciones respecto al supuesto original, que tratar de reconstruir éste desde una perspectiva ideal puede ser una pura ilusión, máxime cuando los testimonios no son de fiar. Y ello no sólo por los usuales problemas de transmisión textual, sino por los propios del proceso teatral y de su cadena de interventores[31]. En éste cabían alteraciones del *autor de come-*

---

[31] J. E. Varey, «Staging and stage directions», *Editing the «comedia»,* ed. por

días, de los actores, del escenógrafo, del apuntador, del editor, de los impresores y compositores, de los posibles *memorillas,* además de los que el propio dramaturgo pudiera ir haciendo en cada reposición. Las acotaciones teatrales se omitían y abreviaban en las ediciones impresas, y en este sentido las de E y Eo nos parecen parcas y a ratos insuficientes[32].

Una edición no es nunca definitiva y ésta no lo es ni en la intención. Pretendemos sencillamente ofrecer un texto cercano al de su posible estreno en el Coliseo del Buen Retiro y claramente diferenciado de sus escenificaciones posteriores. Modesto proyecto y a todas luces insuficiente, si atendemos a las altas exigencias de la crítica textual calderoniana en la actualidad. Del resto, tal vez nos ocupemos en otros trabajos. En cualquier caso, los futuros editores de *La fiera* tal vez encuentren aquí algo despejado el camino a la hora de ofrecer una edición crítica de esta obra que mejore y corrija debidamente la nuestra.

Frank P. Casa y M. D. Mc. Gaha, Michigan Romance Studies, 1985, páginas 146-157.

[32] La edición de Vera es, desde luego, más precisa y extensa en las acotaciones. El tiempo verbal de éstas está en E, Eo y V, en presente y no en pasado, como en muchos casos que hacen «relación» de una puesta en escena, particularmente si ésta fue cortesana. Por último, queremos indicar que en las notas al texto se ha modernizado siempre la acentuación, aunque se ha conservado la grafía original de las variantes.

Abreviaturas

(*Acad.*) Real Academia Española, *Diccionario de la Lengua Española,* Madrid, 1984, 2 vols.

(*Aut.*) Real Academia Española, *Diccionario de Autoridades,* ed. facsímil, Madrid, Gredos, 1963, vol. I-III.

(*Concor.*) *Konkordanz zu Calderón, Concordancia aplicada a las Obras de Calderón con auxilio de una computadora electrónica,* de Hans Flasche y Gerd Hoffmann, Hildesheim-New York, Georg Olms Verlag, 1980, vols. I-V.

(*Cor.*) J. Corominas y J. A. Pascual, *Diccionario crítico etimológico castellano,* Madrid, Gredos, 1984, vols. I-V.

(*Cov.*) *Tesoro de la Lengua Castellana o Española* compuesto por el Licenciado don Sebastián de Cobarruvias Orozco, ed. facsímil, Madrid, Turner, 1977.

(Fernández de Palencia) Alonso Fernández de Palencia, *Universal Vocabulario en latín y romance,* Sevilla, 1490.

(Carmen Fontecha) Carmen Fontecha, *Glosario de voces comentadas en ediciones de textos clásicos,* Madrid, CSIC, 1941.

(Graves) Robert Graves, Introd. *New Larousse Encyclopedy of Mythology,* Londres, P. Hamlyn, 1969.

(Grimal) Pierre Grimal, *Diccionario de mitología griega y romana,* Barcelona, Labor, 1965.

(Pérez de Moya) Juan Pérez de Moya, *Filosofía secreta,* Barcelona, Ed. Glosa, 1977.

(Ruiz de Elvira) Antonio Ruiz de Elvira, *Mitología clásica,* Madrid, Gredos, 1975.

(B. de Vitoria) P. Baltasar de Vitoria, *Teatro de los dioses de la gentilidad,* Valencia, 1646, 2 vols.

Otros repertorios y polianteas irán descritos en las notas correspondientes.

A.E.

Ediciones*

(E): También llamada *Excelmo* o 1664.
FAMOSA / COMEDIA; / LA FIERA, EL RAYO, Y / LA PIEDRA. / *Fiesta Real, que se hizo a sus Magestades en el Palacio / del Buen-Retiro.* / De D. Pedro Calderon de la Barca. En TERCERA PARTE DE COMEDIAS / DE D. PEDRO CALDERON DE LA BARCA, / [...] DEDICA-DAS / AL EXCEL^mo. SEÑOR D. ANTONIO PEDRO ALVAREZ / [...] EN MADRID, POR *Domingo Garcia Morras.* Año de 1664 [Con sello de Pascual de Gayangos en el ejemplar de la B.N.R. 10637]. (Editada en facsímil por D. W. Cruickshank y J. E. Varey, *The Comedias of Calderón,* vol. VIII, Londres, Gregg International Pub.-Támesis, Books, 1973).

(Eo): También llamada *Excelentissimo* ó «1664» (pero impresa entre 1664-1674; *circa* 1673).
FAMOSA / COMEDIA, / LA FIERA, EL RAYO, Y / LA PIEDRA. / *Fiesta Real, que se hizo a sus Magestades en el Palacio del Buen-Retiro.* / De D. Pedro Calderon de la Barca. En TERCERA PARTE DE COMEDIAS / DE D. PE-DRO CALDERON DE LA BARCA, / [...] DEDICA-DAS AL EXCELENTISSIMO SEÑOR DON ANTO-NIO PEDRO / Alvarez... / EN MADRID, POR *Domingo Garcia Morras.* Año de 1664 (Editada en facsímil en la ed. cit. *The comedias of Calderón,* vol. IX).

---

* Señalo la abreviatura empleada para cada una en esta edición, recogiendo únicamente las más relevantes. Para más información, véase Kurt und Roswitha Reichenberger, *Bibliographisches Handbuch der Calderón-Forschung / Manual Bibliográfico Calderoniano,* Kassel Verlag Thiele & Schuwarz, 1979, vol. I, págs. 19 y ss., 260-2 (particularmente) y, *vid.* III, págs. 27, 79, 93, 109, 123, 254, 375, 527-8, 685, 738 y 790.

COMEDIA FAMOSA, / LA FIERA, / EL RAYO, / Y
LA PIEDRA. / *Fiesta Real que se hizo a sus Majestades en el*
Coliseo / de Buen Retiro. / DE DON PEDRO CALDERON
/ *de la Barca.* En (V): O Vera-Tassis, 1687.

TERCERA PARTE / DE COMEDIAS / DEL CELE-
BRE POETA / ESPAÑOL, / DON PEDRO CALDE-
RON / DE LA BARCA, / CAVALLERO DEL OR-
DEN DE SANTIAGO, / Capellan de Honor de su Ma-
gestad, y de los señores Reyes / Nueuos en la Santa Iglesia
de Toledo; / QUE NUEVAMENTE CORREGIDAS /
PVBLICA / DON IVAN DE VERA TASSIS Y VILLA-
RROEL, / SU MAYOR AMIGO, / Y LAS OFRECE /
AL EXCELENTISSIMO SEÑOR DON IÑIGO / Mel-
chor Fernandez de Velasco y Tovar, Condestable de Casti-
lla, / y de Leon, Camarero Mayor del Rey nuestro señor,
su Copero / Mayor, su Cazador Mayor, y su Mayordomo
Mayor, de los / Consejos de Estado, y Guerra, Comenda-
dor de Vsagre en la Orden, / y Caualleria de Santiago, y
Treze della, Duque de la Ciudad / de Frias, etc. / CON
PRIVILEGIO: / EN MADRID: Por *Francisco Sanz,* Im-
pressor del Reino y Portero / de Camara de su Magestad.
Año de 1687. [Con sello de Pascual de Gayangos en el
ejemplar Ti 102 de la B.N.].

Comedias de Don Pedro Calderón de la Barca. Colección más completa que
todas las anteriores, hecha e ilustrada por Juan Eugenio Hartzenbusch,
Madrid, BAE, 1848-50, vol. II (1849), págs. 483-510.

Pedro Calderón de la Barca, *Comedias Mitológicas II,* edición de Ángel Valbuena Prat, Madrid, CIAP, 1931.

Pedro Calderón de la Barca, *Obras completas.* Tomo I, *Dramas,* Madrid, Aguilar, 1966, 5.ª ed., págs. 1591-1638.

LA FIERA, EL RAYO Y LA PIEDRA, *Comedia de* DON PEDRO CALDERON
DE LA BARCA, *según la representación que se hizo en el Palacio real de Valencia*
el 4 de junio de 1690 (Biblioteca Nacional, Ms. 14614). Introducción de
Manuel Sánchez Mariana. Transcripción del manuscrito de Javier
Portús, Madrid, Ministerio de Cultura, 1987. (Aludiremos a ella
como manuscrito valenciano.)

Bibliografía

ALONSO, Dámaso, «La correlación en la estructura del teatro calderoniano», *Seis calas en la expresión literaria española,* Madrid, Gredos, 1970, págs. 109-175.

AMADEI-PULICE, Alicia, «El *stile rappresentativo* en la *comedia de teatro* de Calderón», en *Approaches to the Theatre of Calderón,* ed. por Michael McGaha, Lanham —Nueva York— Londres, 1982, páginas 215-230.

ARRÓNIZ, Othón, *Teatros y escenarios del Siglo de Oro,* Madrid, Gredos, 1977.

AUBRUN, Charles V., «Estructura y significación de las comedias mitológicas de Calderón», *Hacia Calderón. Tercer Coloquio Anglogermano,* Berlín, Nueva York, 1976, págs. 148-155.

BROWN, Jonathan, y ELLIOTT, J. H., *Un palacio para el rey. El Buen Retiro y la Corte de Felipe IV,* Madrid, Alianza Forma-Revista de Occidente, 1985.

BRYANS, John V., *Calderón de la Barca: Imagery, rhetoric and drama,* Londres, Támesis, 1977

CRUICKSHANK, Don W., ed. de Edward M. Wilson y Don W. Cruickshank, *The Textual Criticism of Calderón's Comedias,* en Pedro Calderón de la Barca, *Comedias,* ed. facsímil de D. W. Cruickshank y J. E. Varey, Londres, Gregg International-Támesis Books, 1973, vol. I.

CHAPMAN, W. C., «Las comedias mitológicas de Calderón», *Revista de Literatura,* 5 (1954), págs. 35-67.

DURÁN, M., y GONZÁLEZ ECHEVARRÍA, R., *Calderón y la crítica: Historia y Antología,* 2 vols., Madrid, Gredos, 1976.

EGIDO, Aurora, *La fábrica de un auto sacramental: «Los encantos de la Culpa»,* Universidad de Salamanca, 1982.

— «La puesta en escena de *La fiera, el rayo y la piedra* de Calderón según la edición de 1664», en *La escenografía del teatro barroco,* ed. de Aurora Egido, Madrid, Alhambra, en prensa.

— «Dos variantes escenográficas de *La fiera, el rayo y la piedra* de Pedro Calderón de la Barca (según la versión de Vera Tassis, 1687 y la valenciana de 1690)». En Aa. Vv., *Sobre lírica y teatro (cuatro investigaciones de Literatura Española)*, ed. por Crostóbal Cuevas, Málaga, Centro Asociado de la Universidad de Educación a Distancia, en prensa.

RICH GREER, Margaret, «Calderón Copyist, and the Problem of Endings», *Bulletin of the Comediantes*, 36 (1984) 1, págs. 71-81.

HAVERBECK OJEDA, N. E., «El tema mitológico en el teatro de Calderón», RUM, XXI (1972), n. 84, II, págs. 116-7.

HESSE, E. W., «Courtly Allusions in the Plays of Calderón», PMLA, LXV (1950), págs. 531-549.

TER HORST, Robert, *Calderón, The Secular Plays*, The University of Kentucky, 1982.

HOZ, Javier de, «Observaciones sobre la materia mitológica en Calderón», *Actas del Coloquio Calderoniano (Salamanca, 1985)*, Universidad de Salamanca, 1988, págs. 51-60.

LEÓN PINELO, Antonio de, *Anales de Madrid (desde el año 447 al 1658)*, ed. de Pedro Fernández Martín, Madrid, Instituto de Estudios Madrileños, 1971.

DEARBORN MASSAR, Phyllis, «Scenes for a Calderón Play by Biaccio del Bianco», *Master Drawings* 15, 4 (1977), págs. 365-375.

OROZCO DÍAZ, Emilio, «Sentido de continuidad espacial y desbordamiento expresivo en el teatro de Calderón. El soliloquio y el aparte», *Calderón. Actas del Congreso Internacional sobre Calderón y el teatro español del Siglo de Oro*, ed. de Luciano García Soriano, Madrid, CSIC, 1983, vol. I, págs. 125-164.

PALOMINO, Antonio, *El Museo pictórico y Escala óptica*, Buenos Aires, Poseidón, 1944.

QUEROL GAVALDÁ, Miguel, *La música en el teatro de Calderón*, Diputación de Barcelona, 1981.

REICHENBERGER, Kurt y Roswhita, *Manual bibliográfico calderoniano*, Kassel, Verlag Thille & Schwartz, 1981, vols. I y III.

NEUMEISTER, Sebastián, «La fiesta mitológica de Calderón en su contexto histórico *(Fieras afemina amor)*», *Hacia Calderón. Tercer Coloquio Anglogermano*, Berlín-Nueva York, 1976, páginas 156-184.

— *Mythos und Repräsentation*, Munich, Fink Verlag, 1978.

— «Calderón y el mito clásico *(Andrómeda y Perseo,* auto sacramental y fiesta de corte)»*, Calderón. Actas del Congreso Internacional*, vol. II, págs. 713-721.

PÉREZ SÁNCHEZ, Alfonso, «José Caudí, un olvidado artista, decorador de Calderón», *Goya* 161-162 (1981), págs. 266-273.

SAGE, Jack, «The function of music in the theatre of Calderón», en Pedro Calderón de la Barca, *Comedias*, ed. facsímil, vol. XIX, págs. 209-227.

SHERGOLD, N. D., *A History of the Spanish Stage from Medieval Times till the End of the Seventeenth Century*, Oxford, At the Clarendon Press, 1967.

SHERGOLD, N. D., y VAREY, J. E., *Teatros y comedias en Madrid: 1651-1665. Estudios y documentos*, Londres, Támesis, 1973.

— *Representaciones palaciegas, 1603-1699. Estudios y documentos*, Londres, Támesis, 1982.

— *Genealogía, origen y noticias de los comediantes de España*. Londres, Támesis Books, 1985.

SULLIVAN, H. W., «Calderón and the Semi-Operatic Stage in Spain after 1651», en Kurt Levy y Aa. Vv. *Calderón and the Baroque Tradition*, Ontario, Wilfrid Laurier University Press, 1985, págs. 69-90.

VALBUENA PRAT, Ángel, «La escenografía de una comedia de Calderón», *Archivo Español de Arte y Arqueología*, XVI (1930), páginas 1-16.

VALBUENA BRIONES, Ángel, «Eros moralizado en las comedias mitológicas de Calderón», *Aproaches to the Theatre of Calderón*, ed. por M. D. McGaha, págs. 77-94.

VAREY, J. E., «A Further Note on the Actor / Audience Relationship in Spain «Court Plays of Seventeenth Century», *Arts du Spectacle et Histoire des idées, Recueil offert en Hommage a Jean Jacquot*, Tours, Centres d'Études Superieures de la Renaissance, 1984.

— y SALAZAR, A. M., «Calderón and the Royal Entry of 1649», *Hispanic Review*, XXXIV (1966), págs. 1-26.

WILSON, E. M., y SAGE, Jack, *Poesías líricas en las obras dramáticas de Calderón*, Londres, Támesis Books, 1964.

La fiera, el rayo y la piedra

Telón de la representación de 1690

FAMOSA
COMEDIA
LA FIERA, EL RAYO Y LA PIEDRA

*Fiesta Real que se hizo a sus Majestades en el Palacio
del Buen Retiro*

De Don Pedro Calderón de la Barca*

Personas que hablan en ella:

Pigmaleón	Cloto	Irífile
Céfiro	Átropos	Lisi
Anteo	Anteros	Clori
Brunel	Cupido	Laura
Pasquín	Venus	Isbella
Lebrón	Anajarte	Música
Laquesis	Ifis	Hombres y mujeres

---

* V: COMEDIA FAMOSA... *en el Coliseo de.* Reordena los personajes de E
y añade: «Coro de zagalas, Coro de zagales, Coro de Cupido, Coro de Anteros, Coro de Sirenas.» Sobre el Buen Retiro y su Coliseo, véase la Introducción, págs. 20 y ss. La mejor referencia es el citado estudio de Jonathan
Brown y J. H. Elliott, *Un palacio para el rey.* La obra va dedicada a los reyes
Felipe IV y Mariana de Austria que se casaron por poderes en Viena, el 8 de
noviembre de 1648. La reina tenía catorce años y el rey cuarenta y tres;
diferencia de edad que Velázquez hizo ostensible en los retratos que les
dedicó y que están actualmente en el Museo del Prado. Felipe IV enviudó en
1644 de la reina María Luisa de Borbón y ello causó el cierre de los teatros, lo
mismo que la defunción posterior del príncipe heredero Baltasar Carlos en
1646. La reina Mariana era hija del Emperador Fernando III y de la infanta

131

María, hermana de Felipe IV. Había estado prometida anteriormente al príncipe Baltasar Carlos, pero al morir éste, se iniciaron las negociaciones para que la boda fuese con su tío. El anuncio de este matrimonio se hizo en 1647, pero la reina tardó en llegar a España dos años y su viaje, pasando por Trento, Milán, etc., hasta desembarcar en Denia, estuvo lleno de festejos caballerescos y teatrales. Una detallada descripción de los pormenores del recibimiento en Madrid, el tres de noviembre de 1649, puede verse en el citado artículo de John E. Varey y A. M. Salazar, «Calderón and the Royal Entry of 1649». Del evento hay tres relaciones fundamentales: la anónima *Noticia del recibimiento i entrada de la Reyna nuestra Señora doña Maria-Ana de Austria en la muy noble i leal coronada Villa de Madrid* (s.l., 1650), Hierónimo Mascareñas, *Viage de la Sereníssima Reyna Doña María Ana de Austria... Hasta la Real Corte de Madrid, desde la Imperial Viena* (Madrid, 1650) y Juan Francisco Dávila, *Relación de los festivos aplausos con que celebró esta Corte Católica las alegres nuevas del Feliz Desposorio del Rey nuestro Señor Don Felipe Quarto...* (Madrid, s. a.). Con esta llegada se inició un brillante historial de festejos y comedias en el Buen Retiro. Para el tema en general, véase Roy Strong, *Splendour at Court: Renaissance Spectacle and Illusion,* Boston, Hougthon Mifflin Co., 1973. El calificativo de *fiesta* se superpone en esta obra al genérico de comedia. Ésta es de las *de teatro,* como decía Luzán en la segunda edición de su *Poética* (Madrid, 1789), cap. I del libro III, a propósito de Calderón, esto es, «las que se representan con decoraciones, máquinas y mutaciones de escenas».

[JORNADA I]

(Obscurécese el tablado y, mientras se dicen los primeros versos, se descubre la perspectiva del mar con truenos y relámpagos)**.

(Dentro.) Pasquín

¿Qué se nos hizo el día?

** V: JORNADA PRIMERA. *Obscurécese el teatro, que será de peñascos, con el foro de marina, y mientras se dicen los primeros versos, se descubre la perspectiva del mar y habrá truenos y relámpagos.* V: en lugar de Céfiro, acota equivocamente Céfalo, e indica: *Dentro.*

Descubrir, «manifestar lo que estaba cubierto». «Vale hallar cosas nuevas» *(Cov.).* «Destapar lo que está tapado o cubierto» *(Acad.).* Y *vid.* acotación v. 222, *infra. Aut.* recoge: «Descubrir vale también hallar aquello que estaba ignorado o escondido hasta entonces... Equivale a registrar, o alcanzar a ver.» Véase Introducción. El paisaje de marina que se contempla, al igual que el de jardín o las escenas de caza posteriores, irían en consonancia con las colecciones de pintura que desarrollaban esos temas en el propio Coliseo (Cfr. J. Brown y J. H. Elliott *Un palacio para el rey,* págs. 108, 126, 140 *passim,* con abundante información sobre grutas, jardines, fuentes y estatuas en el Buen Retiro). En otras comedias se había empleado parecido escenario con anterioridad, en perspectiva de mar cambiando a bosque, uso de luz artificial, peces flotando sobre las olas, música parlante, con Venus en carro y Cupido volando, etc., como en *La selva sin amor* (1629) de Lope de Vega, montada por Cosme Lotti (Cfr. Charles V. Aubrun, «Les débuts du drame lyrique en Espagne», en Jean Jacquot, *Le lieu théatral a la Renaissance,* páginas 423-444). N. D. Shergold, *op. cit.,* pág. 317, señala las semejanzas del escenario de *La fiera* con el de la zarzuela de Calderón *El golfo de las sirenas.*

1 Para las simetrías y correlaciones que el texto desarrolla en disposición trimembre, véase Dámaso Alonso, «La correlación en la estructura del teatro

CÉFIRO

Enmarañada, obscura sombra fría,
con pálidos enojos,
nos le hurta de delante de los ojos.

---

calderoniano», *Seis calas en la expresión literaria española*, págs. 109-175. A la
presencia de tres amos y tres criados cabe añadir la tripartición de versos o la
triple correlación, como las Tres Parcas y la triple alusión del título glosada a
lo largo de la obra y encarnada en Irífile (fiera), Anajarte (rayo) y la Estatua
(piedra). Conforme la obra avanza, las correlaciones identificativas y las de
personajes disminuyen y hasta se alteran. Una vez establecidas las tres historias, su desarrollo es divergente y tiende a la bimembración: Anajarte, desa-
gradecida a Ifis, se convierte en piedra; y la Estatua, gracias al amor de
Pigmaleón, se transforma en mujer. Otra correlación bimembre es la que se
establece entre Ifis-Anajarte y Céfiro-Irífile. Ello creo que tiene que ver con
la dialéctica dual entre Eros y Anteros, el amor vendado y el amor correspondido. Respecto al nombre del gracioso Pasquín, cabe recordar su significado de *libelo*, «La sátyra breve con algún dicho agudo, que regularmente se
fixa en las esquinas o cantones para hacerla pública» *(Aut.)*. Del italiano
antiguo *pasquino,* derivado del mismo nombre de una estatua de gladiador que
había en Roma, en la que se solían fijar libelos y sátiras. Documentada desde
1570 *(Cor. y Cov.)*. El nombre choca con el de los otros graciosos: Lebrón,
marcado por la timidez, y Brunel, por la audacia.

2 V: «La enmarañada.»

Céfiro: Calderón se sirve aquí de un nombre mítico para crear un personaje
nuevo e independiente de la tradición clásica. En ésta, Céfiro o Favonio era
el viento de Occidente que hacía crecer las flores. Amó a Cloris, una ninfa
que fue su mujer y a la que, en premio a su virginidad, hizo señora de todas
las flores y dio el nombre de Flora. Según Pérez de Moya (I, págs. 335-6), la
fábula significa que la virtud natural de este viento es engendrar flores. Y *vid.*
Ruiz de Elvira, págs. 44, 97, 108 y 495. Para su presencia en la pintura, Rosa
López Torrijos, *op. cit.,* págs. 171 y 368-9. No parece casual su presencia en la
obra, con su triunfo amoroso, si tenemos en cuenta su feliz inclusión en la
rosa de los vientos, tal y como lo pinta Agustín de Tejada Páez en su «Silva al
elemento del aire»: «Al favorable Céfiro asentado / donde Venus la estrella
vespertina, / ve lucir cuando en el mar de Apolo / los cabellos lucíferos
inclina» (Cfr. José Lara Garrido, «Sobre la *imitatio* amplificativa manierista
(El proceso de poetización de la rosa de los vientos)», *Cuadernos para Investiga-
ción de la Literatura Hispánica*, Madrid, Fundación Universitaria Española,
1984, 1984, pág. 53).

3 *Enojos*, «significa de lo antiguo Agravio, injuria, ofensa, daño». «Llama-
mos enojoso lo que nos da pena y sinsabor, y particularmente nos inquieta
cualquier cosa que nos da lástima en los ojos» *(Aut.)*. Gracián juega con el
equívoco «la luz de en-ojos» en *El Criticón*, ed. de Miguel Romera Navarro,
University of Pennsylvania, 1938-40, III, pág. 88. Calderón, en la segunda

(*A otra parte.*) LEBRÓN

¿Qué se nos hizo el sol?

PIGMALEÓN

En un instante   5
no sólo nos le quitan de delante
entupecidas nieblas,

---

redacción de *La vida es sueño*, dice: «si miro al sol me da enojos» (*Concord.*). Los juegos de luces y sombras son muy calderonianos y simbólicos (en *El médico de su honra*, por ej.). En *La vida es sueño*, Calderón evoca el eclipse de sol que acompañó a la muerte de Cristo y lo recrea en el nacimiento de Segismundo (vv. 688-704). El soñar es allí ver entre sombras y bosquejos (v. 2130).

4 V: «hurtó». Sigue la acotación: *En otra parte Lebrón, dentro.*

Lebrón. De liebre, aumentativo que ya consigna Fernández de Palencia (*Cor.*). «La liebre grande. Metaphóricamente se aplica al que es tímido y cobarde, aludiendo a la timidez y rezelo que tiene la libre (*sic.*)». Aparece así en *La pícara Justina* (*Aut.*). Con tal nombre, Calderón enfatiza el carácter del criado y su vis cómica.

5 V: «el día?» (Error evidente). *Pigmaleón dentro.*

Pigmaleón, rey de Chipre, escandalizado por las Propétides, que se prostituían, no quería vivir con mujer alguna. Esculpió una estatua de marfil y le dio una belleza superior a la de una mujer real. Se enamoró de su obra; la abrazaba y besaba, la regalaba y vestía y llegó a creerse que hasta sentía. En la fiesta de Venus, Pigmaleón le pidió que le concediese una esposa como la estatua y al volver a casa y besar a ésta, «le pareció que estaba tibia» y que se dejaba abrazar. Al tomar vida la estatua, Pigmaleón se casó con ella y Venus bendijo la boda (Ovidio, *Metamorfosis,* ed. de A. Ruiz de Elvira, Barcelona, Alma Mater, 1969, vol. II, págs. 183-4). Véase G. Bocaccio en su *Genealogía de los dioses paganos,* ed. de María Consuelo Álvarez y Rosa María Iglesias, Madrid, Ed. Nacional, 1983, págs. 155-6, quien hace referencia a sus hazañas bélicas y a su dominio sobre Chipre, siguiendo el texto ovidiano. Cabe destacar que su historia está engastada en la de Venus y Adonis. Véase B. de Vitoria, I, pág. 472, quien sigue a Ravisio Textor. La aberración de Pigmaleón al enamorarse de la estatua es un ejemplo de agalmatofilia, como otros presentes en la mitología clásica. Ovidio no le da nombre a la estatua y Calderón sigue el ejemplo (Ruiz de Elvira, págs. 459-60).

7 *Entupecidas,* de *tupir,* «vale apretar recalcando» (*Cov.*), «apretar mucho alguna cosa», «comprimir»; «entupido», «casi privado de movimiento» (*Aut.* y *Acad.*). Aparece en otras obras de Calderón, como *El cordero de Isaías, El verdadero Dios Pan, A tu prójimo como a ti* y *No hay instante sin milagro* (*Concord.*). La oscuridad aparece como elemento de desarmonía, y en algunos autos sacramentales de Lope y otros autores, como símbolo de la cólera del cielo (Cfr. Álvaro Cubillo de Aragón, *Auto sacramental de la muerte de Frislán,* ed. de

135

pero el confuso horror de las tinieblas
nos le hace a cada paso
síncopa del oriente y del ocaso.   10

(*A otra parte.*) Brunel

¿Qué se nos hizo de la hermosa lumbre
el esplendor?

Marie France Schmidt, Kassel Ed. Reichenberger, 1984, pág. 181). Las
líneas y colores, los juegos luminotécnicos para procurar luces y sombras
fueron tratados por Antonio Palomino en *El museo pictórico y escala óptica*. Para
otras cuestiones escenográficas, José García Hidalgo, *Principios para estudiar el
nobilísimo y real arte de la pintura* (1693), ed. facsímil, Madrid, Instituto de
España, 1965.

10 V: *En otra parte Brunel, dentro.*

Síncopa o *síncope*, enlace. En la música, de dos sonidos iguales. En la
gramática, supresión de uno o más sonidos dentro de un vocablo (*Corom.* y
Acad.). Frecuente en los autos sacramentales (*Concord.*). *Brunel*, de Brunello,
personaje audaz, ladrón y traidor, según aparece en el retrato que de él
hiciera Ludovico Ariosto en el *Orlando furioso*. Cervantes en el *Quijote* lo imitó
al configurar los trazos de Ginés de Pasamonte, según Máxime Chevalier,
L'Arioste en Espagne (1530-1650). Recherches sur l'influence du «Roland furieux»,
Bordeaux, 1966, págs. 12, 28, 195, 323, 375 y 456. Brunello es también
personaje del *Orlando enamorado* de Boiardo y recibió el encargo, por parte de
Agramonte, de que robara el anillo de Angélica. Autor de empresas que
lindan con lo maravilloso y extraordinario, era hacedor de tormentas. Ariosto lo sometió a un proceso desmitificador, convirtiéndolo en un ser bizco
que al final es condenado a la horca por Agramonte. Boiardo ya había
expresado el contraste amor / odio, que *La fiera* también ofrece, en las
fuentes milagrosos. El *Orlando furioso* ariostesco ofrecía a Calderón un modelo
de hechos diversos y extraordinarios de amor y guerra, pero sobre todo, de
contraste entre la voluntad del individuo y su destino. Brunel representa en
la comedia una incursión de la desmitificación épica hecha, una vez más, a
través del tamiz cervantino. Con ella queda al descubierto la parodia genérica que representan las voces y actitudes del gracioso. Tullio Fausto da
Longino, editor del *Orlando furioso* (Venecia, 1542), lo comparó con el Ulises
virgiliano. La antroponimia de los personajes de la comedia nueva estaba
sujeta a una tradición. Domina generalmente la nominación hispánica, pero
en las mitologías eso queda únicamente para el mundo de los criados. Los
patronímicos de los graciosos son muy variados y sugestivos, con tendencia a
la invención y al efecto cómico, al igual que en la obra que nos ocupa. Véase
Juana de José Prades, *Teoría de los personajes de la comedia nueva*, Madrid, CSIC,
1962, págs. 58, 63, 139, 161, 179 y 199. Sobre los graciosos calderonianos,
véase la Introducción.

IFIS

Aquella excelsa cumbre
le trasmontó, porque antes que llegara
hoy al mar, en la tierra se apagara.

LOS DOS PRIMEROS

¡Al monte!

LOS SEGUNDOS

¡Al llano!

LOS TERCEROS

¡Al puerto!   15

---

12 Ifis se ahorcó al no ser correspondido por Anajarte. Esta fue petrificada por Venus como escarmiento (Ruiz de Elvira). Calderón usa líbremente
de la fábula, añadiendo numerosos elementos a la historia mítica y silencian-
do otros por economía dramática. Anajarte se convertirá, efectivamente, en
estatua, pero Ifis, como el propio Brunel dirá más adelante, se salvará como
galán sin dama en el enredo de *La fiera:* «No has negociado mal, pues /
condenado a ahorcar estabas» (vv. 3963-4). Y *vid. infra,* v. 549.

13 V: «tramontó».

15 Compárese con el comienzo de *Fieras afemina amor:* «VOCES — ¡Pastores, huid la fiera! / UNOS — ¡Al bosque! ¡Al llano! / OTROS — ¡Al monte!
¡A la ribera!» (Cfr. Pedro Calderón de la Barca, *Fieras afemina amor,* ed. crítica
de E. M. Wilson, Kassel Ed. Reichenberger, 1984, pág. 75). En Calderón
abundan los principios *in medias res* y esta técnica de movimiento y dispersión
escénica que mueve la intriga. Véase Karl-Hermann Körner, «El comienzo
de los textos en el teatro de Calderón (Contribución al estudio imperativo en
la lengua literaria)», *Hacia Calderón. Segundo Coloquio Anglogermano (Hamburgo,
1970),* Berlin-Nueva York, Walter de Gruytier, 1973, págs, págs. 181-190,
quien señala el uso del imperativo y el de *mediam in actionem.* Irífile o Erífile
como la llama el Padre Vitoria en su *Teatro,* I, pág. 472, era hija del rey Argos.
Cuando su hermano Adrasto se reconcilió con su primo Anfiarao, Erífile se
casó con éste. Es leyenda ligada al cielo tebano (Grimal). Sobre el vestido
de salvaje, véase Introducción. A Manuela Escamilla se le confeccio-
nó un «bestido de pieles» para el *Faetón* de Calderón en 1679, según N. D.
Shergold, *Representaciones palaciegas 1603-1699. Estudios y Documentos,* pág. 33.
Compárese la selvatiquez de Irífile con la de Segismundo en *La vida es sueño,*

(Sale IRÍFILE, *vestida de pieles, suelto el cabello.)*

IRÍFILE

Tres asombros en una sombra advierto;
dejo aparte el horror del terremoto,
en cuya lid la cólera del Noto,
de tierra y mar, con dos violencias sumas,
los riscos postra, eleva las espumas,   20
y voy a las tres voces
que, tres veces distantes, tres veloces,
llegaron a mi oído,
¿De cuándo acá ni aqueste escollo ha sido
de humano pie pisado   25
ni de quilla aquel piélago surcado?
Si ya no es que por mar y tierra quiera
sitiarme quien, pensando que soy fiera,
otra vez me ha seguido.
¡Oh, no hubiera salido   30
a buscar, día de tan gran portento,
anciano padre mío, tu sustento!

CÉFIRO

De aquel peñasco los incultos mayos
de la saña nos libre[n] de los rayos.

---

ed. de Martín de Riquer, Barcelona, Juventud, 1961, vv. 85-98, por la que
citaremos. Éste aparece como hombre «en traje de fiera», «vestido de pieles».
Para el cabello suelto, mi artículo «El vestido de salvaje en los autos sacramentales», citado. Y el amplio estudio de Claude Kappler, *Monstres, Démons et
Merveilles à la fin du Moyen Age,* París, Payot, 1980, cap. VII.

16 Corrijo con V a E y Eo: «una sombra».

18 Noto: Viento del Sur o Ábrego, «Uno de los quatro vientos cardinales,
que es el que viene de la parte del Mediodía, según la división de la rosa
náutica en doce vientos, y en veinte y quatro según los antiguos. Llámase
también Austro» *(Aut.).* Noto, dios del viento Sur, cálido y húmedo, es hijo
de Eos y Cetreo (Grimal).

26 V: «sulcado».

32 V: *Céfiro, dentro.*

33 *mayos,* aparece también en otras obras calderonianas: *Mística y real
Babilonia* («hieren, coronando mayos») y en *No hay más fortuna que Dios* («que

138

De aquella gruta, lóbregos los senos,   35
la amenaza repare[n] de los truenos.

IFIS

De aquel celaje, al corto abrigo breve,
la luz de los relámpagos nos lleve.

LOS PRIMEROS

¡Piedad, obscuros velos!

LOS SEGUNDOS

¡Piedad, dioses divinos!

LOS TERCEROS

¡Piedad, cielos!   40

IRÍFILE

En tan confusa guerra,
árbitro, yo, del mar y de la tierra,
tierra y mar señoreo;
y bien que a poca luz, desde aquí veo
allí correr tormenta   45
derrotado bajel; allí, violenta

---

hizo sombra a tantos mayos») (*Concord.*), siempre referido a los picos altos de
los montes.
    34 Corrijo con V a E y Eo: «a la saña nos libre». Vacota: *Dentro*.
    36 Corrijo con V a E y Eo: «repare». V: *Ifis, dentro*.
    39 Eo: «desvelos». V coincide con E.
    45-7 El uso de deícticos de este tipo es una constante calderoniana, así
como el de *éste, ése* y *aquél* en *La vida es sueño*. Véase Hans Flasche, «Sobre la
función del acto de mostrar en el acontecer teatral de la escena (La sintaxis
pronominal y la forma dramática en las obras de Calderón», *Über Calderón,*

tropa abrigarse al monte; y allí, al llano,
número no menor. En vano, en vano,
si a mí no me buscáis, ¡oh peregrinos
que las huellas seguís de tres destinos!,   50
solicitáis a tanto horror defensa,
si causa este desorden lo que piensa
el docto estudio de mi padre y mío,
¡Oh, fuese, antes que estudio, desvarío!

                    (*Los truenos.*)

Mas, ¡ay de mí, infelice!,   55
que dice mucho este temblor, pues dice

Wiesbaden, Steiner, 1980, págs. 448-62. Introducción, y *vid. infra,* v. 3757.
54 V: *Truenos.*

Calderón hace constantes referencias a los estudios ocultos en su doble
vertiente científica y diabólica. Casi siempre conectándolos con el tema del
destino y el libre albedrío que él liga con los horóscopos. Esta obra tiene,
como señalamos en la Introducción, numerosos paralelos con *La vida es sueño.*
Más adelante se verán otros ejemplos. El marco profético de las Parcas es
uno de ellos. Compárese con la presencia del horóscopo y los hados en el
destino de Segismundo. Basilio, su padre, se dio a los estudios y a investigar
lo desconocido y para que los hados no se cumpliesen, encerró a la *fiera* de su
hijo Segismundo en una torre labrada en peñas y riscos (semejante al palacio
de Anajarte). Con ello lograba averiguar además —según sus propósitos— si
el sabio tenía dominio sobre ese ser selvático que era el protagonista de *La
vida.* Téngase en cuenta que la fiera condición de Segismundo se traduce en
ambición (vv. 2148 y ss.), lo cual caracteriza a Anajarte en esta obra. Véase
A. A. Parker, «*El monstruo de los jardines* y el concepto calderoniano del
destino», *Hacia Calderón. Cuarto Coloquio Anglogermano, Wolfenbüttel, 1975,* Berlín, Walter de Gruyter, 1979, págs. 92-101, y Peter Dunn, «The horoscope
motif in *La vida es sueño*», *Atlante,* I, 4 (1953), págs. 187-201. Véase también la
nota de M. Rich Greer a su cit. ed. de Pedro Calderón de la Barca, *La estatua
de Prometeo,* pág. 344. A su vez, Irífile en su parlamento (vv. 55 y ss.) señalará
la influencia de los hados en los hombres y en los animales, estableciendo
correlaciones con cada elemento. Sobre el ruido de truenos, Henri Recoules
«Ruidos y efectos sonoros en el teatro español del Siglo de Oro», BRAE, LV,
enero-abril (1975), págs 109-145. Para la tempestad, se hacían sonar hierros
entre bastidores o un «barril lleno de piedras». Nicolà Sabattini, con su
Prattica di fabricare scene nell teatro, cit., proporciona los artefactos necesarios
para producir tales efectos sonoros. Las manifestaciones excepcionales de los
elementos como juego de fuerzas que rompen el curso normal de la naturaleza y su función simbólica, en Claude Kappler, *Monstres, Démons et Merveilles à la
fin du Moyen Age,* págs. 39-41. Sobre la amplia bibliografía aplicada a los

que hoy nace la ojeriza de los hados
a que no sólo fueron destinados
los humanos sentidos,
mas también comprehendidos,   60
en estrago de escándalos tan graves,
las fieras y los peces y las aves.
Luchando allí lo digan
las unas; y prosigan
trinando, en vez de cláusulas, agüeros,   65
allí las otras; y esos brutos fieros
que, del mar no sufridos,

(Pasan los pescados.)

mudamente se quejan a gemidos;
pues al romper su verdinegra bruma,
sobre la tez lidiando de la espuma,   70
del margen solicitan las arenas
monstruos del mar, Tritones y Sirenas.

---

elementos en Calderón, véase mi trabajo *La fábrica de un auto sacramental...*, página 60, e *infra*, vv. 192-4.

62 V: «con los peces».

68 V: Coloca tras «gemidos» la acotación: *Atraviesan varios peces por la marina*, en lugar de la que sigue a v. 67.

69 V: «la verdinegra».

72 *Tritón*, «pez fingido con figura de hombre de medio cuerpo arriba que las fábulas fingen semidioses del mar, sujetos a Neptuno, y suelen pintarlos, tocando caracoles como trompetas» *(Aut.)*. El nombre del dios marino Tritón se aplica con frecuencia a una serie de seres que formaban parte del cortejo de Poseidón (Grimal). «*Sirena*. Nympha del mar que fingieron los Poetas. Dixeron ser el medio cuerpo arriba de muger mui hermosa y lo restante de pescado. También dixeron, que con la suavidad de su canto adormecían a los Navegantes, y los precipitaban, o los comían» *(Aut.)*. Sobre ellas, Santiago Sebastián, en Alciato, *Emblemas*, ed. cit., n. CXV. Aurora Egido, *La fábrica de un auto sacramental...*, pág. 26 y los trabajos de Pilar Pedraza, «El canto de las sirenas», *Fragmentos*, 6 (1985), págs. 28-38 y *La Bella, enigma y pesadilla (Esfinge, Medusa, Pantera...)*, Valencia, Almudín, 1983, págs. 81-9, quienes establecen su relación con Ulises, los encantamientos y la tradición iconográfica. S. Sebastián ha creído ver en las damas de *Las Hilanderas* de Velázquez a las sirenas, en el art. cit., «Nueva lectura de *Las Hilanderas»* (Introd., nota 66). Sobre las sirenas y tritones como animales híbridos y demoníacos, Claude Kappler, *Monstres, Démons et Merveilles...*, págs. 152 y ss. y *vid.* figuras 68-9. Aparece en *El Fisiólogo. Bestiario Medieval*, ed. de Nilda

¡Ah, si de alguna el canto
la causa me dijera de horror tanto!

SIRENA

La hija de la espuma   75
madre es del fuego.
Brame el mar, gima el aire
de envidia y celos.

IRÍFILE

No hay bajel que a lo lejos

(Pasan bajelillos.)

Guglielmi, Buenos Aires, Ed. Universitaria, Eudeba, págs. 52-3, como ejemplo de engaño e inconstancia bajo apariencias de virtud. Las tarascas llevaban también motivos de animales marinos, como delfines (Cfr. José María Fernáldez Montalvo, *Las tarascas de Madrid,* Ayuntamiento de Madrid, 1983, pág. 59). Sirenas y tritones eran lugar común de decoración en el Barroco. Aparecían con frecuencia en los *ballets* de corte. Se conserva el grabado de las tres sirenas de *Le Balet Comique de la Reyne* que tuvo lugar en la corte francesa en 1581 y que tanto influiría en las fiestas europeas cortesanas (Cfr. David Brubaker, *op. cit.,* pág. 30). Otro ejemplo lo ofrece Giulio Parigi, *La liberazione di Ruggiero,* Florencia, 1625. Véase A. Schnapper, *op. cit.,* figs. 40 y 47-50. Para la relación de las sirenas con la música encantada, Meyer Baer, *Music of the Spheres and the Dance of Death. Studies in Musical Iconology,* New Jersey, Princeton University Press, 1970, págs. 224 y ss. La fábula de las sirenas fue traducida por el sevillano Cristóbal Mosquera de Figueroa que trasladó un epigrama de Festo Avieno, según José María de Cossío, *Las fábulas mitológicas en España,* Madrid, Espasa-Calpe, 1952, págs. 272-3. A juicio de L. K. Stein, en la ed. cit. de Pedro Calderón de la Barca, *La estatua de Prometeo,* págs. 34 y ss., en el texto de *La fiera* hay varios estribillos que implican canto. El de las Sirenas y Tritones es uno de ellos, como demuestra la versión valenciana en la que se especifica que debía haber dos tenores y cuatro voces para las Sirenas. También cabe recordar la obra de Calderón *El golfo de las sirenas.*

74 V acota: *Pasan algunas sirenas cantando.* No hay acotación en E y Eo, pero se sobreentiende por el contexto.

75 Venus, que había sido engendrada de la espuma del mar, según los mitógrafos, de ahí que se la figurase como «virgen de poca edad en la concha que salía del mar» (Cfr. Herrera, en A. Gallego Morel, *Garcilaso de la Vega y sus comentaristas,* pág. 423). *Vid. infra,* v. 1142.

79 V: *Atraviesan algunos bajelillos por la marina.*

deste puerto no huya,
si no es aquél en cuya
suerte ni arbitrios dejan, ni consejos,
vela, timón, bitácora ni aguja,
por más que ya cascado el pino cruja,
dando en aquella roca
donde, caballo desbocado, choca.

80

85

LOS TERCEROS

¡Piedad, cielos divinos!

BRUNEL

Ya que en páramos vemos cristalinos
que apenas del bajel fragmentos quedan
en el esquife, escapen los que puedan
con Ifis, nuestro dueño.

90

(Descúbrese el esquife y va pasando con IFIS, BRUNEL *y otros.)*

IFIS

¡Oh, fuese tumba el derrotado leño
en que, a despecho mío,
de aqueste seno frío
queréis vencer la guerra!

95

---

83 *Bitácora,* «la caxa en que en el navio se lleva, y pone la aguja de marear para que vaya firme, y pueda tener movimiento contra los balances, y meneos del navío» *(Aut.).* La bitácora clásica es una caja cilíndrica octogonal de madera o latón en cuya parte alta va alojado el mortero y en él el compás, según Gianni Cazzaroli, *Enciclopedia del mar y la navegación,* Barcelona, Noguer, 1975.

86 V: *Dentro, los terceros.*

87 V: *Dentro, Brunel.*

90 *Esquife,* «género de baxel pequeño, que suelen llevar las galeras y los navíos para su servicio, y para passar de uno en otro o para llegar a tierra» *(Cov.).* Es bote pequeño igual en la proa que en la popa, con cuatro o seis remos de punta (Cr. G. Cazzaroli, *op. cit.*).

Ya que el mar se serena, ¡a tierra!

TODOS

¡A tierra!

(*Dentro.*) CÉFIRO

Ya que vuelve a aclarar la hermosa lumbre,
el llano penetrad, dejad la cumbre.

(*Empieza a aclarar.*)

(*Dentro.*) PIGMALEÓN

Ya que otra vez se restituye el día,
cercana población la suerte mía   100
solicite, vagando este desierto.

LOS TERCEROS

¡A tierra! ¡A tierra!

LOS SEGUNDOS

¡Al valle!

LOS PRIMEROS

¡Al llano!

---

96 V: repite el nombre de Céfiro.

102 Disposición plurimembre típica del lenguaje calderoniano y muy
frecuente en Calderón, *Supra,* v. 15. Compásere con su obra *La estatua de
Prometeo,* ed. cit., v. 31.

LOS TERCEROS

¡Al puerto!

IRÍFILE

¡Ay infeliz de mí!, que ya la orilla
costeando surca mísera barquilla
con poca gente en ella,   105
a tiempo que, sin norte de otra huella,
cada tropa se inclina
a la tranquilidad de la marina
donde estoy. ¡Quién, sin ser vista, pudiera
de aquí escapar!

(Cúbrese el rostro con el cabello, y al irse a entrar, salen CÉFIRO
y PASQUÍN.)

CÉFIRO

        Humano monstruo, espera;   110
que aunque tu aspecto pudo
ponerme horror, no dudo
que tus señas desmientan tu semblante.

IRÍFILE

Tente, joven. No pases adelante,
ni quieras detenerme;   115
que el escucharme más horror que el verme
te ha de dar; pues si el verme te acobarda,
más lo hará oírme.

_____

104 V: «sulca».
110 V: «sale».
114 *Tente,* detente. Y *vid. infra,* v. 124.
118 V: «sale».

(Al entrarse, por otra parte huyendo, salen Pigmaleón
y Lebrón.)

PIGMALEÓN

　　　　Humano monstruo, aguarda,
que pues de humano y monstruo
noticias da el cabello sobre el rostro,　　　　120
con la duda del uno vencer quiero
de otro el terror.

IRÍFILE

　　　　Primero
a aqueste mar me arrojaré que intente
oír a los dos.

(Al irse a entrar, por otra parte salen Ifis *y* Brunel.)

IFIS

　　　　Humano monstruo, tente
que, pues cuanto me asombra, me asegura,　　　　125
no sé qué luz, entre tu traje obscura,
que me escuches pretendo.

IRÍFILE

Cerróme el paso; y pues aun ir huyendo
no permite mi suerte,
¿Qué me queréis?

CÉFIRO

　　　　Atiende...

119　V: «humano monstro».
123　V: «aquese».

PIGMALEÓN

Escucha...

IFIS

Advierte... 130

CÉFIRO

En la caza perdido...

PIGMALEÓN

Del camino apartado...

IFIS

En el mar derrotado...

CÉFIRO

... del terremoto, al ruido...

PIGMALEÓN

... del temblor, al amago... 135

IFIS

... del eclipse, al estrago...

CÉFIRO

... triste yo...

PIGMALEÓN

... yo confuso...

IFIS

...yo afligido...

LOS TRES

... A este monte he venido...

CÉFIRO

... donde escuchar deseo...

PIGMALEÓN

... donde oír solicito...   140

IFIS

... donde en saber me empleo...

CÉFIRO

... quién eres y qué monte es el que habito...

LOS DOS

... quién eres y qué tierra es la que veo.

IRÍFILE

¿De suerte que un deseo
a un intento reduce tres intentos?   145

LOS TRES

Sí.

Pues juntaos los tres y estadme atentos:
  Derrotados peregrinos
que de el mar y de la tierra,
a merced de la fortuna,
venís corriendo tormenta,   150
este prodigioso monte
que el mar de una parte cerca
y de otra al Etna contiguo,
es bastardo hijo del Etna.
De la fértil hermosura   155
de Trinacria, patria bella
de los dioses, es lunar,
no tanto porque la afea
lo rústico de sus riscos,
lo intratable de sus breñas   160
(pues la oposición podía
ser facción de su belleza),
cuanto por lo que la infama

---

147 Irífile llama peregrinos a Céfiro, Pigmaleón e Ifis. El recuerdo del peregrino de las *Soledades* es evidente. Calderón utilizó en autos y comedias el concepto de *peregrinatio vitae* y los pobló de peregrinos de amores y de todo tipo. Sobre el tema, véase la Introducción. Alberto Blecua ha señalado recientemente la huella de Virgilio, *Eneida* 1, 171 y ss., en el tema del náufrago que llega errante por el bosque en el famoso peregrino de las *Soledades*. Véase su entrada «Góngora» en la *Enciclopedia Virgiliana*, Roma, 1986, II, pág. 781.

148 Eo y V: «del».

149 Corrijo con V a E y Eo: «mereced».

154-6 La topografía de la comedia se sitúa en Sicilia o Trinacria (nombre griego), con el Etna y la fragua de Vulcano (*infra*, v. 171), lo mismo que la *Fábula de Polifemo y Galatea* de don Luis de Góngora. La sombra de Virgilio y la de Góngora en su *Canción a la Toma de Larache* aparecen en el diseño de una naturaleza violenta y contrastiva de estas primeras escenas (Comp. con lo dicho por A. Blecua, «Góngora», *Enciclopedia VIrgiliana*, II, pág 782. *Vid. supra*, vv. 146).

162 *facción*, «delineación de rostro y cuerpo en el hombre, y también en el animal» (*Cov.*). «Se suele tomar también por figura y disposición que una cosa se distingue de otra» (*Aut.*). Frecuente en los autos calderonianos (*Concord.*).

su población, siempre expuesta
a los duros ejercicios   165
de desdichas y miserias.
Dígalo allí de Anajarte
el alcázar, donde presa
la tiene Argante, su tío,
sepultada antes que muerta.   170
La fragua allí de Vulcano

---

171 Vulcano era uno de los dioses latinos más antiguos (Graves). La
localización de la fragua de Hefesto o Vulcano —el herrero divino o el
mismo fuego— estaba, según Eurípides y Virgilio, en el interior del Etna y
servida por Cíclopes (Ruiz de Elvira). Góngora también situó la fragua de
Vulcano en el Lilibeo, al oeste de Sicilia, en el interior de las entrañas del
Etna (*Polifemo,* estrofa 4). Así lo señaló el Padre Vitoria al hablar del maestro
de la herrería, fiero abominable y cojo: «Su fragua y oficina, dice Natal
Comite, que la tenía en sus cavernas del monte Etna porque allí ay grandes
volcanes de fuego, y de allí se dio lugar a la fábula» (*Theatro de los dioses,* I, páginas 513-8). Vitoria señala la descripción de Virgilio en la *Eneida* con la
referencia a los Cíclopes, jayanes de un solo ojo y a los que Textor asigna la
elaboración de los rayos de Júpiter *fulminator (Ib, I,* pág. 101). La historia de
Vulcano se entrelaza con la de Cupido, ya que según algunos mitógrafos fue
con él y no con Marte con quien Venus tuvo a Anteros (*Ib.,* I, págs.
439-440). Pérez de Moya (*Filosofía secreta* I, págs. 181-7) justifica también la
historia de Vulcano y los tres Cíclopes: «porque la fragua de Vulcano en las
islas Vulcaneas, y todo el suelo desde aquellas islas hasta Mongivel, monte de
Sicilia, es lleno de cuevas de fuego», extendiéndose sobre la forja e invención
de este elemento por Vulcano. Para el significado simbólico de éste, del
volcán y del fuego vital y destructor de los demás elementos, J. E. Cirlot,
Diccionario de símbolos, Barcelona, Labor, 1969. Para la rica vertiente —seria y
burlesca— del tema en las letras españolas, José María de Cossío, *op. cit.,* pág.
888. Para su presencia en la pintura de Rubens, del Mazo, Velázquez, etc.,
Rosa López Torrijos, *op. cit.,* pág. 426. En el Alcázar de Madrid, Velázquez
supervisó los frescos de Carreño y Rizi para la sala de los espejos, entre los
que no faltó el tema de Vulcano (Cfr. Steven N. Orso, *In the Presence of the*
«Planet King». Studies in Art and Decoration at the Court of Philip IV of Spain, Diss.
Princeton Univ., 1987, cit. por Margaret Rich Greer en su documentada
introd. a Pedro Calderón de la Barca, *La estatua de Prometeo,* pág. 121 y *vid.*
pág. 128, para su relación con *La fiera*). Era un lugar infernal, propio para las
apariencias. Véase la grandiosidad del escenario para el Intermezzo V de *Il*
Giudizio di Paride, Florencia, 1608, «La Fucina di Vulcano», según las técnicas
escenográficas del *inferno* (Cfr. Arthur Blumental, «Giulio Parigi and Baroque Stage Design», en *La scenografia barocca,* ed. de Schnapper, pág. 23, ff. 21,
25, 30-1 y 37). Sobre Vulcano y sobre los Cíclopes, se extendió ampliamente
Fernando de Herrera en sus comentarios a Garcilaso (Cfr. A. Gallego Morell, *Garcilaso de la Vega y sus comentaristas,* págs. 336-7 y 543). El carro de

lo diga, en cuya violenta
forja de Estérope y Bronte
es martillada tarea
la fundición de los rayos.   175
Y allí, entre las duras quiebras
de pardo escollo, lo diga
lóbrega gruta funesta,
rudo templo consagrado
en mal fabricada cueva,   180
a la deidad de las Parcas,
cuya vecindad, sujeta
siempre a estragos, siempre a ruinas,
siempre a llantos, siempre a penas,
la hacen que continuamente   185
tales eclipses padezca;
si bien el de hoy dice más,
pues dice (si de mi ciencia

Vulcano era muy popular en las procesiones y en un grabado del XIX
encontramos una carroza de la tarasca tirada por caballos con la fragua de
Vulcano (*El teatro en Madrid [1583-1925]*, Ayuntamiento de Madrid-
Delegación de Cultura, 1983, pág. 147, fig. 16). Vulcano fue adaptado por
Ben Johnson a los terrenos de la alquimia en una de sus «masques», *Mercury
Vindicated from the Alchemist at Court* en la que aparecen el dios herrero y los
Cíclopes en el laboratorio de un alquimista. Véase Ben Johnson, *Plays and
Masques*, ed. de R. M. Adams, Nueva York, W. W. Norton y Co., 1979, págs.
356 y ss. Sus «anti-masques» parodiaban el género, rebajándolo cómicamente
y rompiendo el decoro. Otro tanto hacen los graciosos en esta obra con el
tema mitológico.

173 De los tres Cíclopes, hijos de Urano, Brontes, Esterope o Esteropos y
Arges, Calderón sólo nombra a dos. Estos «ojorredondos» forjaban, respectivamente, para Zeus, el trueno, el relámpago y el rayo (o el trueno y el rayo,
según Hesíodo). Hay que distinguirlos de los Cíclopes pastores de la *Odisea*,
como Polifemo, y de los constructores de murallas ciclópeas (Ruiz de Elvira). Pérez de Moya lo explica así: «Brontes significa trueno; Esteropes,
claridad y Priacmón, fuego, que son cosas que causan en la generación de los
rayos, que es trueno y relámpago y rayo, que es fuego» (*Filosofía secreta*, I, página 188). Los Cíclopes no aparecen realmente en escena en las eds. de 1664
y «1664» (E y Eo, respectivamente). La relación de los *dramatis personae* al
principio de la obra tampoco cuenta con ellos. Sí que comparecen, en
cambio, en la edición de Vera Tassis y en la valenciana de 1690, cuyos
grabados los muestran en la fragua, con su único ojo.

181 *Vid.* Introducción e *infra*, v. 316.

no miente la observación,
graduada en las estrellas)   190
que este común sentimiento
de fuego, mar, aire y tierra,
y en tierra, aire, mar y fuego,
hombres, peces, aves, fieras,
es cumplirse una amenaza   195
que tienen los dioses hecha,
de que ha de nacer al mundo
una deidad, tan opuesta
a todos, tan desigual,
tan sañuda, tan violenta,   200
que ha de ser común discordia
de cuanto...   (*Vase.*)

192-4 Los cuatro elementos, en cuatrimembres correlativos, con los animales que les corresponden, como es tópico en Calderón (y recoge curiosamente Valle-Inclán en *Luces de Bohemia,* págs. 87-8, donde Rubén, Max y Don
Latino juegan al cuaternario elemental y a su tradición pitagórica). Además
de los trabajos ya clásicos de Felipe Picatoste, *Calderón ante la ciencia,* Madrid
1881 y E. M. Wilson «The four elements in the imagery of Calderón», MLR,
XXXI (1936), págs. 344-47, véase, para sus bases mitológicas, Jean Seznec,
The Survival of the Pagan Gods, Princeton University Press, 1972, págs. 42 y
47-9 *passim,* y Hans Flasche, «Más detalles sobre el papel de los cuatro
elementos en la obra de Calderón», *Über Calderón,* págs. 636-44, además de mi
artículo en prensa, «El mundo en los autos sacramentales de Calderón»,
Hacia Calderón. Octavo Coloquio Anglogermano (Böchum, 1987). Las bases mne-
motécnicas y analógicas pueden verse, por ejemplo, en la entrada triunfal de
Mariana de Austria en Madrid, en 1649. En ella apareció un arco triunfal
con las cuatro partes del mundo en correlación con los cuatro elementos
(Cfr. J. E. Varey, y A. M. Salazar, «Calderón and the Royal Entry of 1649»).
Conviene recordar a este respecto que sobre la teoría de los cuatro elementos
se cimentó el arte de la memoria luliana. Sobre ello, F. A. Yates, *The Art of
Memort,* Londres, 1966, cap. VIII. Los cuatro elementos andaban codificados
en las polianteas y en las artes de la memoria españolas y extranjeras, como el
Fénix de Minerva, y Arte de Memoria de Juan Velázquez de Azevedo (Madrid,
1626). Ravisio Textor los menciona en sus *Officinae, Epitome I,* Lugduni apud
Haered. Seb. Gryphii, 1560, pág. 150. Es conocida su relación con la teoría
de los cuatro humores en la psicología antigua. Sobe ello, R. Klibansky y E.
Panofsky, *Saturn and Melancholy,* Londres, 1964. Y *vid. supra,* v. 54.
    En el verso 194 V: «de hombres».
    195 V: «cumplirla».

PIGMALEÓN

¡Oye!

IFIS

¡Aguarda!

CEFIRO

¡Espera!

LEBRÓN

Con la palabra en la boca
no se dirá que nos deja,
que antes con ella se va.   205

PASQUÍN

Burlólos su ligereza.

CÉFIRO

No hizo, que yo he de seguirla.

PIGMALEÓN

No hizo, que yo he de tenerla

IFIS

No hizo que yo he de alcanzarla.

(Vanse los tres.)

---

202 V: *Céfalo*, erróneamente, en lugar de *(Cef.) Céfiro* en E y Eo.

Sí hizo, pues el que tras ella   210
fuere será un mentecato.

Brunel

¿Por qué?

Lebrón

Porque muy compuesta
y adornada una mujer
aun no es bueno andar tras ella,
¡miren qué será tras una   215
tan salvaja, que se deja
decir que hay Vulcano y Parcas
por aquí!

Pasquin

Peor si te quedas
solo será.

Lebrón

Dices bien.

Los dos

Pues corramos.

Lebrón

Norabuena,   220

_____

220 *Norabuena,* derivado de hora. Aféresis y contracción, muy usual en la
época, de «en hora buena».

pero corramos sentados,
si os parece.

(Vanse los tres y vuelven a salir, por partes diferentes, Pigmaleón,
Ifis y Céfiro. Cúbrese el mar y descúbrese el bosque.)

LOS TRES

¡Monstruo, espera!

(Dentro.) IRÍFILE

Es en vano, pues ya pude
hacer la fuga defensa.

CÉFIRO

Lo intrincado de las ramas   225
por donde tan veloz entra
me la han perdido de vista.

PIGMALEÓN

La enmarañada aspereza
deste bosque me la oculta.

---

222 V: *Vanse. Múdase el teatro en el de bosque, y en el foro la gruta de las Parcas, y*
vuelven a salir por distintas partes Pigmaleón, Ifis y Céfiro. Los tres.
En *La selva sin amor* (1629) de Lope de Vega, con escenografía de Cosme
Lotti, para el discurso de los pastores, desapareció el mar sin que nadie lo
notara, transformándose en selva (cfr. Charles Aubrun, «Les débuts du
drame lyrique en Espagne», en Jean Jacquot, *Le lieu théatral...*, pág. 443). En la
fiesta *El mayor encanto, Amor* (1635) de Calderón y en la comedia (1637) el
escenario de monte se tornaba en espacio de palacios y jardines. Allí se
habían utilizado perspectivas de mar, bosque, cielo e infierno (éste simulado
en una cueva). La invención fue de Cosme Lotti, como indicara Calderón en
carta de 30 de abril de 1635 dirigida al escenógrafo italiano. En dicha carta
debaja bien claro el dramaturgo que tanto la disposición de las luces como la
fábrica de las pinturas y las perspectivas eran cosa suya.
222 V: *Irífile, dentro.*

155

IFIS

Pues ya a los ojos no dejan   230
terminar su sombra tantos
troncos como se atraviesan,
sea la voz la que la siga.

LOS TRES

¡Vuelve, prodigio!

(*Salen* LEBRÓN, PASQUÍN *y* BRUNEL.)

LEBRÓN

                    ¡No vuelvas!
¿Qué os va en eso a los tres para   235
pedirlo con tanta fuerza?

CÉFIRO

Saber quién es el que nace
con tanto horror.

PIGMALEÓN

                    Y quién sea
el asombro destos montes.

IFIS

¡Oye!

CÉFIRO

¡Aguarda!

---

230 Eo: «deban», lectura errónea que no sigue V.

PIGMALEÓN

¡Escucha!

LOS TRES

¡Espera!   240

(Dentro.) [IRÍFILE]

No me sigáis; que no es
posible que decir pueda
quién soy y por qué los hados
a vivir así me fuerzan.
Pero si queréis saber   245
con la causa de mis penas
de aquel eclipse la causa,
pues os halláis a sus puertas,
a las Parcas consultad,
que mejor lo dirán ellas,   250
como quién sabe mejor
quién nace a ser ruina vuestra.

CÉFIRO

¡Confusión extraña!

---

240 Corrijo con V. Ni E ni Eo la mencionan.
243 V: «quien yo... y por qué...».
253-4 «estraña», «estraño». A partir de aquí siempre modernizaré las grafías de este tipo, habida cuenta de que la ortografía del siglo XVII no distinguía entre *estraño* y *extraño*. La comedia mitológica se basa en el logro de lo extraño, lo asombroso y lo maravilloso, como se ve en éste y otros puntos de la obra en los que se busca la admiración. Es el caso de la búsqueda de Pigmaleón de los prodigios escondidos en el oscuro centro de las selvas (*infra*. vv. 304-6 y *vid*. v. 347). La obra está plagada de las áreas semánticas correspondientes al espanto, el asombro, etc., como es fácil observar. Sobre el tema, Antonio Armisén, «Admiración y maravillas en *El Criticón* (mas unas notas cervantinas)», *Gracián y su época*, Zaragoza, Institución Fernando el Católico, 1986, págs. 201-242.

PIGMALEÓN

¡Extraño
asombro!

IFIS

¡Extraña tristeza!

LEBRÓN

¿Adónde que nos hallamos   255
dijo esa señora bestia?

BRUNEL

¿No lo oyes? A los umbrales
de las Parcas.

LEBRÓN

¿No son esas
unas beatas que, hilando
siempre, nunca echaron tela   260
y con ser tan hacendosas,
jamás hacen buena hacienda?

PASQUÍN

Las mismas.

LEBRÓN

¡Triste de mí!

CÉFIRO

Extranjeros (que las señas
de traje y voz lo publican   265

y el venir por mar y tierra
derrotados lo aseguran),
yo, aunque de ver me estremezca
estos montes (que una cosa
es noticia, otra experiencia),   270
Céfiro soy, de Trinacria
príncipe, y ya que la fuerza
del destino me ha empeñado,
siguiendo otra inculta fiera,
a transcender hoy la línea   275
que tiene el asombro puesta
a esta inhabitable estancia,
hallándome dentro della,
no he de volverme sin que,
ya que mi valor me alienta,   280
el oráculo me diga
de las Parcas qué secreta
amenaza de los hados
es en mis imperios ésta.
Y así, bien podéis volveros,   285
pues los dos, a quien no fuerza
interés alguno, no
es bien que lleguéis a verlas.

PIGMALEÓN

Extranjero soy, a quien
perdió la confusa niebla   290
de las dos noches de un día
entre la inculta maleza

---

271 Trinacria, Sicilia (*supra*, v. 171). Así la denomina Góngora en el
Polifemo v. 65 y otros muchos poetas, sobre todo barrocos, acogiéndose al
tópico. Véase Ravisio Textor, *Officinae...*, pág. 177: «Sicilia, Sicania, Trinacria, Trinacris, Metamor. Vasta Giganteis iniecta est insula membris Trinacris. Stat. li. 2. Serm. ...» Calderón la llama así muchas veces en sus dramas,
como *El mayor encanto, Amor*.

274 *inculta*, «Lo no cultivado, el erial. Es del latín incultus» (*Aut.*). Muy
gongorino. Y *vid. infra*, v. 292.

275 Eo: «trascender». V coincide con E.

292 *inculta, supra*, v. 274.

de esos peñascos; la causa
que a peregrinar me fuerza
quizá es no menor, ¡oh invicto   295
Céfiro!, para que quiera
también yo saber el fin
deste asombro que así llega;
que yo te he de acompañar.

[IFIS]

Cuando ocasión no tuviera   300
yo, que del mar derrotado
pisé también estas selvas,
para inquirir los prodigios
que su obscuro centro engendra,
por no volver a terror   305
ninguno la espalda, fuera
el primero que llegara.

CÉFIRO

Pues desquiciemos la puerta
deste risco que mordaza
es de su boca funesta.   310

_____

298 V: «y así».
299 En E falta la acotación de Ifis. Corrijo con Eo y V.
306 V: «alguno».
308-13 Compárese con la descripción que Góngora hace de la cueva de
Polifemo en las estrofas 4 y 5 de su *Fábula*: «Allí una alta roca / mordaza es a
una gruta de su boca». La oscuridad y tenebrosidad son dos rasgos aprove-
chados por Calderón que venían de Homero, Teócrito y Ovidio (Cfr. Dámaso Alonso, *Góngora y el Polifemo,* Madrid, Gredos, 1980, III, pág. 59). La tumba
de Tifeo y las fraguas de Vulcano sobre las que ya hemos hablado, gozaron de
idéntica localización siciliana. En la estrofa 6 dice Góngora de la cueva «que
un silbo junta, y un peñasco sella». Recuérdese además el inicio de la misma:
«De este, pues, formidable de la tierra / bostezo, el melancólico vacío / a
Polifemo, horror de aquella sierra, / bárbara choza es, albergue umbrío».
Detrás de la cueva del *Polifemo* de Góngora estaba, como apuntamos, la
tradición virgiliana. Así lo señaló Salcedo y lo han confirmado Antonio
Villanova en *Las fuentes y los temas del «Polifemo» de Góngora,* Madrid, 1957 y A.
Blecua, en su art. cit. «Góngora». En *La estatua de Prometeo* Calderón recreó

IFIS

Melancólico bostezo
ya del centro de la tierra
es la pavorosa gruta.

PIGMALEÓN

Y ya en sus lejos se dejan
terminar a poca luz   315
las tres deidades severas.

---

dos grutas tenebrosas: «...la funesta voca de una entreabierta boca / por
donde con pereza / melancólico del Cáucaso vosteza» (vv. 605-9). En *La vida
es sueño,* vv. 69-72, Calderón dice así: «La puerta / mejor diré funesta boca
abierta / está, y desde su centro / nace la noche, pues la engendra dentro».
316 V en la acotación: y veese en lo.
Parcas. Véase Introducción, pág.   Las Morae griegas, llamadas Parcas
por los romanos. Para Homero, eran el destino individual e ineludible de
cada ser humano. Sólo Hesíodo en su *Teogonía* las trataba como diosas. Eran
las tres —Cloto, Laquesis y Atropos— hijas de la Noche. Cloto, la hilandera,
personificaba el hilo de la vida. Laquesis era la suerte, la parte afortunada.
Atropos, el destino irreversible del que no se puede escapar. Sintetizaban la
vida del hombre y representaban el orden natural de las cosas. Dependían de
Zeus o Júpiter, se sentaban en la asamblea de los dioses y poseían el don de la
profecía, como se ve en la obra. Sobre ellas se extiende el Padre Vitoria
Teatro, I, págs. 438-450, destacando que Temis, madre de las Parcas, representa el oráculo más antiguo, según Ovidio. Fue ella quien dio a Venus una
respuesta equívoca cuando le preguntó la causa de que Cupido no creciera.
Temis, según Cartario, le aconsejó que le diese un semejante y así nació
Anteros. Lope de Vega retomó el tema en *La Arcadia,* según recuerda el
mismo Padre Vitoria con una amplia lista de fuentes que insisten en la falta
de compasión de estas «iniquas hadas», como las llama Garcilaso en la *Egloga
II.* Propercio, Estacio, Séneca, Juan de Mena y Orozco en sus emblemas
trataron de ellas. Pérez de Moya, en su *Filosofía secreta,* págs. 395-7, recuerda
que habitaban en una cueva donde hilaban la vida en una rueca de irreversible destino: Cloto da la estopa o tiene la rueca, Laquesis la hila y Atropos
corta el hilo. Imagen del pasado, el presente y el futuro, entre el nacer y el
morir, que sólo Dios conoce. Pérez de Moya mezcla la providencia divina en
su interpretación: «Que las Parcas acostumbrasen morar en una cueva obscura: significa que los juicios de Dios son ocultos, y no vienen luego los castigos
a los hombres malos, mas cuando llega el tiempo conveniente de su castigo...
Esto basta de las Parcas, a cuyo albedrío se pensaba que se partían desta vista
las almas» (*Ibíd.,* pág. 397). Véase también Ravisio Textor, *Officinae,* pág. 140.

(Ábrese la gruta y vense en lo más lejos della las tres Parcas, como las pintan: la primera con una rueca, cuyo hilo va a dar a la tercera que le devana, dejando en medio a la segunda, con unas tijeras en la mano.)

PASQUÍN

¡Qué miedo pone el mirarlas!

BRUNEL

¡Y qué temor causa el verlas!

LEBRÓN

A cuál temor y a cuál miedo
es mayor, hago una apuesta.   320

De Garcilaso a Góngora, las Parcas aparecen en la poesía española con cierta frecuencia (cfr. Suzanne Guillou-Varga, *Mythes, mytographies et poésie lyrique au siècle d'or espagnol,* París, Didier, 1986, págs. 676 y 734). Góngora juega con la alusión tópica del tiempo en el soneto «De San Lorenzo el Real del Escurial», y a su relación con la muerte alude en otro de 1585 que empieza «Sacra planta de Alcides cuya rama» (cfr. Luis de Góngora, *Sonetos completos,* ed. de Biruté Ciplijauskaité, Madrid, Castalia, 1968). Lope muestra en el soneto «Hermosa Parca, blandamente fiera», dedicado a una dama que hilaba, una clara fijación en el tema de las hilanderas, con alusión a la muerte y al amor (cfr. Lope de Vega, *Obras poéticas,* pág. 113). Para su presencia en el arte efímero, véase Marqués de Saltillo, «prevenciones artísticas para acontecimientos regios en el Madrid sexcentista (1646-1680)», BRAH (1947), págs. 365-393. Quevedo alude a ellas en serio y también en broma como en el romance «Érase una madre» (Francisco de Quevedo, *Poesía original,* ed. de José M. Blecua, Barcelona, Planeta, 1963, pág. 1121). Según Louise K. Stein (ed. cit. de *La estatua de Prometeo,* pág. 34), tanto los versos en tono triste de las Parcas, como luego los de los Cíclopes mientras martilleaban, debían ser cantados. Herrera, en sus comentarios a Garcilaso, se extiende y amplía eruditamente sobre las hadas o Parcas y sobre los Cíclopes (Cfr. A. Gallego Morell, *op. cit.,* págs. 520-1). Sobre el «como las pintan», téngase en cuenta además lo tópico de la referencia «como se pintan» o «como suelen pintarse» en los autos sacramentales. Las acotaciones calderonianas suelen plantearse con perspectiva pictórica, según Everett Hesse, «Calderón y Velázquez», *(Clavileño,* X [1951], págs. 1-10).
   320 V acota: *Brunel y Pasquín.*

¿Tanto te parece el tuyo?

LEBRÓN

Tanto, que con ser tan puerca
de las Hileras la calle,
tomara estar ahora en ella,
a trueco de no estar en   325
la gruta de las Hileras.

CÉFIRO

¡Oh tú, Laquesis que, impía,
de la futura edad nuestra
desvaneces el estambre!...

IFIS

¡Oh tú, Cloto que, severa,   330
de la ya pasada edad,
deshacer el copo a vueltas!...

PIGMALEÓN

¡Oh tú, Átropos que, horrible,
la inexorable tijera,
que es el fiel de los alientos,   335
a arbitrio tuyo gobiernas!...

CÉFIRO

... De negro ébano a tus aras
altar ofrezco que sea
atezado culto tuyo...

---

323 Calle de las Hileras, se entiende por hilanderas, como se documenta
ya en Calvete (1552), según *Cor.* Véase la Introducción.
337 Corrijo con Eo y V a E: «tur».
339 Eo y V: «suyo».

... Yo, de ciprés, una hoguera   340
cuyo humo desde este altar
hasta empañar al sol crezca...

PIGMALEÓN

... Yo, en la hoguera y en el ara,
porque haya víctima en ellas,
no[c]turno búho te ofre[z]co   345
sacrificar por ofrenda...

CÉFIRO

... si me dices qué prodigio...

IFIS

... si me dices qué violencia...

PIGMALEÓN

... si me dices qué presagio...

LOS TRES

... el pasado eclipse encierra.   350

(Cantando muy triste.)

LAS TRES

Dolores de parto han sido
con que ha nacido a la tierra
su mayor ruina.

---

341 Eo y V: «ese».
345 Corrijo con V a E y Eo: «noturno», «ofreco».
350 V: *Cantan las tres en tono muy triste.*

CÉFIRO

¿Pues quién
a ella ha nacido?

LAQUESIS

Una fiera.

IFIS

Y tú, ¿quién dices?

CLOTO

Un rayo.   355

PIGMALEÓN

¿Y quién dices tú?

ATROPOS

Una piedra.

CÉFIRO

¿Fiera?

IFIS

¿Rayo?

354-6 Eo: «a ella nacido». Como en tantas obras calderonianas, el título se inserta en la obra y aunque el misterio de la fiera, el rayo y la piedra no se desvele del todo hasta el final de la comedia pronto se nos dirá que el enigma lo encarna Cupido (vv. 382-3).

PIGMALEÓN

¿Piedra?

LAS TRES

Sí.

(*Ciérrase la gruta.*)

LOS TRES

Cerróse otra vez la puerta
del obscuro seno.

LEBRÓN

Mas,
¡que nunca estuviera abierta!   360

CÉFIRO

Una fiera a mí me dijo
Lequesis, en sus respuestas,
que había nacido.

IFIS

A mí, Cloto,
un rayo.

PIGMALEÓN

Y a mí, una piedra,
Átropos.

CÉFIRO

¡[Pues] qué disforme   365
monstruo de tres tan diversas
cosas pudiera formarse!

IFIS

¡Qué embrïón de tan opuestas
causas pudo componerse!

PIGMALEÓN

¡Qué pasmo de tres materias   370
tan contrarias!

LEBRÓN

            Como hilaban,
diciendo estarían consejas.

PASQUÍN

No hagáis caso desas locas.

BRUNEL

Y haréis bien; que la más cuerda
mujer del huso en que hila   375
es su cabeza la hueca.

---

365 Corrijo, por razones métricas, con V a E y Eo que no incluyen
«pues».

373 E y Eo: «desas cosas». Corrijo con V: «destas locas», pero conservan-
do el primer deíctivo.

374-6 Fácil juego del gracioso Brunel con la anfibología de *cuerda* y *hueca /
rueca*. Véanse los usos con sentido equívoco de Baltasar Gracián, *El Criticón*,
1938 I, págs. 305; II, 384 y III, 340. Era corriente tal doble sentido en la
literatura del Siglo de Oro, como señala Robert Jammes en su ed. de Luis de
Góngora, *Las firmezas de Isabela,* Madrid, Castalia, 1984, v. 297, nota.

CÉFIRO

Claro está, que no hacer caso
de lo imposible es prudencia.

IFIS

Como a tal, mi horror le trata.

PIGMALEÓN

y mi valor le desprecia.   380

LOS TRES

Porque, ¿quién a un tiempo mismo
pudiera, siendo una fiera,
ser rayo y piedra?

(*Dentro.*) ANTEROS

Cupido.

PIGMALEÓN

Ya es muy otra esta respuesta.

IFIS

Oigamos, por si prosigue.   385

ANTEROS

No recién nacido quieras
echarme ya del regazo
de Venus, mi madre bella.

_____

386 ss. Cupido y Anteros eran Hijos de Venus. Cupido es el amor profano
y desordenado, la *cupiditas*. Dice el Padre Vitoria (*Theatro,* págs. 426 y ss.) que

(*Dentro.*) CUPIDO

Sí quiero, que nunca yo
tuve ni tendré más fuerza   390
que el primer día que nazco.
Diránlo cuantos me sientan,
pues desde el primero día
conocerán mis violencias.

PIGMALEÓN

Ya el que juzgamos agüero   395
que sólo es acaso muestra.

TODOS

¿Cómo?

PIGMALEÓN

Como de la humilde
pobre fábrica pequeña

---

equivale no sólo a la hermosura y la belleza, sino al deseo torpe y deshonesto. Equivale además a la codicia y al deseo de mandar, según Virgilio en sus *Georg.* I. La escena hace alusión al origen de Anteros. Criándose mal Cupido, a pesar de la ayuda de las Tres Gracias, Venus consultó el oráculo de la diosa Temis que le aconsejó lo criase en compañía de otro niño igual a él en quien mirarse. Venus se unió con Marte (o con Vulcano, según Séneca), como el propio Calderón señala (*infra*, vv. 520 y ss.), y de esa relación nació Anteros «que quiere dezir, amor, que mira y corresponde a otro amor». A su lado, Cupido medró y creció en hermosura, le nacieron alas y tomó el arco, las saetas y las hachas encendidas (*ibid.*, pág. 429). Para la iconografía de Eros y Anteros, véase el cap. III, dedicado al amor profano y al amor sagrado, de Mario Praz, *Studies in Seventeenth Century Imagery,* Roma, 1975. Para Anteros en la pintura, Rosa López Torrijos, *op. cit.,* págs. 265, 359, 364 y 430. Además R. V. Mervill, «Eros and Anteros», *Speculum,* 19 (1944), págs. 265-284. En la poesía española no es muy frecuente la fábula. Fernando de Herrera y Cristóbal Mosquera de Figueroa representan el afincamiento del tema. Tanto el primero en sus *Anotaciones,* como el segundo, tradujeron el apólogo de Cupido y Anteros de Aquiles Buca (cfr. José María de Cossío, *op. cit.,* págs. 267-9 y 270-2).

de una fragua que a la gruta
yace de las Parcas cerca,   400
dos jóvenes han salido
luchando, y de su pendencia
no es vaticinio el enojo.

(*Salen luchando* ANTEROS *y* CUPIDO.)

ANTEROS

¡No me des la muerte! ¡Suelta!
¡Suelta mis brazos!, Cupido;   405
que ya rendido confiesa
mi valor, que es más el tuyo.

CUPIDO

Es en vano que pretendas,
Anteros, que tenga yo
piedad, pues desde hoy es fuerza   410
que, a las manos de Cupido,
Amor absoluto, muera
el correspondido Amor.

ANTEROS

¡Ten clemencia!

CUPIDO

No hay clemencia.

LOS TRES

Sí hay. Yo le amparo, porque   415
a tus manos no perezca.

ANTEROS

A los tres debo la vida;
mas yo os pagaré la deuda,
ya que al temor dese monstruo
huir padres y patria es fuerza.   420

CUPIDO

¿Dónde has de huir de mi saña?

ANTEROS

En la superior esfera
de Dïana; que pues ya
no puede sufrir la tierra
el correspondido Amor,   425
al cielo es bien que transcienda
de la luna, desde donde
deshaga tus influencias.   (*Vase.*)

CUPIDO
Seguiréte allá.

LOS TRES.

Es en vano.

CUPIDO

Nadie mi furor detenga,   430
que he de darle muerte.

---

419 Eo: «el». V: «de ese».
422-3 La luna, como se infiere inmediatamente. Y *vid. infra,* v. 2014.
426 Corrijo con V a E y Eo: «y al cielo». Eo: «trascienda».
428 V: *Vuela rápidamente,* en lugar de *Vase,* común a E y Eo.

LOS TRES

¿Cómo?

CÉFIRO

¿Tal rabia?

CUPIDO

Como soy fiera.

IFIS

¿Tal ira?

CUPIDO

Como soy rayo.

PIGMALEÓN

¿Tal crueldad?

CUPIDO

Como soy piedra.

PIGMALEÓN

¿Piedra?

IFIS

¿Rayo?

CÉFIRO

¿Fiera?

CUPIDO

                    Sí,   435
que aunque me veis en tan tierna
edad, fiera, piedra y rayo
soy tan desde mi primera
cuna, que nunca mayor
he de ser por más que crezca.   440

CÉFIRO

Hiciérame admiración,
si donaire no me hiciera
tu arrogancia.

IFIS

                    Este rapaz
sin duda oyó de las ciegas
Parcas la voz, y pretende   445
valerse de su respuesta.

443-8 El rapaz Cupido lo era así por tradición clásica (*infra*, v. 501).
Véase a este propósito el emblema CXIII de Alciato, *Emblemas*, pág. 149, que
glosa irónicamente el que un viejo sea niño, vuele y sea ciego, para así
desmitificarlo y advertir de sus peligros. El emblema CXVI glosa el amor en
la vejez. Sobre ello, mi artículo cit. «La invención del amor en la *Diana* de
Gil Polo», León Hebreo señala: «Es pequeñito porque le falta la prudencia y
no puede gobernarse con ella.» El Padre Vitoria apunta: «El pintar al Dios
Cupido, niño, con alas y ciego, cosa muy ordinaria es: y lo trae Cartario en el
libro de las imágenes de los Dioses: y lo dixo Propercio en sus Elegias y
Alciato en el emblema ciento y treze» (*Theatro*, págs. 449). Pero su ceguera y
niñez no le impidean ser poderoso e invencible como recuerda el *Cantar*
bíblico: «Fortis est ut mors dilectio». El Padre Vitoria recoge seguidamente
abundante información sobre la enfermedad de amor. La niñez o mocedad
de Cupido fue glosada por Séneca, como recuerda Pérez de Moya, *Filosofía
secreta*, I, págs. 277-8, quien habla también de sus atributos, poderes e iconografía, haciendo hincapié en las flechas de oro y plomo y en el mandato de
Venus que es quien le hace volar con las saetas, hiriendo de amor a diestro y
siniestro. Góngora lo llama «jovenete» por comparación con Píramo en su
conocida *Fábula* (v. 101). «Rapaz arquero» es en el romance que empieza
«Noble desengaño». Pero el más famoso es el conocido «Ciego que apuntas y
atinas, / caduco dios y rapaz, / vendado que me has vendido, / y niño mayor

173

PIGMALEÓN

Los niños lo que oyen dicen,
o venga bien o no venga.

CUPIDO

¿De mí os burláis?

CÉFIRO

                    Pues, ¿qué quieres
que hagamos de una soberbia   450
tan donairosa? Conmigo
por esta intrincada selva,
hasta que mi gente cobre
y vuelva a buscar con ella
aquel prodigio que vimos,   455
dad, extranjeros, la vuelta,
que quiero que me informéis
hoy de las fortunas vuestras
para daros mi favor
en cuanto aquí se os ofr[e]zca,   460
ya que el hado nos ha hecho
cómplices de una tragedia.

LOS DOS

Guárdete el cielo.

---

de edad», escrito por el cordobés a los diez y nueve años, y en el que pregunta
a los amadores desdichados qué esperanza pueden sacar de tal rapaz. Cupido
menudea en la pintura española con toda clase de variantes. Véanse los
cincuenta y cinco ejemplos recogidos por Rosa López Torrijos, *op. cit.*, págs.
429-431, algunos en franca concordancia con *La fiera*. Para la versión contrahecha, véase Dionisio Ortiz Juárez, «Eros transformado a lo divino»,
Traza y Baza (1978), págs. 132-4. Sobre la ceguera de Cupido y la filosofía
renacentista, Edgard Wind, *Los misterios paganos de Renacimiento,* Barcelona,
Barral, 1972, cap. IV.
    460 Corrijo con Eo y V el error de E: «ofrzca».

CUPIDO

                    ¿De mí
sin hacer caso, se ausentan?

IFIS

Y agradecido a ese agrado,   465
te doy, primero que sepas
quién soy, palabra de que
no haga de tu lado ausencia
hasta que del monte salgas.

PIGMALEÓN

Yo es bien que lo mismo ofrezca.   470

CÉFIRO

Pues homenaje los tres
hagamos, que en esta empresa
del alcance deste monstruo,
en cuanto nos acontezca,
hemos de favorecernos.   475

PIGMALEÓN

Y para que mejor pueda
correrse el monte, mejor
es dividirnos, y sea
el rumbo de cada uno
el que le diere su estrella.   480

---

476 V: «Y porque mejor se pueda».
477 V: «correr el».

Dice bien; mejor es ir
los tres por partes diversas,
y para juntarnos luego,
tomemos los tres por seña
el humo de aquella fragua   485
cuya obscura nube negra
siempre está atezando al sol.

PIGMALEÓN

Norabuena.

CÉFIRO

Norabuena.

CUPIDO

Pues ¿cómo habiendo escuchado
quién soy, de aquesa manera   490
os vais, sin darme más culto,
ni hacerme más reverencia?

CÉFIRO

Como, aunque eres fiera, eres
muy bello para ser fiera.   (*Vase.*)

IFIS

Muy tibio para ser rayo.   (*Vase.*)   495

---

487 *atezando,* ennegreciendo (*Acad.*). De *atezar,* «teñir a otro el semblante
de color negro». «Adquirir naturalmente el color negro por razón de lo
ardiente del clima» (*Aut.*). «Ennegrecer la tez» en Villegas (Fontecha).
   493-6 Cupido encarna de nuevo las tres partes del título y no por casualidad. La iconografía del diosecillo, a la que Alciato, por ejemplo, dedicó trece
emblemas, explica cómo es capaz de vencer, rendir y someter a todos,

PIGMALEÓN

Muy tierno para ser piedra.   (*Vase.*)

LEBRÓN

¡Mirad, pues, y quién quería
también meterse en docena!

BRUNEL

Ruin es quien por ruin se tiene.   [*Vase.*]

PASQUÍN

Y vil, el que se desprecia.   (*Vase.*)   500

LEBRÓN

Quitad de ahí, que es un rapaz
que apenas sabe a la escuela
y es, oliendo a las mantillas,
muy bello para ser fiera,
muy tibio para ser rayo,   505
muy blando para ser piedra.   (*Vase.*)

CUPIDO

Burla han hecho de mi enojo
los tres. Pues yo haré que sea
llanto de los tres la risa,

---

incluso a los leones. Además quebró el rayo alado para demostrar su fuerza.
También aparece en el emblema *In statuam amoris* (Alciato, *Emblemas,* páginas 140-3 y 149).
    494 Corrijo con V a E y Eo: «bella».
    499 Añado la acotación de V, ausente en E y Eo, posiblemente por la
composición de la línea de verso en la página.
    501-3 Alusión ridícula a la niñez y orines de Cupido, desmitificado desde
la perspectiva de Ifis y Pigmaleón (*supra,* vv. 444-9 e *infra,* v.1967).

tan presto, que no anochezca   510
sin que empiece mi venganza
a dar su primera muestra
hasta en el criado, a cuyo
fin, desta rama primera
haré flechas y arco; y no   515
acaso he elegido ésta
aunque la he elegido acaso
porque, arrancada a las puertas
de las Parcas, sepa el mundo
que nacen de una raíz mesma   520
las armas suyas y mías.
Por eso, humanos, ¡alerta!,
que somos, ellas y yo,
las que a ninguno reservan.
Mas, ¡ay!, que aunque tengo el tronco 525
de que labrar las saetas,
no tengo el metal de que
he de herrarlas. Mas, ¡qué necia
cobardía!, siendo hijo
de quien fragua, funde y templa,   530
de Júpiter y de Marte,
armas que entrambos ejerzan
(aquél en rayos que vibra
y éste en puntas que ensangrienta),
y pues de su casa ya   535
arrojé a Anteros, que era

---

536 ss. Anteros, hermano de Cupido, como se ha señalado, es el *amor virtutis* que lleva en la mano tres coronas y otra en las sienes que simbolizan las virtudes. Alciato le hace decir que no mueve a la voluptuosidad, sino que enciende las mentes puras de los hombres, elevándolos. Diego López glosó la honestidad de este amor divino que formenta las buenas artes y la virtud frente a la concupiscencia de Cupido. Fue Ficino quien divulgó las distinciones entre amor profano y divino, dejando su huella en el conocido cuadro de Tiziano, «El amor sacro y profano» (cfr. S. Sebastián, en su estudio de Alciato, *Emblemas,* págs. 143-5). Dice Herrera, comentando a Garcilaso: «Es el amor que responde al amor, dicho de los griegos *Ant-eros...* Es Anteros contrario a Cupido, antes igual y par al Amor». Es «Como si dijésemos Contramor». El amor necesita ser correspondido para que crezca en el pecho del amante (Antonio Gallego Morell, *op. cit.,* págs. 304-8 y 416). Para el

el Amor correspondido
que hasta hoy vivió; desde hoy, sea
Cupido, el ingrato Amor,
el que sólo triunfe y venza.   540
Para que sepan no sólo
estos tres que me desprecian,
pero cuantos no me admiran
por la deidad más suprema,
que soy fiera, piedra y rayo,   545
siendo primera experiencia
de mi poder...

(*Dentro.*) CUATRO

¡Anajarte!

CUPIDO

Anajarte han dicho. Sea
proverbio o no, escuchar quiero.

---

neoplatonismo calderoniano y la proyección cósmica de los problemas del
hombre, Angel Valbuena Briones, «Calderón y los *Diálogos de amor*», *Calderón
de la Barca y la comedia nueva,* págs. 76 y ss.

547 V: *Dentro las Ninfas. Las cuatro Ninfas.*

549 V: *Anajarte, dentro.*

Anajarte o Anaxarete, doncella chipriota de noble familia, según Ovidio,
Metamorfosis, vv. 689-771. El Brocense lo cuenta así: «En suma es que Yphis
andava muy enamorado de Anaxarite, y no pudiéndola enternecer a sus
plegarias, amanescióle un otra ahorcado a la puerta. Y ella como le vio,
quedóse elada. y fue buelta en mármol». Herrera menciona la versión de
Diego Hurtado de Mendoza. Véase Antonio Gallego Morell, *op. cit.,* página 391. Fue Afrodita la que llevó a cabo el castigo, dejándola petrificada en
la misma postura que tenía cuando se asomó a la ventana para ver pasar el
cadáver de su amador suicida. Aparece en la *Canción* V, vv. 66-105 de
Garcilaso, el primero que la trató en la poesía española, haciéndose su
Anajarte modelo de la mujer desdeñosa convertida por Venus en mármol
como castigo a sus desprecios: «Hágate temerosa / el caso de Anaxárete...»
(Garcilaso de la Vega, *Obras completas con comentarios, ed.* de Elías E. Rivers,
Madrid, Castalia, 1974, págs. 66 y ss.). Encarna el complejo de Medusa o
angustia de la petrificación, según Gaston Bachelard, *La Terre et les Rêveries de
la volonté,* París, Corti, 1949 (cfr. Suzanne Guillou-Varga, *op. cit.,* págs. 53,
254, 309-12, 404 y 411) y *vid.* Pilar Pedraza, *op. cit., .* Para su metamorfosis,

(*Dentro.*) ANAJARTE

¡Lisi! ¡Clori! ¡Laura! ¡Isbella!   550
¡Venid a estas selvas todas
donde os aguardo!

LAS CUATRO

¡A la selva!

CUPIDO

Escuadrón de Ninfas es
el que este monte atraviesa,
con tan desiguales armas   555
como instrumentos y flechas,
pues todas, el arco al hombro,
dan a la mano otras cuerdas;
nuevo género de caza
sin duda será el que inventan.   560
Pero a mi rencor, ¿qué importa?,

---

infra. El tema gozó de cierta fortuna en el Barroco. Véase el soneto de Luis
Carrillo y Sotomayor: «A Dafne y Anaxarte», *Poesías completas,* ed. de Angeli-
na Costa, Madrid, Cátedra, 1984, pág. 106. También lo glosaron Jorge Litala
y Castelví, poeta de Cerdeña, y Salcedo Coronel, el comentarista de Góngora
(cfr. José María de Cossío, *op. cit.,* págs. 474 y 565. Y *vid.* págs. 80 y
90-2).

550 Las cuatro Ninfas que acompañan a Anajarte (*infra*) tienen nombres
de clara resonancia poética y pastoril. Para el sustrato de la égloga, Herman
Iventosch, *Los nombres bucólicos en Sannazaro y la pastoral española. Ensayo sobre el
sentido de la bucólica en el Renacimiento,* Madrid, Castalia, 1975, págs. 26, 41 y 98.
Lisi y Clori sobre todo, fueron frecuentes como seudónimo poético en Lope,
Quevedo y otros. También aparecen en el teatro del Siglo de Oro. Laura
contaba con la rica tradición petrarquista. Isabella era nombre extendido de
dama de comedia. Tal vez pudo influir en ello la resonancia, además del
recuerdo de la delicada y bella enamorada de Zerbino, el caballero del
Orlando furioso de Ariosto. Ellas van a glosar el tema órfico de la música que
aplaca a las fieras al intentar captar y capturar a Irífile. Sobre ello, Louise K.
Stein, en la ed. cit. de *La estatua de Prometeo,* pág. 35.

552 V:*Las cuatro, dentro.*
554 V:«ese».
560 V: «será sin duda».

si ya no es que saque della
experiencias para ser
la fiera, el rayo y la piedra.   (*Vase.*)

(*Salen* LISI, CLORI, LAURA *y* ISBELLA *por una parte, con arco y
flechas y varios instrumentos en las manos. Y por otra,* ANAJARTE,
vestida de cazadora, con venablo.)

LAS CUATRO

A todas nos da a besar   565
tu mano, Anajarte bella.

ANAJARTE

Seáis todas bien venidas,
donde mi amor os espera
con los brazos en el centro
de la coartada licencia   570
de mi prisión.

---

564 V: omite *Vase* y acota: *Vuela Cupido, múdase el teatro en el de monte y en el
foro la fragua de Vulcano y salen, por una pare, Lisi, Clori, Laura y Isbella, con arcos y
flechas y varios instrumentos en las manos, y por otra, Anajarte en traje de cazadora con venablo.*

Anajarte y las cuatro ninfas recrean una típica escena cinegética cortesana,
muy frecuente en los saraos y fiestas de los Austrias, como coro de Diana y
ninfas. Para la presencia de esta diosa en hábito de cazadora o acompañada
de sus ninfas, véase el amplio muestreo en la pintura de del Mazo, Mesquida
y otros, en Rosa López Torrijos, *op. cit.,* págs. 424-5. Las cuatro van a recrear
la vertiente aparentemente transgresora de la mujer que hace oficios de
varón y termina en miedos y melindres (*vid.* «valienta», *infra*, v. 724). Herrera
dice de Diana en sus *Comentarios* a Garcilaso: «Píntanla variamente de una
manera como diosa de la caza con el hábito de Ninfa recogido y sucinto, y
con arco y aljaba y dardos y venablos» (A. Gallego Morell, *op. cit.,* pág. 492).
En la loa de Villamediana para *La gloria de Niquea* se vistió de Diana cazadora
la niña María de Guzmán, hija del Conde-Duque de Olivares (E. Cotarelo,
El Conde de Villamediana, pág. 115).

565 V: «A todos.»

570-1 *coartado-a,* «Limitado y restringido» (*Aut.*). «Adj. Aplicábase al es-
clavo o esclava que mediante pacto con el dueño había de rescatarse en
condiciones determinadas» (*Acad.*). Compárese con: «A no tener coartada la
licencia» en el auto calderoniano *Lo que va del hombre a Dios* (*Concord.*). La

ISBELLA

¿A qué fin
que a él te sigamos, ordenas,
con instrumentos y armas?

ANAJARTE

A fin de que en una empresa
os he menester a un tiempo   575
valientes y lisonjeras
porque consta su vitoria
de dulzuras y de ofensas.

CLORI

¿De qué suerte?

ANAJARTE

Desta suerte.

LISI

Prosigue, pues.

ANAJARTE

Oíd, atenta[s]:   580
Ya de Trinacria sabéis
que había nacido heredera
si mi estrella no estorbara
lo que disponía mi estrella.
Pues tan contraria al primero   585

---

prisión de Anajarte ofrece, como hemos señalado, una clara relación con la
torre-prisión en la que vive Segismundo en *La vida es sueño*.
580 Corrijo con V a E y Eo: «atenta».

182

natal se mostró y violenta,
que póstuma de mi padre
nací de mi madre muerta.
De suerte que racional
víbora humana pudieran   590
decir que fui, pues dos vidas
naciendo mi vida cuesta.
En poder de Argante, hermano
de mi padre, quedé en tierna
edad, de su confianza   595
entregada a la tutela.
El, con no sé qué pretextos
de que teniendo, ¡qué pena!,
en Céfiro hijo varón,
yo perdía, por ser hembra,   600
la acción del reino, tomó
posesión dél. Indefensa
yo, él poderoso, ¿quién
le había de hacer resistencia?
Désta tiranía injusta   605
resultó, ¡ay de mí!, que tenga
(en efe[c]to, no hay fiscal
como la propia conciencia)
escrúpulos que en el alma

---

586 *natal,* «Lo mismo que nacimiento» *(Aut.).* «Perteneciente al nacimiento. Día del nacimiento de una persona» *(Acad.).* Anajarte, al nacer,
causó la muerte de su madre. Su padre ya había fallecido con anterioridad. El
tema aparece muy conectado en Calderón con el concepto de culpa. Téngase
en cuenta que ella se considera a sí misma víbora humana.

593 Corrijo con Eo y V a E: «podor».

Argante, tío de Anajarte, el tirano que usurpando a ésta el poder, se lo dio
a su hijo Céfiro y la tiene secuestrada en un palacio que es prisión y sepultura.
Además del tema de la tiranía y de la sucesión real por línea masculina, se
plantea el problema de los hados previos al nacimiento y el de la prisión, en
paralelo con *La vida es sueño.*

597 V: «pretexto».

603 V: «yo y él».

605 Corrijo con V a E y Eo: «Desta, pues, tiranía».

607 Corrijo con V a E y Eo: «efeto».

608 V: «propria».

roan siempre y nunca muerdan.   610
A cuya causa, no dudo
que matarme no resuelva
por no dejar contra sí
siempre viva la sospecha
de que me había dado muerte   615
quedando al mundo con ella
declarada la injusticia
cuyo escándalo le hiciera
siempre estar sobresaltado.
Y así, porque no parezca   620
que me teme, no me mata;
mas porque tampoco pueda
yo reclamar ni tener
con nadie correspondencia,
me prende en estos palacios   625
que, convecinos del Etna,
son prisión y sepoltura
donde, teniéndome presa,
satisfago como viva
y aseguro como muerta.   630
Diréis, ¿qué tiene que ver
de mis pasadas tragedias
el origen, con haceros
venir ahora a estas selvas
con instrumentos y armas?   635
Diréis bien, pero ¿qué pena,
con buena o mala ocasión
no se alivia, si se cuenta?
Y así, aprovechando yo
la que me dio mi tristeza,   640
para mostrar que fue alguna,
daré al discurso la vuelta.
La crianza en estos montes,
la vecindad de sus peñas,
lo familiar de sus riscos,   645

_____

619 Corrijo con Eo y V a E: «sobresaltada».
627 V: «sepultura».

lo intratable de sus quiebras,
sobre la imaginación,
que es causa de mis tristezas,
melancólico y adusto
humor en mi pecho engendran,   650
de suerte que no hay instante
que un delirio no padezca,
un letargo no me aflija
y que un frenesí no sienta.
A cuyas dos causas, dos   655
efectos hacer es fuerza
tan poderosos, que no
los puedo hacer resistencia,
por más que lo solicite.
Es el uno que aborrezca   660
(hecha ya desde mi tío
a todos la consecuencia)
de suerte a los hombres que,
de humana sangre sedienta,
vivo hidrópica; y el otro,   665

649-50 *«melancholia.* Uno de los quatro humores del cuerpo humano, que
la Medicina llama Primarios. Es frío y seco, y le engendra la parte más
grossera del Chylo, y es como borra o heces de la sangre»... «también tristeza
grande y permanente, procedida de humor melanchólico que domina, y
hace que el que la padece no halle gusto ni diversión en cosa alguna» (*Aut.*).
Sobre ella, mi art. cit., «La enfermedad de amor en el *Desengaño...*». *Vid. infra,*
v. 2278.

652-5 Nótese el paralelismo con *La vida es sueño:* «de suerte que no hay
instante / que un delirio no padezca, / un letargo no me aflija / y que un
frenesí no sienta» (vv. 2182-7).

655-7 Una vez más, aparece la dialéctica causa-efecto, tan propia de
Calderón. Véase el art. de E. W. Hesse, «La dialéctica y el casuismo en
Calderón», en M. Durán y R. González Echevarría, *op. cit.,* II, págs. 563-581.
En ésta como en otras comedias, hay un sin fin de argumentos interpolados,
particularmente en los parlamentos largos y en los paréntesis digresivos. No
en vano el soliloquio es el terreno propicio para la expresión de la batalla que
libra el personaje en su interior. Compárese con *La estatua de Prometeo* de
Calderón, ed. cit., págs. 346-7.

665 *hidrópica,* de hidropesía, «enfermedad de humor aquoso, que hincha
todo el cuerpo», «el hydrópico, por mucho que beva, nunca apaga su sed»
(*Cov.*). Muy frecuente en Calderón. Anajarte no se sacia nunca con la sangre
de las piezas que cobra en la caza.

que ya que vengar no pueda
mi cólera en sangre humana,
la vengue en brutos y fieras
bandolera de sus grutas,
pirata de sus cavernas.   670
Pues siendo así que no hay cosa
que me alivie y me divierta,
como la caza y la sangre,
¿qué hará el presumir que pueda
ser hoy caza y sangre humana   675
la que mi venablo vierta?
Los rústicos moradores
desas míseras aldeas
dicen, no sin grande asombro,
que andan dos humanas fieras   680
en estos montes; y añaden,
porque ya alguna experiencia
lo ha enseñado repetida,
que en oyendo la una dellas
música, el encanto suyo   685
la atray con tan grande fuerza,
que la han visto alguna vez
llegar del poblado cerca.
De suerte que, imaginando

669-70 Para la mujer bandolera o pirata, variantes de la mujer varonil en
el teatro del Siglo de Oro, véase Melveena Mc Endrick, «The *bandolera* of
Golden Age Drama: A Symbol of feminist revolt», BHS, XLVI (1969), págs.
1-20, quien recoge un rico ejemplo calderoniano, el de Julia en *La devoción de
la Cruz (circa* 1633), estudiado previamente por A. A. Parker, «Bandits and
Saints in the Spanish Drama of Golden Age» (1949), reimpreso en Pedro
Calderón de la Barca, *Comedias,* ed. facsímil cit., vol. XIX, páginas 151-168. Anajarte se ha convertido en vengadora de sí misma, pero al
revés que en *La serrana de la Vera* de Lope de Vega, no ha tomado venganza en
los hombres, sino en las fieras, hasta el momento mismo en que decide
perseguir a Irífile.

678 V: «destas».

686 V: «atrae». El tipo de diptongación de *atray* era muy frecuente en el
Siglo de Oro y aparece en *La cena del rey Baltasar,* en *El príncipe constante* y en *El
médico de su honra* de Calderón. Véase la ed. de la última D. W. Cruickshank,
Madrid, Castalia, 1981, v. 477. Más adelante *La fiera* repite esta diptongación
en vv. 1546,1578 y 3027.

con la música atraerla   690
y con las flechas herirla,
no vienen a estar opuestas
hoy dos tan opuestas cosas,
como instrumentos y flechas.
Y así, de uno y otro armadas   695
las cuatro, en cuatro diversas
avenidas deste bosque
os repartid, que yo, a espera,
detrás de aquel verde tronco
estaré para que vea   700
el sol una montería
hoy tan extraña y tan nueva
como cazar con reclamo
este monstruo, de quien tiemblan
los convecinos lugares   705
de toda esta inculta esfera
más que de la vecindad
del Mongibelo y el Etna.

LISI

A obedecerte venimos,
y así sólo la respuesta   710
será el elegir los puestos.

---

708 V: «del Etna».
El Mongibelo y el Etna eran volcanes de Sicilia bajo los cuales se suponía
estaban encarcelados los Cíclopes rebeldes a los que se ha aludido ya. Al
Mongibelo lo nombran Quevedo, Góngora y otros muchos poetas, Góngora
lo compara con el Sacromonte en el soneto «Este monte de cruces coronado». Gabriel Bocángel, que también se ocupó de las durezas de Anajarte, lo
menciona, en *La lira de las musas,* ed. de Trevor Dadson, Madrid, Cátedra,
1985, pág. 361. Y *vid.* págs. 343 y 359 sobre las Parcas. Calderón sabe salir del
tópico y reirse de él con un guiño, como en *Amar después de la muerte,* III, 3:
«¿Qué Etnas, qué Mongibelos, / qué Vesubios, qué volcanes / en su vientre
concibieron / los montes, que así los paren? / ¿Qué monjiles, qué besugos, /
qué leznas ni qué alacranes?» (Cfr. Claire Pailler, «El gracioso y los "guiños"
de Calderón», pág. 47, nota 15).

ISBELLA

No será, con tu licencia,
que en pensar que vendrá ya
el monstruo que buscas, muerta
estoy de temor.

ANAJARTE

        ¿Pues no   715
tendrás tú valor, Isbella,
para, en viéndole, trocar
el instrumento a la flecha?

ISBELLA

No, señora, porque yo
la habré descubierto apenas   720
cuando eche a correr.

CLORI

           ¿Tal dices?

LAURA

Pues yo desearé que venga
para matarle.

LISI

        Yo y todo.

ISBELLA

¡Cuidado con las valientas!

---

714 E: *Anajatte*. Eo y V abrevian: *Anaj*.

Id, pues, tomando lugares. 725

CLORI

Dices bien. Y así, yo en esta
parte al instrumento aplico
la mano.

LISI

Yo, en consecuencia,
tuya, a esta parte me pongo.

LAURA

Yo, oculta en esta maleza 730
también estaré.

ISBELLA

Yo aquí,
que está del lugar más cerca.

ANAJARTE

Pues yo, detrás de aquel tronco
estaré, a las cuatro atenta,
blandiendo deste venablo 735
la cuchilla, de manera

---

727 *aplicarse al instrumento,* tocarlo. *Aplicar,* «Allegar, acercar, o poner una
cosa junto a otra» *(Aut.). Aplicarse* «Metaphóricamente se toma por utilizarse
y saberse valer y aprovechar de su industria, habilidad y maña» *(Ib.).* También dedicarse a un estudio o ejercicio *(Acad.).* Es término empleado ya por
Garcilaso y comentado por Herrera (A. Gallego Morell, *op. cit.,* pág. 552). En
el auto *El Santo Rey Don Fernando. Segunda parte* de Calderón, dice éste: «Si ya al
instrumento aplico» *(Concord.).*

que venga a ser triunfo mío
por cualquier parte que venga.

(Pónense las cuatro a las cuatro puntas del tablado. Retírase ANAJARTE
y mientras cantan, sale IRÍFILE.)

CLORI

¿Cual es la dicha mayor
de las fortunas de amor?   740

LISI

Yo, Clori, no lo diré
que poco de dichas sé.
Laura lo dirá mejor.

LAURA

Es error,
que en amor no hay dicha segura.   745

ISBELLA

Es locura,
que no hay dichas en amor.

LAS CUATRO

¿Cuál es la dicha mayor
de las fortunas de amor?

---

738 V: *...sale Irífile como acechando. Canta Clori.*
740 V: *Canta Lisi..*
743 V: *Canta Laura.*
745 V: *Canta Isbella.*
747 V: «dicha sin amor».
749 Completo este verso, omitido en E, Eo y V, tras un «etc.», con el 740.

¿Qué dulces voces han sido   750
las que con tal suspensión
me llevan el corazón
adonde quiere el oído?
Escondida en el tejido
seno desta selva humbría   755
del furor que me seguía
me aseguró mi temor
y pudiendo del furor,
no puede de la armonía.
    ¿Quién creerá que es para mí   760
tan poderoso veneno
este canto de que lleno
hoy está el aire, que así
como sus ecos oí,
me vine acercando a ver   765
quién le causa, por saber?

CLORI

¿Cuál es la dicha mayor
de las fortunas de amor?

IRÍFILE

Ni fue eso ni pudo ser,
    que no es saber mi trofeo   770
ni hacer experiencia alguna
de dicha, amor ni fortuna;

---

750 y ss. Teoría neoplatónica de la música recreada en el encantamiento que la armonía produce en Irífile, como veneno que atrae y eleva, arrebatando afectos. Sobre ello, véase el extenso y detallado capítulo de Louise K. Stein en la ed. cit., de *La estatua de Prometeo,* págs. 13 y ss. e Introducción.

766 V: *Canta Clori.* Acota luego en v. 776: *Canta Lisi.*

766 Corrijo con V: «saber» a E y Eo: «a ver».

porque sólo es mi deseo
deste armonïoso empleo,
a pesar de mi temor,   775
[s]aber quién es el autor.

LISI

Yo, Clori, no lo diré,
que a poco de dichas sé.
Laura lo dirá mejor.

IRÍFILE

Laura, esta voz me asegura   780
que me lo dirá mejor.
¿Quién será, Laura?

LAURA

Es error
que en amor no hay dicha segura.

IRÍFILE

¡Con qué apacible dulzura
cada voz hace mayor   785
la duda! Crezca el favor,
porque crezca la ventura
de escucharlas.

ISBELLA

Es locura
buscar dichas en amor.

---

782 V: *Canta Laura.*
788 V: *Canta Isbella.*
789 V: «dicha sin amor».

¿Cómo? Si de cada acento   790
tras sí arrastrada me llevan
las armonías, me elevan
y me dan más movimiento
cuando a decir vuelve el viento...

LAS CUATRO

¿Cual es la dicha mayor   795
de las fortunas de amor?

IRÍFILE

Si cada una de por sí
mis afectos arrebata,
siendo al norte de una vida
imán cualquiera del alma,   800
¿qué harán todas juntas? Pero
en lo espeso de estas jaras
oculta será mejor
que las oiga.

ANAJARTE

Entre las ramas
siento hacia esta parte ruido.   805

IRÍFILE

¡Qué miro!

ANAJARTE

¡El cielo me valga!

---

794 V: *Cantan las cuatro.*

796 Completo este verso, omitido en E, Eo y V, tras un «etc.», con el 740
y el 749.

802 V: «destas».

IRÍFILE

Gente hay aquí.

ANAJARTE

¡El monstruo veo!

IRÍFILE

¡Muerta estoy!

ANAJARTE

¡Estoy turbada!,
que aunque mi valor me anima,
su semblante me acobarda.   810

IRÍFILE

Con dulce traición me han muerto.
A todas partes sitiada,
no me ha de valer la fuga.

ANAJARTE

Pues el ánimo me falta...
¡Laura! ¡Clori! ¡Isbella! ¡Lisi!   815

DOS

¿Qué nos quieres?

---

813 Juego anfibológico entre la huida y la fuga musical (*infra*, versos
829-36).
816 V acota: *Laura y Clori*. Y luego: *Isbella y Lisi*, en lugar de : *Dos* y
Dos.

DOS

¿Qué nos mandas?

ANAJARTE

¡Llegad!, y los instrumentos
trocad todas a las armas.
¡Llegad!, que aquí está la fiera.

CLORI

¡Qué pena!

LISI

¡Qué asombro!

LAURA

¡Qué ansia!   820

ISBELLA

¿Adónde están, reinas mías,
todas aquellas bravatas?

IRÍFILE

¡Ay de mí! ¿Dónde podré
asegurar yo la espalda?

LISI

¡Huye, Isbella!

CLORI

¡Lisi, huye!   825

LAURA

¡Corre, Lisi! *(Vanse.)*

ISBELLA

                    ¡Corre, Laura!

IRÍFILE

Crezca mi valor su miedo.

ANAJARTE

¿Ansí os vais?

ISBELLA

                    ¿De qué te espantas?
Que a los músicos no toca
venir, pues es cosa clara   830
que su oficio es hacer fugas,
y el valerse de las plantas

___

825 V acota *Vase,* tras los parlamentos de Lisi, Clori y Laura, omitiéndolo
en el de Isbella; lo cual es lógico, ya que ésta permanece en el escenario. E y
Eo dicen: *Vanse* tras el «¡Corre Laura!», dicho por Isbella. Por ello, respetamos a E y Eo, pero colocando el *Vanse* tras la salida de Laura. La de Isbella
quedaría como interrumpida brevemente, manteniendo la disposición cua-
trimembre, para salir definitivamente tras el v. 836. V, en verso 826: «¡Corre, Clori!»

828 V: «así».

829-36 Continúa el juego de palabras, chiste con las fugas y los «pasos de
garganta», «inflexión de la voz o trinado en el cantar» *(Aut.).* «Gorjeo en el
canto. Consiste en una contracción de los músculos, a fin de dar a las cuerdas
vocales mayor excitabilidad» *(Acad.).* Véase Introducción, pág.   .

830 V: «reñir», con lo que se pierde el chiste.

cumplir con su obligación;
pues son, usando su gracia,
las gargantas de los pies   835
también pasos de garganta.   [*Vase.*]

ANAJARTE

No importa, que yo conmigo
quedo, y una vez cobrada
del primer susto de verla,
sólo mi valor me basta.   840

IRÍFILE

Pues ya que contigo sola
el recato fuera infamia,
de la acerada cuchilla
emplea blandida el asta,
de suerte que no me yerres,   845
porque si el golpe te falla,
de mi nudoso bastón
habrás de probar la saña,
de suerte que, al primer golpe,
no sólo rendida caigas,   850
pero de la tierra el centro
tan gran sepulcro te abra
que muerta aquí, las exequias
los Antípodas te hagan
de esotra parte del mundo.   855

---

836 Acotación de V que creo necesario añadir. *Vid supra,* v. 826.
846 Corrijo con el manuscrito valenciano de 1690 lo que parece un error
de E, Eo y V: «falta».
854 *Antípodas.* Frecuentemente aludidas en la obra de Calderón. En los
autos, metafóricamente por «opuesto» (*Vid. Concord.*). Sobre los conocimientos de cosmografía que tenía Calderón, véase mi art. cit., «El mundo en los
autos sacramentales de Calderón», Las Antípodas, ya en la literatura medieval aparecen como el *alter orbis,* el lugar simétrico y opuesto que entonces
se creía inaccesible. Sus habitantes, con los pies opuestos a los de los hombres
de la Europa Medieval, según los pinta Mandeville, ofrecían la teoría de las

ANAJARTE

No me admira tu arrogancia
que cuando el arpón te yerre
a mí, que me quede basta
el brazo que le despida
para que, en segunda instancia,   860
en tan menudos pedazos
mi cólera te deshaga
que, esparcidos por el viento,
suban a esfera tan alta,
que en encendidas pavesas   865
o caigan tarde o no caigan.

IRÍFILE

Tira, pues, y no me yerres.

(Al envestirse las dos, sale IFIS, *por un lado, y abrázase con* ANAJARTE;
y CÉFIRO, *por otra, y abrázase con* IRÍFILE.)

IFIS

Deidad, tente.

CÉFIRO

Monstruo, aguarda.

IFIS

Porque en tan desigual lid...

---

correspondencias y los reflejos, en un mundo al revés o negativo fotográfico,
lleno de enigmas y misterios, como señala Claude Kappler, *op. cit.,* págs. 39-
41.
    865 V: «en pavesas encendidas».
    867 V: *Al acometerse, sale Ifis.*
    869 V: Porque en lid tan desigual.

CÉFIRO

Porque en tan nueva batalla...   870

IFIS

   ... no es bien sea una mujer
rival de empresa tan alta.

CÉFIRO

   ... no es bien que mates ni mueras
sin que, si mueres o matas,
sepamos quién fue el prodigio   875
destos montes.

IFIS

¡Suelta!

ANAJARTE

Aparta!

IRÍFILE

Que ya terciado el bastón...

ANAJARTE

Porque ya blandida el asta...

IFIS

... esa hermosura...

ANAJARTE

... ese asombro...

LAS DOS

... triunfo ha de ser de mis plantas.   880

IFIS

¿Qué soberana belleza...

CÉFIRO

¿Qué hermosura soberana...

IFIS

... es la que este monte pisa?

CÉFIRO

... es la que este traje guarda?

ANAJARTE

¡Suelta!, digo.

IRÍFILE

¡Aparta!, digo.   885

IFIS

Si tu peligro estorbaba
por una causa, ya son
dos.

---

880 V: «mi planta».

CÉFIRO

Si antes embarazaba
por una causa tu riesgo,
dos son ya.

LAS DOS

¿Dos?

LOS DOS

Sí.

LAS DOS

¿Qué causas? 890

IFIS

Tu hermosura y tu peligro.

CÉFIRO

Tu riesgo.

IRÍFILE

¿Y qué más?

CÉFIRO

Tu gracia.

ANAJARTE

¿Ahora lisonjas?

IRÍFILE

¿Ahora
rendimientos?

ANAJARTE

¡Suelta!

IRÍFILE

¡Aparta!

ANAJARTE

Que ha de ver aquese asombro   895
que soy rayo que desata
Júpiter contra su pecho
desde la esfera más alta.

IRÍFILE

Que ha de ver esa altivez,
a pesar de su arrogancia,   900
que, desta montaña aborto,
soy fiera desta montaña.

IFIS

Que eres rayo, ya lo veo,
pues tan poderosa abrasas
que, sin ofender el cuerpo,   905
has hecho ceniza el alma.

---

895 ss. Diseminación de los poderes de Cupido. Anajarte se hace rayo;
Irífile, fiera. Mas adelante, aparecerá la piedra-Estatua.
903 y 7 E y Eo: «Que eres rayo, yo lo veo... / Que eras fiera ya lo lloro».
V: «que eres rayo ya lo siento / Que eres fiera ya lo lloro». Parece lógica la
enmienda que propongo por cuestiones de simetría y tiempo verbal. Con
ello se evita además la repetición «rayo, / yo» de E y Eo.

CÉFIRO

Que eres fiera, ya lo lloro,
pero de tan dulce saña
que a quien matas te agradece
el favor con que le matas.   910

ANAJARTE

Más que con tu acción me obligas,
me ofendes con tus palabras.

IRÍFILE

Aún más que me lisonjeas
con detenerme, me agravias.

IFIS

Pues para que veas mejor   915
cuán de tu parte me hallas...

CÉFIRO

Pues para que mejor veas
cuán de extremo a extremo pasas...

IFIS

... desempeñaré tu riesgo
tomando yo tu venganza.   920

CÉFIRO

... has de ver que tu peligro
soy yo quien te le restaura.

Pues si haces por mí fineza
tal, que esa fiera avasallas,
porque estoy en el empeño   925
de rendirla y de postrarla,
aunque no he de agradecer
yo jamás amantes ansias,
te agradeceré el valor.

IRÍFILE

Pues si haces que yo me vaya   930
sin que me siga ninguno,
agradeceré a tu fama
de la fineza el socorro.

CÉFIRO

Yo te doy deso palabra.

IFIS

Yo te la ofrezco.

CÉFIRO

              Divina   935
hermosura...

IFIS

              Fiera humana...

---

933 V: «la fineza del socorro».
934 V: «De eso yo te doy palabra.»

CÉFIRO

No el venablo...

IFIS

No el bastón...

LOS DOS

... esgrimas.

ANAJARTE

¡Qué pena!

IRÍFILE

¡Qué ansia!

IFIS

¡Qué veo!

CÉFIRO

¡Qué miro!

IFIS

¡Oh cuánto
estimo que ocasión haya   940
en que ya nuestro homenaje
de algo a mi fortuna valga.

CÉFIRO

No menos yo lo agradezco
que empeñada tu palabra

en ampararme, es preciso   945
por mí una fineza hagas.

IFIS

Si haré, ¿qué quieres?

CÉFIRO

                    Que aqueste
asombro que ya me causa
más admiración que espanto,
me ayudes que libre salga   950
de sus riesgos, porque estoy
en empeño de librarla,
y dime tú lo que yo
por ti puedo hacer.

IFIS

                    Ya nada,
porque en ese mismo empeño   955
a mí me ha puesto esta dama
y he de ayudar a rendirla.

CÉFIRO

Yo he de acudir a ampararla,
y así mira en qué te empleas.

IFIS

Mucho me admira que haya   960
quién...

CÉFIRO

        Di.

IFIS

...se ponga de parte
de la noche, contra el alba.

CÉFIRO

¿Quién lo es más que quien hermosa
se emboza entre nubes pardas?

IFIS

Yo mi palabra empeñé.   965

CÉFIRO

Yo también di mi palabra.

IFIS

Yo la di al sol.

CÉFIRO

            Yo, a la aurora.

IFIS

Yo, al día.

CÉFIRO

            Yo, a la mañana.
Y mira, extranjero, cómo
ha de ser que he de librarla.   970

---

959 V: «empeñas», con lo que no se repite el sustantivo de v. 955.

IFIS

Mira tú cómo ha de ser,
Céfiro, porque yo...

ANAJARTE

                    Aguarda,
¿tú eres Céfiro?

CÉFIRO

        Yo soy.

ANAJARTE

Ya no me admira ni espanta
que de parte de una fiera   975
contra mí esté tu arrogancia,
pues no es la primera vez
que fieras contra mí amparas.

CÉFIRO

¿Cómo, si no te conozco,
de mi proceder te agravias?   980

ANAJARTE

Como es el no conocerme
otro abono de tu infamia.

CÉFIRO

¿Pues qué fiera contra ti
yo amparé?

ANAJARTE

Una tan ingrata
como lo es la tiranía   985
con que tu padre me trata.

CÉFIRO

Pues, ¿quién eres?

ANAJARTE

Anajarte
soy, y pues ya se declaran
mis sentimientos, no quiero
que otro tome mi venganza,   990
sino yo, y así...

CÉFIRO

Detente,
porque si vengarte trazas,
ya lo estás en quien rendido
sabrá ponerse a tus plantas.

ANAJARTE

Eso es querer, que el sagrado   995
de mi hidalguía te valga,
pues no ha de ser que...

IRÍFILE

También
eso es querer que yo salga
al reparo de su vida.

_____

993 V: «de quien».

CÉFIRO

Muy presto el favor me pagas.   1000

IFIS

También saldré yo en defensa
de quien tú ofendes.

CÉFIRO

                                    Repara
que estoy en la suya yo.

(*Dentro.*) ANTEO

¿Dónde, Irífile, te guardas?

1003 V: *Anteo, dentro.*

Anteo fue nombre de dos personajes (Grimal). Uno, el joven de Halicarnaso, de estirpe real, que estuvo de rehén en la corte de Fobio, tirano de Mileto. Cleobea, la mujer de Fobio, se enamoró de Anteo y al no ser correspondida, se vengó aplastándolo con una piedra en el fondo de un pozo. El segundo, del que parte Calderón, fue un gigante, hijo de Poridón y Gea. Habitaba en Libia, no lejos de Útica, según Lucano; o en Marruecos, según otros. Obligaba a todos los viajeros a luchar con él y cuando los mataba, adornaba con sus despojos el templo de su padre. Era invulnerable mientras tocaba a la tierra (su madre) pero fue derrotado por Heraclés. Calderón lo sacó en varias comedias, tratando muy libremente las fuentes mitológicas. Aparece en *Ni amor se libra de amor,* obra que igualmente tiene a Cupido como protagonista. También aparece Anteo pastor entre los *dramatis personae* de *El laurel de Apolo.* En *Fieras afemina amor,* v. 1239, Calderón retoma a Anteo como gigante y lo convierte libremente en rival de amor. Sánchez de Viana, Pérez de Moya y el Padre Vitoria lo emplazan en Libia (Cfr. la ed. crítica de E. M. Wilson de Pedro Calderón de la Barca, *Fieras afemina amor,* págs. 233-4). Sobre él discurre G. Bocaccio en su *Genealogía de los dioses paganos,* ed. cit., pág. 91, destacando su fiereza y fortaleza semejantes a las de Hércules, y añade: «Fulgencio demuestra que hay un significado moral bajo la ficción diciendo que Anteo nacido de la tierra es el placer que nace tan sólo de la carne... pero es superado por el hombre virtuoso que ha rechazado el contacto carnal» (*Ibíd.,* pág. 92).

IRÍFILE

Aunque al favor que te debo   1005
siempre he de rendir las gracias,
ya me sobra tu favor
con esta voz que me llama.
¡Ven, Anteo, a socorrerme!

(*Sale* ANTEO, *vestido de pieles, con barba negra.*)

ANTEO

Pues, ¿quién tu hermosura agravia,   1010
viviendo yo, que no sea
vil trofeo de tus plantas?

CÉFIRO

Aunque yo te defendía,
deidad, cuando sola estabas,
ya es fuerza ser contra ti   1015
cuando otro monstruo te guarda,
y monstruo tal, que a pesar
de traje, cabello y barba,
de mi mayor enemigo
me acuerda la semejanza.   1020

ANTEO

Céfiro es éste. ¡Ay de mí,
si a disfrazarme no bastan
la edad y el traje!

CÉFIRO

                    ¡Traidor!,
¿aún vives?

1009 V: «barba larga».

ANTEO

No me acobarda
tu voz y tu acción, aunque   1025
no alcance por qué me llamas
traidor, ni mi muerte intentes.

CÉFIRO

Baste que mi honor lo alcanza.

IFIS

Y yo, Céfiro, a tu lado
estoy, ya que el duelo pasa   1030
a otro monstruo; que una cosa
fue el empeño de una dama
y otra, el riesgo de tu vida.

ANAJARTE

Yo es bien paréntesis haga
a mis rencores también   1035
y contra los dos te valga.

CÉFIRO

Pues ya que la novedad
de aventura tan extraña
os pone a mi lado, sea
advirtiendo que de entrambas   1040
vidas me guardéis la una.

ANTEO

Ponte, Irífile, a mi espalda.

IRÍFILE

A tu lado estoy mejor.

ANTEO

Pues contra los dos, ¿quién basta?

(Dentro.) LAS CUATRO MUJERES

¡Acudid, acudid todos   1045
a la desigual batalla
de hombres, deidades y monstruos!

(Salen los que pudieren, PASQUÍN *y* BRUNEL.*)*

TODOS

¡Mueran las fieras tiranas,
escándalo destos montes!

LOS DOS

¡Mueran!, que en bulla no espantan.   1050

ISBELLA

¡Qué propio es de los gallinas
animarlos la ventaja!

UNOS

¡Mueran estos monstruos!

1044 V: *Dentro las cuatro damas. Las cuatro.*

1047 El trimembre sintetiza bien los tres niveles de los *dramatis personae*
que integran *La fiera, el rayo y la piedra.*

1051 V: «proprio».

gallina, «Por analogía se llama al que es cobarde, pusilánime y tímido»
(Aut.).

213

TODOS

¡Mueran!

ANTEO

Gran gente, Irífile, carga
sobre los dos.

IRÍFILE

      Pues el monte   1055
en su aspereza nos valga.   *(Vanse.)*

ANAJARTE

Yo he de seguirlos, aunque
el viento les dé sus alas.   *(Vase.)*

(Salen LEBRÓN *y* PIGMALEÓN.*)*

LOS DOS

Y yo a ti.

PIGMALEÓN

      ¿Qué ha sido esto?
Que del sitio en que aguardaba   1060
a las voces he venido.

IFIS

No me detengas, que nada
podré decirte.

1055-9 Eo invierte el orden *Vase-Vanse*. V: *Vase,* tras cada uno de los
parlamentos de Anteo, Irífile y Anajarte y a continuación de *Ifis y Céfiro* (en
lugar de *los dos*) «y yo e ti», acota: *Salen Pigmaleón y Lebrón.*
1060 Corrijo con V. «aguarda», en E y Eo.

CÉFIRO

Ni yo.

IFIS

Sino que temo... (¡Qué ansia!)

CÉFIRO

Sino que dudo... (¡Qué pena!)   1065

IFIS

Que ha sido verdad... (¡Qué rabia!)

CÉFIRO

Que ha sido cierto... (¡Qué asombro!)

LOS DOS

... el anuncio de las Parcas.

PIGMALEÓN

¿Cómo?

LOS DOS

Como contra mí
quiere los cielos que nazca...   1070

IFIS

... el rayo destas esferas.

_____

1071-2 *Vase*, tras «esferas» y «montañas».

CÉFIRO

... la fiera destas montañas.   (*Vanse.*)

(*Dentro.*)

¡Al monte! ¡A la selva! ¡Al llano!
¡Ataja por aquí! ¡Ataja!

PIGMALEÓN

¿Qué será lo que a los dos   1075
sucedió?

LEBRÓN

Pues yo, ¿sé nada?

PIGMALEÓN

¡Qué fiera ni rayo! Puesto
que si verdad pronunciaran
también viera yo la piedra,
y es el temerlo ignorancia.   1080

LEBRÓN

No es tarde; que si ellas son
señoras de su palabra,
ella vendrá.

(*Los martillos.*)

1077 E y V. En Eo: «puedo».
1083-5 V: Pospone la acotación de 1083 al final del parlamento de
Pigmaleón, v. 1085, cambiándola: *Suenan dentro los martillos de las fraguas.*

PIGMALEÓN

¡Calla!, necio,
porque ¿cómo?... Pero aguarda,
¿qué ruido es éste?

LEBRÓN

Pues yo   1085
¿qué sé?, si ya no le causa
que pida algo allí algún pobre
fiado...

PIGMALEÓN

¿De qué lo sacas?

LEBRÓN

... de que este ruido es, si el
sonecillo no me engaña,   1090
machacar en hierro frío.

PIGMALEÓN

La vecindad de la fragua
de Vulcano hará estos ecos,
a cuyo compás descansan
sus Cíclopes, pues al son   1095
del duro ejercicio cantan.

1087 V: «algo algún».

1091 *Machacar el hierro frío:* «Machacar o majar en hierro frío. Phrase con
que se da a entender, que es inútil la corrección y doctrina, quando el natural
es duro y mal dispuesto a recibirla» *(Aut.)*.

1094 Corrijo con V (coincidente con el ms. valenciano) a E y Eo: «des-
cansa».

1096 V: *Cantan los Cíclopes dentro.*

(Dentro.)

¡Teman, teman los mortales!
Que se labran,
en el taller de los rayos
de Amor las armas.   1100

PIGMALEÓN

De Amor las armas allí
dice esta voz que se labran.

LEBRÓN

Digo, y los Cíclopes, ¿son
músicos?

PIGMALEÓN

Que vuelven, ¡Calla!

(Dentro.)

Que se labran,   1105
en el taller de las fieras,
de Amor las armas.

LEBRÓN

Rayos y fieras han dicho.

PIGMALEÓN

Lo que prosiguen, repara.

(Dentro.)

1104 V: *Cantan dentro.*
1109 V: A continuación se acota: *Cantan dentro.*

Que se labran,   1110
en el taller de las piedras,
de Amor las armas.

LEBRÓN

¿Oyes? También piedras dicen.

PIGMALEÓN

Poco uno ni otro me espanta
por más que digan.

(Dentro.)

                              ¡Al monte!   1115
¡Ataja por aquí! ¡Ataja!

(Dentro.)

Que se labran...

LEBRÓN

Aqueste es otro cantar,
que allí dos fieras se alargan.

PIGMALEÓN

Algo fue desto, sin duda,   1120
lo que dijeron las ansias
de los dos; de no entenderlos
por entonces mi ignorancia
me pesa, por no seguirlos,
mas yo salvaré mi fama,   1125

1116 V: *Cantan dentro.* «Que se labran, etc.». Valbuena Briones amplía el
estribillo: «... en el taller de las fieras / de Amor las armas».

saliéndola al paso ahora
por esta senda...   (*Vase.*)

LEBRÓN

Que haya
andantes que anden por selvas
escantadas, malo es, vaya,
pero peor por selvas es   1130
encantadas y cantadas.

1127-31 Alusión cómica a la caballería andante y a los encantamientos
que conllevaba en la tradición épica. Juega Calderón con el sentido que
encantos y *canto* tiene, desmitificándolos. Cervantes influyó poderosamente en
los primeros años de Calderón dramaturgo. Su obra *Los disparates de don
Quijote* se perdió, pero quedan numerosas referencias y marcas cervantinas en
las comedias relativas al tema del honor, la amistad, la épica caballeresca y el
conflicto realidad-ficción. Sobre la desmitificación de la epopeya y estos
asuntos, véase E. M. Wilson y D. Moir, *Siglo de Oro: teatro*, en *Historia de la
Literatura Española*, 3, por R. O. Jones, Barcelona, 1974, págs. 167-8. Robert
Ter Host, «A New Literary History of Don Pedro Calderón», *Approaches to the
Theatre of Calderón*, ed. por Mc. Gaha, págs. 33-52, señala la presencia de
comedias *novelescas* de tema carolingio y de una clara huella cervantina en *No
hay cosa como callar, El astrólogo fingido*, etc., en mayor grado que la de Lope o
Tirso, particularmente en las técnicas referidas a la configuración de perso-
najes, sobre todo hasta 1637. Después Calderón discurre por cuenta propia.
Sobre ello han insistido también Ciriaco Morrón Arroyo, *Calderón. Pensamiento y teatro*, Santander, Sociedad Menéndez Pelayo, 1982, pág. 22 y nota 18. Y
anteriormente Alberto Sánchez, «Reminiscencias cervantinas en el teatro de
Calderón», *Anales cervantinos*, 6 (1957), págs. 262-70. Otras referencias a
Cervantes en Calderón, en E. M. Wilson y Jack Sage, *Poesías líricas en las obras
de Calderón*, págs. IX y XI. También se ve la huella épica desde la óptica
desmiticadora del Quijote en *El mayor encanto, Amor* y en *El médico de su honra*,
por poner dos ejemplos. El juego desmitificador e irónico de la caballería
andante aparece ya en la primera comedia de Calderón *Amor, honor y poder*
(1623): «¡Por San Pito, que parecen / aventuras que en los montes / a los
andantes suceden!» (Jornada III). Véase Claire Pailler, «El gracioso y los
guiños de Calderón...», págs. 33-4. La magia y los encantamientos de la épica
ariostesca habían invadido la comedia bien tempranamente y Calderón
muestra abundantes ejemplos como *El jardín de Falerina* (1637), escrita para el
Palacio Real, en colaboración con Rojas y Coello, que es muestra de «le jeu
pur de la magie et une fête pour le sens», según M. Chevalier, *L'Arioste en
Espagne (1530-1650)*, págs. 434. El tono burlesco de esta obra vuelve a
emplearlo en otra fiesta cortesana de igual título en 1648. En ella se da
además otra analogía con *La fiera*: la transformación en estatua (*ibid.*, pág.

Cupido en la Fragua de los Cíclopes.
Dibujo para la representación de 1690

Dígolo porque a dos coros
allí dice el uno...

(Dentro.)

¡Ataja¡

LEBRÓN

Y el otro allí le responde...

(Dentro.)

Que se labran,   1135
en el taller de los rayos,
de Amor las armas.

LEBRÓN

¡Mal haya el alma y la vida
que, atajadas y labradas
nos tiene, de tales amos,   1140
hoy las vidas y las almas!

(*Salen* VENUS *y* CUPIDO.)

VENUS

¿A qué fin, Cupido, ya

---

435). Sobre el declive de la épica caballeresca, véase Sydney Anglo, «Le
declin du spectacle chevaleresque», *Arts du spectacle et histoire des idées. Recueil
offert en hommage à Jean Jacquot,* Tours, CESR, 1984, págs.   .

1134 V: *Cantan dentro:* «Que se labran, etc.». Valbuena Briones amplía el
estribillo: «en el taller de las piedras / de amor las armas».

1138-41 Nótese el juego de palabras: *armas / almas.*

1142 Venus, divinidad latina que fue asimilada por los romanos a la
Afrodita griega, diosa del amor. Su carro era arrastrado por palomas y sus
plantas eran la rosa y el mirto. «Por Venus quisieron los antiguos significar,
según San Fulgencio, la vida voluntaria de deleites... y desta Venus sale

quieres que te labren armas
tan venenosas que juntes
las dos pasiones contrarias   1145
del olvido y del amor

Cupido, que es el deseo de experimentar o de poner en ejecución el tal
ayuntamiento carnal, y por esto tantos Cupidos se han de fingir cuantas
fuesen las Venus; y así los que ponen dos Venus entienden dos Cupidos, que
son el divino y humano, o el deleite sensual lícito e ilícito» (Juan Pérez de
Moya, *Filosofía secreta*, II, págs. 35 y ss.). Interesa destacar que este mitógrafo
señala la incitación al amor de la música, empleo que en *La fiera* es constante
en las apariciones de Venus. Sobre su amplia presencia en la pintura española, véase como imagen del deseo y del desamor en los cuarenta y seis cuadros
catalogados por Rosa López Torrijos, *op. cit.*, págs. 418-20. Sobre Venus,
Cupido y las flechas de éste en la obra de Calderón, véase además John V.
Bryans, *Calderón de la Barca, Imagery, Rhetoric and Drama*, Londres, Támesis
Books, 1977, págs. 132-4 y 151. *Vid. infra*, v. 3459.

1143-8 G. Bocaccio, en su cit. *Genealogía*, págs. 333-6 y 524-6, explica el
arco y flechas de Cupido como símbolo de la cautividad, y el sentido de los
metales que las conforman. El oro es signo del amor virtuoso; y el plomo, del
odio. Ovidio es la fuente, como recuerda Pérez de Moya en su *Filosofía secreta*,
I, pág. 277-9, bien por extenso. El cuadro de Antonio Palomino *Venus en la
fragua de Vulcano*, en el Museo del Prado (1734), recoge una situación pareja
a la aquí representada. Se trata, téngase en cuenta, de una alegoría del fuego
elemental. Venus representa a un tiempo el deseo y el rechazo del amor que
sus hijos encarnan. Sobre ello hay numerosos cuadros de Velázquez, Claudio Coello, Antonio del Castillo, etc., según Rosa López Torrijos, *op. cit.*, página 426, quien señala en la vertiente pictórica del Barroco español dedicada
a Cupido y Anteros, algunos ejemplos ligados, según creo, a esta obra, como
el jeroglífico sobre Cupido de Sebastián Herrera para la entrada de Mariana
de Austria en 1649 en Madrid, además del sinfín de amorcillos flecheros de
la pintura de finales del xvii. Sobre Marte (*y Venus o Venus armata*),
como ejemplo de la fortaleza que previene al amor y el paradigma del *Omnia
vincit amor* con referencias a la pintura, véase Edgard Wind, *Los misterios
paganos*, págs. 95-7. *Vid. infra*, vv. 2021-2. Juan Pérez de Moya, *op. cit.*, págs.
277-9, se extiende sobre las saetas de oro y plomo: «Esto es porque los
gentiles y poetas dieron a Cupido poder de mover a amar y desamar [...] oro
es el mejor de los metales, plomo es de poco valor, para denotar ser el amor
mejor que el desamor, como el amor convenga a la conversación de la
naturaleza, y el desamor estorbador desta conversación; y por esto debió de
significar el amor por el oro y el desamor por el plomo». También se refiere a
la llama, por algo Cupido es hijo de Venus (deseo) y de Vulcano (fuego) (*Ibíd.*
I, págs. 279 y 281-2). Según Herrera, fingen los poetas a Cupido armado con
dos flechas, una de plomo que aparta al amor, porque el plomo es frío y
contrario a él; otra aguda y dorada que engendra al amor, porque el oro es
templado y conviene al corazón. Sigue en ello a Ovidio (A. Gallego Morell,

en las puntas explicadas
de oro y plomo?

          Cupido

            A fin de que,
usando, madre, de ambas,
teman los mortales tanto   1150
mi favor como mi saña,
mi agrado como mi ira,
y mi paz como mi rabia.
Desprecio han hecho de mí
tres afectos, y así encarga   1155
mi voz a Estérope y Bronte
la fatiga con que labran
esas flechas, que no sólo
en los dos metales hagan
esos dos efectos, pero   1160
en las venenosas plantas
que en el monte de la luna
son ojeriza del alba
las he de templar, porque,
en mortal hierba tocadas,   1165
pasen, sin sentirlo el cuerpo,
a ser venenos del alma.

          Venus

Pues ya que usar de armas quieras
¿por qué de traidoras armas,
sin ver cuánto deja atrás   1170
el triunfo quien le aventaja

---

op. cit., pág. 564). Véase además mi art. cit. «La iconografía amorosa en el *Desengaño*», e *infra*, v. 2683.

1156 Únicamente nombra a dos de los tres Cíclopes. *Vid. supra,* v. 173 y nota.

1158 V: «afectos», pero viene corregido en la fe de erratas de los preliminares de V.

1160 V: «afectos».

con desiguales partidos?
¿Que uses, Cupido, no basta
las nobles iras de todos?
Y yo, para ver si alcanza   1175
algo contigo mi ruego,
es bien que el taller te abra
oficina de Vulcano.
Ahí tienes paveses, lanzas,
yelmos, venablos, escudos,   1180
arcos, saetas y aljabas.
No, pues, singular pretenda
usar tu soberbia infancia
de armas de veneno, pues
basta cualquiera.

CUPIDO

       No basta,   1185
porque aún han de ser los dioses
sacrificio de mis aras.

VENUS

Ya no me espanto de que
engendre soberbia tanta
quien a Anteros de mis brazos   1190
hoy desterró y...

1178 V: interpola la acotación: *Descúbrese la fragua y los Cíclopes cantan al son de los martillos.*

1179 *paveses,* escudos de gran tamaño *(Cor.)*. «Escudo largo que cubre casi todo el cuerpo, y le defiende de los golpes y heridas del enemigo» *(Aut.)*. Ya en Nebrija.

1184 V: «armas venenosas».

1187 V: añade, tras «aras»: *Cantan. «Teman, teman los mortales, etc.».*

1188-91 Sobre el tema en este tipo de comedias, véase Norman E. Haberveck, «La comedia mitológica calderoniana: Soberbia y castigo», RFE 56 (1973), págs. 67-93.

CUPIDO

             Calla, calla,
que si lloras por su ausencia,
al ver que del mundo falta
el correspondido Amor,
tomaré de ti venganza   1195
también, y quizá algún día...

VENUS

¡Ataja la voz!

(Dentro.) TODOS

¡Ataja!

UNOS

¡Al monte!

OTROS

¡Al valle!

OTROS

             ¡A la selva!

VENUS

¿Quién este alboroto causa?
Mas ¿quién le ha de causar, puesto   1200

1197 V: *Todos dentro.*

Ataja la voz, calla. *Atajar.* «Es lo mismo que abreviar el camino, yendo por
parte más corta, y con esta alusión dar corte en todos los casos para que no
vayan a la larga... Atajar razones...» *(Cov.).*

que ya es, sin duda, que anda
por ti en confusión el mundo?   (*Vase.*)

(*Sale* ANTEO *con* IRÍFILE *en los brazos, y tras él todos.*)

CUPIDO

Pues, ¡qué vitoria más alta!

ANTEO

Ya que el huir no es posible,
este sagrado me valga.   1205

CUPIDO

¿Qué es esto?

ANTEO

        Es una desdicha,
una pena, una desgracia
que me obliga a que de ti
hoy me favorezca. Cuanta
gente aquese monte alberga   1210
toda en mis alcances anda.
Esta beldad infelice

1202 ss. V: *Vuela.* Omite el resto de la acotación trasladándola al final de
estos versos que añade, después de 1203: *Cantan los Cíclopes. «Que se labran / en el
taller de los rayos / de amor las armas.» Sale Anteo con Irífile en los brazos.*
    Compárese con la escena de la Jornada III en la que sale Pigmaleón con
Anajarte en brazos (*infra,* v. 3733). Calderón, como Lope y Tirso, aprovecha
sueños y desvanecimientos ampliando efectos y duplicando paralelos. *Peribá-*
ñez, El vergonzoso en palacio, La vida es sueño y *El médico de su honra* son buenos
ejemplos.
    1205 *sagrado,* como sustantivo. «Metaphóricamente significa cualquiera
recurso, o sitio que assegura de algún peligro, aunque no sea lugar sagrado»
(*Aut.*). También lo usa Calderón en *La vida es sueño,* v. 1700 aparte de su
conocido uso real, como indican sus biógrafos.

pongo, joven, a tus plantas;
su vida libra, la mía
importa poco.

CUPIDO

¡Levanta!,   1215
que a no mal puerto has llegado,
y pues que de mí te amparas,
no temas.

TODOS

Todos entrad,
y muera donde se guarda.

CUPIDO

¿Qué es esto? Pues que llegase   1220
a mis umbrales, ¿no basta?

ANAJARTE

No, que yo esa humana fiera
a mis pies he de postrarla.

IFIS

No, porque yo de su empeño
tengo de valer la causa.   1225

CÉFIRO

No, que aunque la guarde yo,
matar tengo al que la guarda.

1218 V: *Salen todos,* tras «no temas».
1219 V: interpola el mismo estribillo que se incluyó tras el v. 1203, *supra:*
Cantan los Cíclopes. «Que se labran / en el taller de los rayos / de amor las armas».

228

PIGMALEÓN

No, que el duelo de los dos
a mí por los dos me alcanza.

LEBRÓN

No, que para defenderlos   1230
tiene usted muy pocas barbas.

CUPIDO

¿Ésto sufro?

UNO

¿Quien te enoja?

DOS

¿Quién te ofende?

TRES

¿Quién te agravia?

CUPIDO

Nadie, para que ninguno
tome por mí la venganza.   1235
Y pues que segunda vez
perdéis mi decoro, esparza
flechas al viento de amor

1227 V: «a quien la guarda».
1230 V: «defenderlo».
1232-3 V: añade que son el *Cíclope 1, Cíclope 2, y Cíclope 3* respectivamente.
V no repite el error de Eo: *gravía.*

y odio, caigan donde caigan;
que todo es veneno.

IRÍFILE

                    ¡Cielos!   1240
¿qué fuego llevo en el alma
que me obliga a que agradezca
a Céfiro aquella hidalga
acción de guardar mi vida?   (*Vase.*)

ANTEO

Espera, Irífile, aguarda.   (*Vase.*)   1245

CÉFIRO

¡Cielos! ¿Qué violento impulso
tras una fiera me arrastra
que ansí me obliga a seguirla?   (*Vase.*)

ANAJARTE

¡Cielos! ¿Qué pasión ingrata
ha introducido en mi pecho   1250
deste joven la bizarra
acción que, aunque quieran, no
será posible estimarla?   (*Vase.*)

IFIS

¡Cielos! ¿Qué rayo es aqueste
que en una beldad me abrasa?   (*Vase.*) 1255

1239 V: Antes del parlamento de Irífile acota: *Danle flechas los Cíclopes y él va disparando al aire.*
1248 V: «así» Eo: «obliga seguirla».
1252 V: «quiera».
1253 V: interpola: *Cantan los Cíclopes. «Que se labran / en el taller de los rayos / de Amor las armas».*

PIGMALEÓN

¿Qué ignorado fuego es, cielos,
éste que siento en el alma
que, aunque su llama no veo,
se deja sentir su llama?   (*Vase.*)

LEBRÓN

¿Cuánto va que me enamoro,   1260
según suelto el amor anda,
que es peor que el diablo suelto?   (*Vase.*)

ISBELLA

Mas, ¿qué fuera que en ingrata
diera yo de poco acá?

LOS HOMBRES

¡Qué sentimiento!   (*Vanse.*)

MUJERES

                    ¡Qué ansia!   (*Vanse.*) 1265

CUPIDO

Verá el mundo en los afectos
de voluntades contrarias
hoy mi poder.

1259 E: «sentíe». Corrijo con Eo y V: «sentir». V: «La llama».

1260-2 Eo: «porque el diablo».

Lebrón ironiza sobre el efecto instantáneo, en Céfiro, Anajarte, Ifis y Pigmaleón, de las flechas de Cupido, trasladándolo a sí mismo.

1265 V: *Las mujeres* y, a continuación, interpola el citado estribillo de los Cíclopes (v. 1253, *supra*): *«Que se labran / en el taller de los rayos / de amor las armas».*

No verá,
que todo cuanto tú hagas,
ingrato Amor, deshará,   1270
desde este sagrado alcázar
el correspondido Amor,
a cuyo efecto, Dïana
me ha dado el venablo suyo
porque con mejores armas   1275
quebrante yo tus arpones,
y así todo cuanto trazas
que sean rigores y iras
haré yo delicias blandas.

Cupido

¿Cómo podrás tú oponerte   1280
a mí, deidad soberana,
si haré yo amar a una fiera?

1268 V: Tras el parlamento de Cupido, acota: *Desaparece la fragua y pasa en una nube Anteros, atravesando el teatro con un venablo en la mano.*

1280 El debate entre Eros y Anteros fue asunto de numerosos cuadros, particularmente de tipo emblemático; algunas versiones fueron contrahechas a lo divino, como la pintura de José Antolínez, discípulo de Murillo y Velázquez, «El alma cristiana entre el Vicio y la Virtud». Véase la descripción de Matías Díez Padrón en el catálogo *El arte en la época de Calderón*, Madrid, Ministerio de Cultura, 1981, págs. 36-7. En el Renacimiento y el Barroco se planteó la oposición entre el Amor sacro y el Amor profano bajo la lucha de Eros y Anteros. Esa batalla retoca la tradición clásica de la mera interpretación de Anteros como símbolo de la reciprocidad amorosa. Los neoplatónicos hicieron una lectura errónea y la Contrarreforma llevó la antítesis entre Eros y Anteros a un plano devocional. Sobre ello, Erwin Panofsky, *Studies in Iconology. Humanistic Themes in the Art of the Renaissance*, Nueva York, Harper Torchbooks, 1962, pág. 126, quien se extiende sobre la invención renacentista de Cupido ciego y la tradición anterior, aportando abundantes fuentes iconográficas sobre los dos hermanos, su lucha y las armas. Véase también R. V. Merril, «Eros and Anteros», *Speculum*, 19 (1944), págs. 265-84. Y Ángel Valbuena Briones, «Eros moralizado en las comedias mitológicas de Calderón», *Approaches to the Theater of Calderón*, ed. por M. D. Mc Gaha, págs. 77-94, donde analiza la doble vertiente ficiniana de la Venus

ANTEROS

Yo haré aquesta fiera, humana.

CUPIDO

Yo haré aborrecer a una
beldad a quien más la ama.   1285

ANTEROS

Yo haré que esa beldad quiera
o tendré della venganza.

CUPIDO

Yo haré una vida adorar.

ANTEROS

Yo daré a las piedras alma.

CUPIDO

Fiera, rayo y piedra soy.   1290

Urania y la Venus Pandemos en tres comedias de Calderón, entre ellas *Fieras afemina amor*, comedia mitológica en la que se condenan los excesos del amor erótico y que se representó en el Coliseo del Buen Retiro para celebrar el cumpleaños de la reina Mariana de Austria. La oposición entre Eros y Anteros se visualiza en la obra en el plano horizontal y en el vertical; traslado escenográfico de la situación dramática. Para los dos tipos de conflicto en el teatro calderoniano, véase el artículo de Donald T. Dietz, «Conflict in Calderón's *Autos sacramentales*», en *Aproaches...*, págs. 175-186.

1283 V: «aquesa».

Fernando de Herrera recogió la traducción de Cristóbal Mosquera de Figueroa sobre los versos de Aquiles Buca que señalan los beneficios del amor correspondido: «Anteros es su nombre glorïoso / que nos enseña a ser agradecidos / al afecto de amor maravilloso» (A. Gallego Morell, *op. cit.*, pág. 416).

ANTEROS

Yo, piedad, blandura y gracia.

CUPIDO

Pues, ¡al arma!, ¡al arma!, Anteros.

ANTEROS

Pues, Cupido, ¡al arma!, ¡al arma!

1288 V: «Yo haré adorar una piedra.»
1291-2 V: Pues ¡al arma!, ¡al arma!, Anteros».
1293 V: Acota: *Vuelan rápidamente cada uno a distinta parte.*

JORNADA SEGUNDA*

Lebrón

Señor, ¡Por un solo Baco!
(que es el dios con quien yo tengo   1295
mis trabacuentas en cuantas
ermitas suyas encuentro),
que me digas qué tristeza
es ésta.

---

* V: acota: *Múdase el teatro en el de bosque y en el foro un palacio, y salen Lebrón y Pigmaleón.*

1294 Calderón, por boca de Lebrón, rebaja (como Velázquez) al dios Baco y transforma las tabernas en ermitas, anticipándose a los juegos de los esperpentos de Valle-Inclán. Ya Tirso, por boca de Catalinón, llamó «tabernáculo excelente» a la taberna en *El burlador de Sevilla*. El recuerdo del cuadro de Velázquez *Triunfo de Baco* («*Los Borrachos*») asalta una vez más, en clara concordancia con la perspectiva burlesca y desmitificadora de Calderón. Rebajado el *decoro* con un tema *de encuadre,* siguiendo la terminología de Bialostocki, se logra la originalidad. Rosa López Torrijos recoge veintidós muestras de Baco en la pintura española (*op. cit.,* págs. 426-8). Cabe destacar otro ejemplo de *rebajamiento* en el Baco niño («La Monstrua») de Juan Carreño de Miranda (*circa,* 1680) en el Museo del Prado. Por otro lado, hay que tener en cuenta que es típico de los graciosos desdeñar el que elabore el vino (*infra*). En *Fieras afemina amor* (1669-1670), también dibujaría Calderón un Hércules brutal, poco acorde con sublimaciones míticas. Claro que a veces la propia fiesta callejera rebajaba el *decorum* de los dioses. Así ante las estatuas que se colocaron a la entrada de Mariana de Austria en 1649, en Madrid, hubo una fuente de vino con una estatua de Baco en la misma calle de los Boteros (J. E. Varey y A. M. Salazar, «Calderón and the Royal entry of 1649»).

1296 *trabacuentas.* Palabra compuesta (*Cor.*). «Error o equivocación en alguna cuenta, que la enreda o dificulta... Metaphóricamente vale la discu-

Déjame, necio,
que a ti, ni a nadie es posible   1300
que fíe mis sentimientos.

LEBRÓN

Pues porque veas que soy
más liberal que tú, quiero
fiarte yo esta vez los míos.
Paciencia, y escucha atento: 1305
De Libia, tu patria...

PIGMALEÓN

                    Ya
me querrás hacer acuerdo,
Lebrón, de tantas deshechas
fortunas como padezco.
Ya querrás decirme cómo   1310
la muerte, ¡ay de mí!, de Alfeo
me arrojó della, o por ser
del rey tan cercano deudo,

---

sión, controversia o disputa...», según *Autoridades* que trae el ejemplo del
Quijote, II, 51: «No querría que V. tuviese *trabacuentas* de disgustos con essos
mis señores.»

1306 Debería decir Lidia, patria de Pigmaleón (*vid.* v. 1466, *infra*). Pero
todos los textos E, Eo y V y el ms. valenciano mantienen Libia. También
Hartzenbusch y Valbuena Briones. Parece un lapsus del gracioso Lebrón.
Lidia era una región independiente de Asia Menor que se incorporó posteriormente a Persia. Góngora alude a ella en el soneto «Del color noble que a
la piel vellosa» (*Sonetos completos,* pág. 133). En *Fieras afemina amor,* ed. cit., vv.
1073 y 1239, se relaciona a Libia con Anteo.

1307 Eo: «cuerdo». V: «recuerdo».

1311 Alfeo aparece en las *Metamorfosis* de Ovidio, vv. 487-508 y 577-641,
como personificación de un río del Peloponeso. Persiguió a la ninfa Aretusa
hasta unirse con ella, después de que ésta se convirtiese en fuente. Las
leyendas cuentan también su fracasado intento de seducir a Ártemis y a las
ninfas (Ruiz de Elvira y Grimal), *infra,* v. 1500.

o porque vivir no quise
a la vista de suceso   1315
tan infeliz; que, aun vengado,
en un generoso pecho
siempre está vivo el dolor,
aunque esté el agravio muerto.
Querrásme decir que apenas   1320
de mis desdichas huyendo
en busca de Ifis (a quien,
sin conocerle, le tengo
por mecenas en Epiro),
a Trinacria llegué (¡cielos,   1325
nunca a ella llegara!), cuando,
perdido en ella, al estruendo
de aquel terremoto, vi
un hermoso monstruo bello,
juré una amistad, oí   1330
de las Parcas el agüero,
vi la fragua de Vulcano
y la lid de...

LEBRÓN

       Oye, te ruego.
que aunque todo aqueso es
no es nada de todo aqueso.   1335
Porque ¿qué tiene que ver
monstruos, Parcas, lides, duelos,
con que, todo eso acabado,
de aquellos dos caballeros
con quien alïanza hiciste,   1340
uno se vuelva a su reino
y a sus aventuras otro,
y tú te quedes en estos
montes, sin que un sólo instante
pierdas de vista ese bello   1345

1324 Epiro, región montañosa de la península de los Balcanes bañada por
el mar Jónico. *Infra*, vv. 1815-6.

palacio que es de Anajarte
voluntario cautiverio?
Toda la noche y el día,
a sus umbrales suspenso,
el sol te deja y te halla   1350
sólo a ver si abren atento
las puertas desos jardines,
donde entrando, una vez dentro,
es menester que te echen
a palos sus jardineros;   1355
¿qué es lo que aquí esperas?

PIGMALEÓN

                         Nada,
y es verdad que nada espero,
porque no tiene mi mal
en la esperanza consuelo.

LEBRÓN

Pues, ¿qué mal hay que con ella,   1360
señor, no aspire a ser menos,
y aun a ser ninguno?

PIGMALEÓN

                  El mío.

LEBRÓN

Si a tus suspiros atiendo,
¿qué va que es tu mal amor?

PIGMALEÓN

¿De qué lo infieres?

1364 Lebrón analiza humorísticamente los efectos de la enfermedad de
amor, enumerándolos posteriormente.

       Lo infiero   1365
de que esa inquietud que tienes
es como otra que yo tengo.
Desde aquel infausto día
(¡quién le borrara del tiempo!)
que en la fragua de Vulcano   1370
nos vimos todos revueltos,
también tengo yo mi poco
de no sé qué que le siento
no sé donde y no sé cuándo
le he de aplicar el remedio.   1375

PIGMALEÓN

¡Pluguiera [a] Amor fuera amor
mi mal!

LEBRÓN

      Tú tienes mal pleito,
pues te das a ese partido.
Mas, ¿qué es?

PIGMALEÓN

      Una ira, un veneno,
un letargo, una locura,   1380
un frenesí, un devaneo,
una ilusión, un delirio,
un... Pero, ¿qué digo, cielos,
si es tal (¡ay de mí!); si es tal
la especie de mi tormento   1385
que ni aun por señas es bien
que haga desaire el silencio?

1366 E: «inqeietud». Corrijo con Eo y V.
1376 Enmiendo con V a E y Eo: «Pluguiera Amor.»

Calla y déjame morir
antes que diga que es cierto
según en mí se ha vengado   1390
el traidor hijo de Venus;
que puede ser piedra Amor.

LEBRÓN

Si como morir te dejo,
me dejaras vivir tú,
estaríamos contentos   1395
los dos.

(*Salen* PASQUÍN *y* CÉFIRO.)

PASQUÍN

En fin, señor, ¿vuelves
a estos montes?

CÉFIRO

En fin, vuelvo
como a mi centro, que ya
son sus entrañas mi centro,
tanto, Pasquín, por aquel   1400
hermoso prodigio bello,
bruta perla de sus mares,
bruto rubí de sus senos,
en quien que puede ser fiera
hizo Amor el argumento,   1405
cuanto por desengañar
a mis locos pensamientos,

1394 V: «tú vivir».

1396 V: acota: *Salen por otro lado Pasquín y Céfiro.*

1402 V: «ruda». *Bruta:* bárbara, tosca, sin pulimentar (*Aut.*). Calderón la
emplea con frecuencia. Comp. con Góngora en la *Soledad,* II: «Pisa dichoso
esta esmeralda bruta / en mármol engastada» (*Aut.*).

si es verdad o es ilusión
el que vi a Nicandro en ellos;
Nicandro, traidor vasallo,   1410
siempre a mis dichas opuesto.
Y para facilitar
de ambas causas el efecto
y poder a mi rencor
y amor asistir a un tiempo,   1415
al palacio de Anajarte
con este partido vengo
de...

PASQUÍN

    Calla, que está aquí el uno
de aquellos dos extranjeros.

LEBRÓN

Céfiro, si no me engaño,   1420
viene allí.

CÉFIRO

        ¡Cuánto me huelgo
de hallaros segunda vez!,
porque como los sucesos
de aquel día, eslabonados
unos de otros, no me dieron   1425
lugar a la obligación
en que mi honor me había puesto
deseaba saber quién sois,
y como ofrecí valeros
en cuanto pueda...

PIGMALEÓN

                Las plantas   1430
mil veces humilde os beso,

y pues la misma disculpa,
señor, que vos tenéis, tengo,
también me valga a mí para
no haberos ido sirviendo.   1435

CÉFIRO

Pues ¿cómo en aqueste monte
quedasteis?

PIGMALEÓN

        En grande empeño
me ponéis.

CÉFIRO

¿Por qué?

PIGMALEÓN

        Porque
la causa, señor, no puedo
ni callarla ni decirla: 1440
callarla, por el respeto
de preguntármela vos;
ni decirla, por el riesgo
de haber de decir mi nombre,
cuando infelice deseo   1445
sólo vivir ignorado,
a cuya causa he dispuesto
no salir desta montaña,
avecindado en el pueblo,
que más en su corazón   1450

1440 ss. Debate muy calderoniano entre el callar y el hablar del amador,
en conexión con la poética del silencio y el propio dilema vivido por el autor
en las fechas de esta obra. *Vide infra,* v. 3108.

a causa de sus portentos
tenga este vivo cadáver
sepultado antes que muerto.

CÉFIRO

No ignoraréis cuánto ha sido
siempre curioso el deseo   1455
y que no hay para él razón
mayor, mayor argumento
que pretender recatarlo
para que intente saberlo.
Hablad, pues, claro conmigo   1460
que para todo os ofrezco
segunda vez mi favor,
en tanto que al cuarto llego
de Anajarte, a quien hoy busco.

PIGMALEÓN

Pues oíd, señor, atento: 1465
Lidia es mi patria, mi nombre,
Pigmaleón...

CÉFIRO

                    Deteneos,
que no quiero en el discurso
de ningún acaso vuestro
entrar ignorando nada.   1470
¿Sois vos aquél a quien dieron
la pintura y la escultura
tanta opinión, que es proverbio
decir de vos que partís

1464 V: «quien yo».
1467 V: «es Pigmaleón».
1469 *acaso,* «suceso impensado, contingencia, casualidad, u desgracia»
(*Aut.*).

con Júpiter el imperio   1475
de dar vida y de dar alma,
¿así al metal como al lienzo?

PIGMALEÓN

Sí, señor, yo soy de quien
dijo ese encarecimiento
(bien que sin jactancia mía)   1480
la fama; y conste no serlo,
de que, al confesar quién soy,
con vergüenza lo confieso.

CÉFIRO

¿Por qué?

PIGMALEÓN

    Porque hay quien presuma
que es oficio el que es ingenio,   1485
sin atender que el estudio
de un arte noble es empleo
que no desluce la sangre,
pues siempre deja a su dueño
la habilidad voluntaria   1490

1484 ss. Pigmaleón alude a la nobleza del arte de la escultura. Su argumentación ha de insertarse en la deposición y defensa de la pintura como
arte liberal que Calderón hizo en continuada tradición renacentista. Sobre
ello, hay abundante bibliografía. Véase una visión de conjunto en Emilie
Bergman, *Art Incribed: Essays on Ekphrasis in Spanish Golden Age Poetry,* Harvard
University Press, 1979, cap. 1, con abundantes referencias a la idea y práctica
poética de la pintura en Calderón, particularmente relacionadas con el *Deus
artifex,* págs. 123 y ss. La batalla para que la pintura se convirtiese en arte
liberal se inció en Italia en el siglo xv. El xvi adelantó en tales estimaciones,
particularmente con Tiziano y Velázquez del que supuso un hito su obra *Las
Meninas.* Detrás estaba el *Arte de la pintura* de Pacheco, según Jonathan Brown,
«Sobre el significado de las *Meninas»*, *Imágenes e ideas en la pintura española del siglo
XVII,* Madrid, Alianza Forma, 1980, cap. IV.

como le halla; y en efeto,
señor, para que este modo
de ignorar pienses si es cierto
y que hay pocos que distingan
que es gala en algún sujeto   1495
lo que es quizá tarea en otro,
un día que divirtiendo
estaba no sé qué pena
en una estatua de Venus,
Alfeo, un deudo de el rey   1500
(si los reyes tienen deudos),
entró en mi obrador, adonde
admirando el mármol terso
tan vivo que sin la voz
estaba hablando el afecto,   1505
quiso feriármelo; yo,
cortés, claro está, y atento
le respondí que enviase
por ella, pero advirtiendo
que su precio había de ser   1510
el no ponérmela en precio.
Él (que hay hombres que no tienen
ánimo de deber), viendo
la sobrada estimación
que yo hacía de mí, y creyendo   1515
que era modo de negar
ofrecer consentimiento,
no sé qué se dijo; baste
saber que fue tal desprecio
que me obligó a responderle   1520
con más brío que respeto,
la mano...

1491 V: «efecto».
1496 V: «lo que en otro fue tarea».
1500 V: «del».
    Alfeo, *supra*, v. 1311.
1506 V: «feriármela»,
1516 Eo: «pe». Error que no sigue V, una vez más.

PASQUÍN

Anajarte sale.

PIGMALEÓN

Nunca llegó a mejor tiempo
el estorbo, porque ya
me iba faltando el aliento.   1525

CÉFIRO

Esperadme aquí.

PIGMALEÓN

                    Eso no.
Habéisme de oír primero,
porque no es bien que en la mano
que fue mi postrer acento
quede mi honor sospechoso,   1530
ya que ha de quedar suspenso.
Y así, sabed que la causa
de venir del rey huyendo
y procurar ignorado
vivir, fue quedar él muerto.   1535
Ahora acudid a otra cosa,
llevando sabido eso.

CÉFIRO

Después en vuestras fortunas
y las mías hablaremos,

(*Salen* ANAJARTE, CLORI, LISI, LAURA *y* ISBELLA.)

1539 V: *Salen por la puerta del palacio Clori, Lisis, Laura, Isbella y Anajarte.*

ANAJARTE

Desde aquella galería,   1540
verde atalaya del cierzo,
que os había visto una dama
me dijo, y a saber vengo
qué novedad (estimadme
no decir qué atrevimiento)   1545
os tray a aquestos umbrales.

CÉFIRO

Que atenta me oigáis, os ruego,
antes que haga vuestro enojo
agravio el que es rendimiento.
Yo, bellísima Anajarte,   1550
oí vuestros sentimientos,
bien que de paso, tal vez,
que pude llegar a veros.
De vuestra razón (que ahora
no es justo hacer argumento,   1555
si es justa o no es justa) yo
entré conmigo en acuerdo,
y habiendo considerado,
que si mi padre algún tiempo
que aquí os crió y aquí os tuvo   1560
fue con algunos pretextos
que ya no importan, es bien
desecharlos; y así vengo
a deciros que elijáis
vos los partidos o medios   1565
para vivir en la corte,
donde podéis, desde luego,
ir a ser de mi palacio...

(Dentro.)

¡Tened!

1546 V: «trae». *Vide infra*, v. 686, y *supra*, vv. 1578 y 3027.

IFIS

He de entrar.

ANAJARTE

¿Qué es esto?

(*Sale* IFIS *con* IRÍFILE *y* BRUNEL.)

IFIS

Esto es llegar a tus plantas   1570
a ofrecerte en un pequeño
triunfo, divina Anajarte,
las primicias de un afecto
que... (Mas Céfiro está aquí,
¿quién pudo prevenir, cielos,   1575
lance igual?)

CÉFIRO

Con Anajarte
ofendido mi respecto
y con la que tray mi amor,
no sé a lo que me resuelvo.

ANAJARTE

De dos acciones, al paso   1580
que ambas me obligan, me ofendo;
pues ni este favor estimo,
ni esta fineza agradezco.

1569 V: «eso».
1577 V: «respeto».
1578 V: «trae». *Vide infra,* vv. 686, 1546, y *supra,* v. 3027.

IRÍFILE

¿Qué profundo sueño es
este de que yo despierto   1585
al mirarme entre mis ansias
en palacio tan soberbio?

PIGMALEÓN

¿Has reparado en los cuatro,
cuatro mudados afectos?

LEBRÓN

Y aun en los cinco, que el tuyo,   1590
por Dios, que no lo está menos.

IFIS

Ya que el empeño se hizo
fuerza es seguir el empeño.
Palabra te di, señora,
de ver a tus plantas puesto   1595
el asombro destos mares,
escándalo de sus puertos.
No pude cumplirla entonces,
a causa de los sucesos
tan varios como tú viste;   1600
mas durando en mí el pretexto
de tu gusto y mi palabra,
de día, a la vista atento,
de noche, atento al oído,

1584 La selvática Irífile se despierta en el palacio de Anajarte. Compárese
con el despertar de Segismundo en *La vida es sueño*, vv. 1224 y ss., y 1082 y ss.
Y la admiración que le provocan las riquezas y las galas. Ver Introducción,
y *vide infra*, vv. 1698 y ss.
1598 Eo: «puede», error que tampoco sigue V.

topo y lince a un mismo tiempo,   1605
penetré de esas montañas
el más escondido centro,
hasta que en la obscura quiebra
de un ribazo en que primero
naturaleza cavó   1610
rústico albergue pequeño
que pulió después el arte
bárbaramente arquitecto,
(pues eran, techumbre y puerta,
bastas ramas, troncos secos),   1615
sobre pieles de animales
hallé, en miserable lecho,
a esa beldad, si es beldad,
rendida al pálido sueño,
con quien yo, cómplice entonces,   1620
ladrón me introduje nuevo,
pues él la hurtaba el sentido,
a hurtarla yo el sentimiento.
Conseguílo, pues inmóvil
estatua viva del hielo,   1625
al despertar en mis brazos,

1605 Alude obviamente a la agudeza de vista del lince y a la ceguera del
topo, ya notada por Virgilio *(Aut.)*. *Infra,* v. 2027. El topo, según *El bestiario
toscano,* posee buen entendimiento, es ciego y sólo llega a abrir los ojos y ver
poco antes de la muerte. Lo compara al avaricioso, que nunca tiene bastante,
y a los que sólo se alimentan de los bienes terrenales y no ven la luz (Santiago
Sebastián, *El Fisiólogo atribuido a San Epifanio seguido de El bestiario toscano,*
Madrid, Tuero, 1986, pág. 25).
1621 Calderón glosó, como se sabe, todas las parcelas de la concepción
clásica del sueño y aun añadió otras, interpretándolo como hermano de la
muerte, descanso, hijo de la noche, hermano del olvido, etc. (cfr. Herrera, en
A. Gallego Morell, *Garcilaso de la Vega y sus comentaristas,* págs. 340 y 486-7). Se
ocultó también de su sentido etimológico, destacando el apartamiento de los
sentidos y las ataduras de éstos durante el sueño. Séneca destacó los engaños
del sueño y su falsedad, como primero hizo Homero y luego Virgilio.
Calderón se apartó del género de las visiones que desde el *Somnium Scipionis* de
Cicerón acarreaba lastres alegóricos y lo tradujo en una reflexión fisiológica y
psicológica neoerasmista y puramente moderna como hizo Cervantes previamente.
1625 V: «de hielo».

sin voz quedó y sin aliento;
de suerte que, sin poder
valerla siquiera el eco,
desde su albergue a tus plantas...   1630

Basta, basta, que no quiero
que aun este pequeño instante
que te escucha mi silencio.
puedas presumir que es
callado agradecimiento.   1635
En el empeño me hallaste
(es verdad, yo lo confieso)
de rendir esa extrañeza
y viendo en su amparo puesto
a Céfiro, te pedí   1640
favor; pero no por eso
te dije que me quitaras
a mí el desvanecimiento
de rendirla yo; que uno
es valerme en un trofeo   1645
a que yo salga con él;
y otro, hacerte tú tan dueño
que tú te salgas con todo
sin darme parte en el riesgo.
¿Qué cosa es quitarme a mí   1650
la acción que de vencer tengo?
Pues ¿no tengo yo valor
para lograr lo que emprehendo?
¿No volviera yo a buscarla?
¿No supiera, cuerpo a cuerpo,   1655
rendirla yo? Pues ¿por qué,
loco, ingrato, altivo, necio,
quisiste ajarme la gloria,
asunto de mi ardimiento?

1657 V: «loco, osado».
1658 V: «ahajarme».

Y para que mejor veas   1660
si le tengo o no le tengo
y que triunfos de otra mano
ni los estimo ni aprecio,
y en fin, que tu afecto ha sido
aún más desaire que afecto: 1665
¡vuélvete, fiera, a tus montes!,
que yo te buscaré en ellos.
Y a ti, Céfiro, porque
tampoco pienses que puedo
agradecer la fineza   1670
del pasado ofrecimiento
también te digo que estoy
en el hado que padezco
más hallada con mi mal
que estaré con tu remedio.   1675
Porque no quiero de ti
ni aun la vida, cuando dueño
fueras de la vida tú.
Y así los tres, sin que a veros
vuelva otra vez de mis ojos,   1680
¡volved, volved!, de mí huyendo:
tú, humana fiera, a tus montes;
tú, a tu patria; y tú, a tu reino,
porque en mí no habéis de hallar,
siempre a mis iras atentos,   1685
ni tú agrado, ni piedad
tú, ni tú agradecimiento.

IRÍFILE

Espera, que aunque con tres
hablas, y soy yo quien menos
acción a responder tiene,   1690
me he de tomar el primero
lugar, por mujer.

ANAJARTE

                    ¿Querrás
decirme según soberbio
tu espíritu es, que tampoco,
mis ejemplares siguiendo,   1695
la libertad de mi mano
quieres?

                    IRÍFILE

                    Pudiera ser eso
si superiores motivos
no atrasaran mis intentos,
pues desde el punto que vi   1700
deste edificio soberbio
los reales aparatos
de sus doseles supremos,
me parece que entre pompas
reales estoy en mi centro.   1705
Y así (¡quién hacer supiera,
por causas que yo no entiendo,
mañoso al rencor!), postrada
hoy a tus plantas, te ruego
que como a humana me trates   1710
pues lo soy; que si el despecho
soberbia me hizo en los montes,
humilde me hará el consejo
en los poblados.

                    ANAJARTE

                    Levanta.
Levanta, asombro, del suelo,   1715
que por servirme de fiera,
en mi servicio te acepto.

───────────

1698 ss. *Vide supra,* 1584.
1716 V: «fieras».

IRÍFILE

Perdóname, padre mío,
si pudiéndome ir, me quedo
sin ti, a vivir, que no sé   1720
quién me ha trocado el afecto
de un instante a otro.

ANAJARTE

                  Y porque
saber quién eres deseo,
conmigo te ven; y tú,
no presumas, extranjero,   1725
que es favor que uso contigo
acetar tu ofrecimiento.
Esto te digo, porque
arguya Céfiro desto,
que no agradeceré el suyo,   1730
pues el tuyo no agradezco.   (*Vase.*)

CÉFIRO

¿Quién vio igual desaire?

IFIS

                 ¿Quién
igual desvanecimiento?

PASQUÍN

¿Para esto a hablarla venías
tan alegre y tan contento?   1735

1727 V: «aceptar».
1731 V: *Vase Anajarte, Irífile y las damas.*

BRUNEL

¿Para esto días y noches
corrimos montes y cerros?

IFIS

¡Que haga la fineza agravio!

CÉFIRO

¡Que haga queja el rendimiento!

LEBRÓN

¡Cuál se han quedado los dos   1740
elevados y suspensos!

PIGMALEÓN

¿Veslos?, pues yo les trocara
mi tormento a sus tormentos.

LEBRÓN

Yo no, porque se han mirado
de mal arte.

PIGMALEÓN

Escucha, atento.   1745

CÉFIRO

Extranjero que, atrevido,
has osado, el pensamiento
a dos cosas tan violentas

_____
1745 V: «de matarte».

como haber los ojos puesto
(quién es, sabiendo), en hacer 1750
con tan públicos extremos
finezas por Anajarte,
¿a qué añades, después desto
(sabiendo también que yo
a aquesa mujer defiendo) 1755
en ir a buscarla? ¿En qué
fundas tus atrevimientos?

IFIS

Pudiérate responder,
Céfiro, que un caballero
por más que viva ignorado 1760
no puede faltar a serlo.
Con cuya razón la libre
galantería de un pecho
generoso no es agravio
de los más cercanos deudos. 1765
Y que en cuanto a ser tu ofensa
de aquella causa el efecto
no corre a cuenta de quien
no la ha elegido, por serlo,
puesto que el trance él se vino 1770
elegido; mas no quiero
que con dos satisfacciones
pienses que restauro un riesgo.
Y así, te diré no más
de que ya lo hecho está hecho 1775
y que a precio de mi vida
lo habré comprado en buen precio.

1755 V: «aquesa».
1770 V: «el lance».
1775 V: «de que lo hecho».

Desafío. Dibujo para la representación de 1690

CÉFIRO

A eso no me toca a mí
responder, sino a mi acero.

PIGMALEÓN

Mirad, tened...

BRUNEL

       Y a los tres,   1780
¿qué nos toca?

PASQUÍN

       Estarnos quedos
u hacer como que reñimos.

LEBRÓN

Pues vaya de cumplimiento,
y nadie tire a matar,
pues bastará, como diestros,   1785
el señalar las heridas.

CÉFIRO

¿Pues tú te pones en medio?

PIGMALEÓN

Sí, puesto que el homenaje
hice a los dos.

1779 V: Acota, tras el parlamento de Céfiro: *Sacan las espadas.*

1780 ss. Nótese la parodia de las escenas típicas entre caballeros de las comedias de capa y espada. Y *vide infra,* vv. 1855-60.

1782 V: acota tras el parlamento de Pasquín: *Sacan los criados las espadas y tíranse desde lejos.*

IFIS

Según eso
el no ayudar a ninguno   1790
será más noble pretexto
que no embarazar a entrambos.

PIGMALEÓN

No será, que yo no creo
que ver reñir sin reñir
toque nunca a un caballero,   1795
y así que se mueva, piense
que ha de hallarme al lado puesto
del otro.

IFIS

Pues ponte al lado
de Céfiro, que no puedo
dejar yo de mantener   1800
lo que he dicho y lo que he hecho.

PIGMALEÓN

La soberbia de pensar
que no importa te agradezco,
para poder con buen aire
ponerme a su lado.

CÉFIRO

Eso   1805
no. Yo, que no me embaraces,
mas no que me ayudes, quiero.
Retírate.

PIGMALEÓN

Esa igualdad,
aun entre iguales, sospecho
que fuera afectada.

IFIS

                    Aguarda,   1810
que porque no desatento
presumas que no la hay
y por hacer el empeño
tan de una vez, que no pueda
hasta el fin dejar de serlo...   1815
Ifis, príncipe de Epiro,
soy que a la Arcadia viniendo,
provincia mía, corrí
tormenta.

PIGMALEÓN

            ¿Qué escucho? ¡Cielos!
¿Tú eres Ifis?

IFIS

        Ifis soy.   1820

PIGMALEÓN

Perdóname, que no puedo,
Céfiro, dejar de echarme
a los pies de quien le debo
vida y honor.

_____

1816 Epiro, *supra,* 1324.

IFIS

Pues ¿quién eres?

PIGMALEÓN

Pigmaleón, a quien dieron,   1825
sin conocerme, favores
tus piedades.

IFIS

          Yo agradezco
haberte hallado; mas no
en esta ocasión, supuesto
que aquí que no me embaraces   1830
y que no me ayudes quiero.

PIGMALEÓN

Aquesto es uno, y otro
volverme a dejar en medio
para que una y otra vida
guardar intente.

(Sale ANAJARTE *y las damas.)*

ANAJARTE

               ¿Qué es esto?   1835

CÉFIRO

Yo no lo sé.

1831 V: «y no que me».
1832 Eo: «aqueso». V: «Eso es uno, y otro es.»

IFIS

Yo tampoco.

ANAJARTE

¡Oh, qué recato tan necio,
puesto que lo he de saber!

IFIS

Pues si pretendes saberlo,
yo te lo diré otro día,   1840
quizá con más noble afecto.

CÉFIRO

Aguarda.

ANAJARTE

    No has de seguirle
sin que me digas primero
qué es esto.

CÉFIRO

    Yo lo diré
entonces a mejor tiempo.   *(Vase.)*   1845

ANAJARTE

Decidme qué ha sido, vos.

1841 V: acota: *Vase.*
1845 V: «pero será a mejor».
1846 V: «Decidme vos lo que ha sido.»

PIGMALEÓN

Yo, señora, lo sé menos,
pues sólo sabré decir
que en dos partidos afectos
me importa acudir a entrambos.   1850
Cada cual siga a su dueño.   (*Vase.*)

BRUNEL

Pues, adiós. Hasta otro día.

ANAJARTE

¿Nadie me dice qué es esto?

LEBRÓN

Yo, señora, lo diré.
Esto es que tres majaderos   1855
sobre quién se ha de matar
se hacen dos mil cumplimientos.
—«Mate usted.» —«No, sino usted.»
—«Usté ha de matar primero.»
Y tras esto, viven todos.   1860

1850-2 E y Eo: «cada guía» (v. 1851), error que corrijo con V, en donde
ese verso es dicho por Pasquín y se acota: *Vase* tras los parlamentos de
Pigmaleón (v. 1850), Pasquín (v. 1851) y Brunel (v. 1852).

1855-60 Calderón suele parodiar o ironizar por boca de los graciosos los
duelos teatrales en los que se matan «en cortesía» y la sangre no llega al río
(*supra,* vv. 1780 y ss.). Comp. con *El postrer duelo de España (circa 1665):*
«Serafina.-¿Y diole muerte? ... / *Benito.-*Aguarda. / Sobre «álcele su mested» /
No: su mested ha de alzarla» / hubo grandes comprimientos, / porfiando
uno y otro hasta / que el otro la alzó y la dio, / diciendo que ella le daba /
honor y vida...» (Cfr. Ciriaco Morón Arroyo, *op. cit.,* pág. 45). Y su artículo:
«La ironía de la escritura de Calderón», *Aureum Saeculum Hispanium Beiträge zu
Texten des Siglo de Oro, Festschrift für Hans Flasche zum 70 Seburtstarg,* ed. por K. H.
Körner y D. Briesemeister, Wiesbaden, Franz Steiner Verlag, 1983, págs.
217-230. Y *vide infra,* v. 2490.

1859 V: «usted ha de ser primero».

Dos damas

Quita, loco.

Otras dos

Aparta, necio.

Anajarte

¿Desta suerte a mis umbrales
y a mí se pierde el respeto?
Decidles vos que si vuelven,
atrevidos y soberbios,   1865
a aventurar mi decoro
que han de ver...

(*Sale* Isbella.)

Isbella

¡Raro suceso!

Anajarte

¿Qué es eso, Isbella?

Isbella

Es, señora,
que apenas se miró dentro
de tu cuarto esa fantasma   1870

1869 Eo: «le». V coincide con E.

1870 *fantasma*. Ya desde Berceo (*Cor.*). «Visión fantástica o imaginación falsa.» Covarrubias da la acepción en femenino como *Aut.*, que añade: «Qualquier figura extraña y que pone miedo.» Era de género ambiguo como «esmeralda», «enigma», «clima», etc. «Espantajo o persona disfrazada que sale por la noche para asustar a la gente» (*Acad.*). Herrera recuerda que «los

(que a ser trasto palaciego
te han enviado los montes)
cuando sus adornos viendo
doseles, camas y estrados,
después de haberla yo puesto   1875
no sé qué galilla tuya,
perdió el poco entendimiento
que debía de tener
y pasando en un momento
la admiración a delirio   1880
da en tratarse como dueño
de todo. Mas ¿para qué,
señora, te lo encarezco,
pues puedes tú verlo?

(Sale IRÍFILE.)

IRÍFILE

¡Hola!
¿Nadie responde? ¿Qué es esto?   1885
Pues ¿cómo ansí me dejáis
sola con mi pensamiento,
doméstico áspid, a quien

---

griegos llamaron fantasma a la imagen de la ánima que imagina o a las visiones del ánimo» (Cfr. Antonio Gallego Morell, *Garcilaso de la Vega y sus comentaristas*, pág. 510). La salvaje Irifile al salir de su sueño gusta de las galas de la corte, como si fuera la propia Anajarte, dueña y señora.

1876 *galilla:* diminutivo de *gala,* «atavío, prenda de vestir lujosa» *(Cor.)* «vestido alegre, sobresaliente, rico, y costoso, para las funciones de fiesta, regocijo, lucimiento, y fuera del modo ordinario de vestir de cada uno» *(Aut.).* El cambio de traje nunca es gratuito en Calderón. Significa que cambia la situación del personaje, en su *status* social, en su identidad y en el desarrollo de la acción. Así ocurre en *La vida es sueño* (comedia) (cfr. John E. Varey, «The Use of Costume in some Plays of Calderón», *Calderón and the Baroque Tradition,* ed. por Kurt Levy, Ontario, Wilfrid Laurier University Press, 1985, págs. 109-118), en claro paralelismo con *La fiera* por las transformaciones del salvaje en hombre/mujer, y en otras comedias calderonianas.

1886 V: «así».

1887-9 El pensamiento de Irífile es como áspid doméstico que anda

yo misma abrigué en mi seno?
Mal servida estoy de vuestra   1890
desatención. Pero ¡cielos!
¡Ay de mí! ¿Qué es lo que digo?
¡Ay de mí! ¿Qué es lo que pienso?

ANAJARTE

¿Qué tienes?

IRÍFILE

        No sé, señora.
no sé, porque un devaneo   1895
hasta mirarte se había
apoderado en mi pecho.
Mas tú, en viéndote, me quitas
todo el desvanecimiento.

ANAJARTE

No es la primera vez, ésta,   1900
que los no vistos objetos,
cuando a la capacidad
sobran del que llega a verlos,
le ofuscan y le confunden
razón, discurso y ingenio.   1905
Cóbrate, pues, y conmigo

---

siempre despierto en su interior. Su aparición fantasmal se corrobora en los
versos siguientes. Las imágenes ofidianas fueron muy frecuentes en la comedia nueva y en otros géneros barrocos. Véase S. A. Vosters, *Lope de Vega y la
tradición occidental,* Madrid, Castalia, 1977. Para su uso en *El burlador de Sevilla* y
los precedentes bíblicos, mi artículo «Sobre la demonología de los burladores
(De Tirso a Zorrilla)», *Iberoromania,* 26, 1987, págs. 19-40. *El bestiario toscano,*
ed. cit., pág. 25, destaca la crueldad del áspid que guarda el árbol del que se
extrae el bálsamo. Cuando alguien quiere coger dicho bálsamo, hace sonar
un instrumento que adormece al áspid, pero éste, sabiéndolo, cierra una de
sus orejas con la cola y la otra la apoya en la tierra para así no dormirse. Sobre
su carácter maléfico hay abundante material bíblico y clásico. Es ejemplo de
engaño y astucia en los bestiarios medievales *(ibíd.,* págs. 48-52).

ven a espaciarte, que quiero
(ya que la experiencia antes
me lo ha dicho) que en aquesos
jardines sea quien más   1910
repare tus sentimientos
la música, para que
más asegurada dellos,
tu patria y nombre me digas
y por qué extraños sucesos   1915
te ha traído la fortuna
ansí a vivir.

IRÍFILE

Para eso
poco he menester cobrarme,
pues cuanto decirte puedo
de mí es que mi nombre es   1920
Irífile, que el primero
rayo del sol vi en el monte,
adonde un anciano viejo,
padre mío, me ha criado
allá, por no sé qué agüeros   1925
que vio en las ocultas ciencias
de estrellas y de luceros
de quien yo, para cumplirlos,
he estudiado el entenderlos.

ANAJARTE

No te enternezcas y ven   1930
conmigo. Vosotras luego
seguid a las dos, llevando
al jardín los instrumentos. (*Vanse las dos.*)

1917 V: «así».
1925 ss. Alusión a las ciencias ocultas practicadas por Anteo y al poder de
los astros (*supra,* vv. 53-4).

Ya que aquestas novedades
dan, no sin disculpa, tiempo,   1935
para que pueda un amante
hablar en sus sentimientos,
¿sabránme decir ustedes
porque me importa saberlo,
cuál de ustedes cuatro es   1940
una dama a quien yo quiero,
como cosa de perder
por ella el entendimiento?
Porque yo bien sé que es una,
más qué una es, no sé.

ISBELLA

                        ¡Bien nuevo   1945
estilo de declarar
un galán su sentimiento!

LEBRÓN

Cada uno se declara
como puede.

CLORI

                        Y, en efecto,
¿usted está enamorado?   1950

LEBRÓN

Pienso que sí, a lo que pienso.

1949 V: «efecto».
1951-7 Alusión a los efectos positivos del amor y a sus valores benéficos
que ridiculiza el gracioso. Sobre ello, mi artículo cit. en la Introducción «La
Universidad de amor y *La dama boba*».

LAURA

¿En qué lo ve?

LEBRÓN

En que ando más
limpio, en que hablo más discreto
que solía y en que traigo
una hipocondria acá dentro   1955
en traje de cosicosa,
que la siento y no la siento.

ISBELLA

Pues declárese usted
de una vez, y vuelva luego,
que aquí se le hará justicia.   1960

LEBRÓN

Eso dijo un mosquetero.

DOS

¡Qué discreto mentecato!   *(Vanse.)*

DOS

¡Qué galante majadero!   *(Vanse.)*

LEBRÓN

Son atributos y achaques
de galantes y discretos.   1965

1958 V: «declárese ya».
1961 V: *Dos damas.*
1962 V: *Otras dos.*

Mas, ¡ay de mí!, ¡enamorado
sin saber de quién! El ciego
rapaz de quien hice burla,
sin duda alguna, anda a tiento
por mis sentidos.

(*Sale* PIGMALEÓN.)

PIGMALEÓN

Lebrón...   1970

LEBRÓN

¿Quién va allá?

PIGMALEÓN

Dime, te ruego.
¿Viste a Céfiro o a Ifis?
Que yo, por seguir a un tiempo
a los dos, no vi a ninguno.

LEBRÓN

A mí me pasa lo mesmo,   1975
que por seguir cuatro damas,
sin conseguir una quedo.
Mas a ninguno vi.

PIGMALEÓN

¡Ay, triste!
que en su competencia temo
declararme por el uno   1980
porque a entrambos se lo debo.
Ifis, por su embajador

1967-8 *Vide supra,* v. 501.

con Lidia, siempre mi afecto
se mostró y en mi desdicha
él fue, a su mandato atento,   1985
quien me guardó y puso en salvo.
Céfiro aquí, noble y cuerdo,
me ofrece el favor de que
necesito... Mas ¡qué veo!
Ya abierto el jardín está.   1990

LEBRÓN

Pues ¿qué importa que esté abierto?

PIGMALEÓN

¿Qué importa, dices, villano,
infame, atrevido y necio?
¿Qué importa? Pues ¿sabes tú
la deidad que habita dentro?   1995

LEBRÓN

Yo sólo sé que estás loco.

PIGMALEÓN

Es verdad, yo lo confieso,
y así, aunque a entrambos los pierda
no se pierda el breve tiempo
de seguir mi desvarío.   (Vase.)   2000

LEBRÓN

Señores, ¿qué ha de ser esto,

1983 *Supra,* v. 1306.
1993 V: «atrevido, necio».
1996-7 Locura amorosa de Pigmaleón que, como la de Calixto en *La Celestina,* viene contrastada por las opiniones del criado. Sobre ello, mi art. cit., «La enfermedad de amor en el *Desengaño...*».

ni quién me sabrá decir
en qué ha de parar?

(*Dentro.*) CUPIDO

¡Anteros!

LEBRÓN

¿Quién es Anteros? Mas ¿quién
a mí me mete en saberlo   2005
sino en seguir a mi amo
y procurar, encubierto,
saber quién es quien le tiene
en estos jardines muerto
y quién podrá remediar   2010
su amor o locura?

CUPIDO

Anteros.

LEBRÓN

Mal Anteros te dé Dios,
y más si eres el que pienso.

(*Vase y sale* CUPIDO.)

CUPIDO

Si el orbe de la luna

2011 V: *Dentro, Cupido.*

2013 V: Tras las palabras de Lebrón, acota: *Vase. Múdase el teatro en el de jardín y en medio habrá una fuente, y sobre ella una hermosa estatua y sale Cupido cantando en estilo recitativo. Canta Cupido.* Ignoramos si esta silva fue cantada en recitativo en el estreno de la obra. Es posible que al menos hubiese un fondo musical, según se desprende de los vv. 2046 y ss., al final.

2014 Herrera, recogiendo la opinión de Macrobio, dice que Diana viene

esfera soberana   2015
de la casta Dïana
sagrado puerto fue de tu fortuna
(adonde sin ninguna
obediencia a mis flechas,
rendimiento a mis iras,   2020
u de plomo las miras
u de oro las acechas
para desdenes y favores hechas),
ponte a esas galerías
de vidrio y nácar claraboyas bellas   2025
y Argos de tantos ojos como estrellas,
lince de tantas noches como días,

---

de Iana que es la luna, «añadida la letra D» (Cfr. A. Gallego Morell, *Garcilaso de la Vega y sus comentaristas*, pág. 492). Era referencia común. Lope la hace en *El perro del hortelano*, v. 912, ed. de A. David Kossof, Madrid, Castalia, 1970, pág. 113, nota *(Supra,* vv. 422-3). La luna evoca la imaginación y la fantasía. Los poetas la identificaron con Artemisa (Diana o Selene). Cupido dice su soliloquio en una elaborada combinación de endecasílabos y heptasílabos, en la que el vocabulario teatral se inserta en la propia acción dramática (vv. 2031-5). Nótese que todo el parlamento va en una larga silva. A juicio de Louise K. Stein (cfr. la ed. cit. de Calderón, *La estatua de Prometeo*, pág. 33), aunque en la *princeps* apenas hay acotaciones musicales, Vera y más tarde, el ms. valenciano de 1690, dan muestras claras de la introducción del *recitativo* por parte de Calderón en esta obra: «The fact that this early example of recitative in a Calderonian text is written in "Ithalian" meter heightens the importance of this passage and confirms that Calderón consciously imitated the Italian form» *(ibíd.). Vide infra,* vv. 2679 y ss., y vv. 3473 y ss., donde parece hubo también recitativo, según L. K. Stein, aunque cabe dudar si lo hubo en el estreno de 1652.

2026 Argos. «Esta voz es muy freqüente, y por metáphora se toma por la Persona que está sobre aviso, mui vigilante y lista; y assí se dice está hecho un Argos, esto es está muy cuidadoso y vigilante. Es tomado de la fábula de aquel Pastor a quien engañó y cegó Mercurio» *(Aut.).* Gigante con cien ojos el que Juno encargó vigilar a Io, perseguida por Zeus. Símbolo de la vigilancia. Recuérdese el cuadro de Velázquez *Mercurio y Argos* (J. A. Pérez Rioja, *Diccionario de Símbolos y mitos,* Madrid, Tecnos, 1980). Calderón emplea a veces el mito de Argos como emblema del monarca vigilante (Cfr. Pedro Calderón de la Barca, *Fieras afemina Amor,* ed. de E. M. Wilson, pág. 224). Gracián recreó el tema de *Argos* moral *(El Criticón,* II, págs. 20 y ss.). También Calderón alude a ello en las salidas nocturnas del rey Pedro en *El médico de su honra.*

2027 *Supra,* v. 1605.

atiende a ver de las vitorias mías,
en no lejos confines,
tres triunfos de que dueño   2030
me hace el primer diseño;
que para que mejor los determines
teatro te quiero hacer destos jardines.
Vuelve, pues, vuelve a vellos.
Verás representar mi triunfo en ellos.   2035
De fiera, rayo y piedra en otra parte
blasoné yo y blasono en esta esfera,
pues piedra, rayo y fiera
en Irífile soy y en Anajarte
y en ese mármol frío a quien el arte   2040
hermosura sin alma dar procura;
porque en aquesta calma
aún venciese sin alma
hermosa una escultura.
Pero ¿cuándo tuvo alma la hermosura?   2045
La música que en ellos
suena en ecos veloces
mis triunfos diga a voces,
viendo arrastrar de tres prodigios bellos
la Ocasión mi furor por los cabellos.   2050
Y porque suspendido
tengas en mis despojos
no sólo el devaneo de los ojos,
mas también la lisonja del oído,
del aire atiende al sonoroso ruido   2055
que canta en repetidas armonías
desprecios tuyos y vitorias mías,
pues dice todo que al nacer Cupido

2035 Nótese el uso de la perspectiva teatral *(infra,* v, 2337).
2037 V: «blasoné ya».
2040 V: «este».
2050 La Ocasión o Fortuna, a la que hay que tomar por los cabellos y cuya personificación tendrá lugar en la máscara final *(infra,* vv. 4017 y siguientes).

murió Anteros, Amor correspondido.
Céfiro ¿en quién dicha espera?   2060

Música

En una fiera.

CUPIDO

Y ¿quién a Ifis da desmayo?

Música

Un bello rayo.

CUPIDO

¿En quién Pigmaleón no medra?

Música

En una piedra.   2065

CUPIDO

Ninguno llegue a ser yedra
del laurel que ama, porque hoy
lloren todos; que yo soy
la fiera, el rayo y la piedra.

(Vase y sale IFIS *y un jardinero.)*

2060 V: *Dentro, la música.*

2066-7 La yedra, como la vid con el olmo, es emblema del amor asida al
laurel o al muro. Véase mi artículo «Variaciones sobre la vid y el olmo:
Amor constante más allá de la muerte», *Academia Literaria Renacentista II.
Homenaje a Quevedo,* Universidad de Salamanca, 1982, págs. 213-232.

2069 V: Suprime la acotación de E y coloca ésta tras el estribillo: *Música.*
«Ninguno llega a ser yedra/del laurel, etc.» Después acota: *Vuele Cupido. Sale
Ifis y un jardinero.* Completamos el estribillo.

Música

Ninguno llegue a ser yedra,   2070
del laurel que ama, porque hoy
lloren todos, que yo soy
la fiera, el rayo y la piedra.

IFIS

Esto habéis de hacer por mí.

JARDINERO

No sé si me atreveré.   2075

IFIS

Pues ¿qué riesgo tiene el que
con vos me tengáis aquí
   en traje de jardinero
cuatro días?

JARDINERO

    Que pudiera
ser que alguien os conociera.   2080

IFIS

No es posible, que extranjero
   soy, y soy agradecido.
Esta cadena tomad
en primer muestra.

2083 Las dádivas que por tradición ovidiana y celestinesca abren puertas en las comedias de amor y honra, también se ven en *La fiera*. Después de la cadena, vendrá la sortija (v. 2118).

JARDINERO

Mirad,
yo bien os diera un vestido   2085
    y bien conmigo os tuviera;
bien de sobrino os tratara
y bien, en fin, os guardara,
si mal no me sucediera.
    ¿No conocéis a Anajarte?   2090
Es un rayo.

IFIS

Ya lo sé,
pues su fuego examiné.
¡Oh bastardo hijo de Marte!
    No te has de vengar de mí,
que ha de saber mi fineza   2095
esta imposible belleza
vencer.

JARDINERO

Gente viene allí.
Retiraos.

IFIS

¡Quién vella
o hablalla pudiera hoy
para decilla quién soy   2100
y lo que he de hacer por ella!   (*Vase.*)

2091 V: «que es un rayo?».
2093 Se refiere a Cupido. Ovidio en los *Remedia amoris,* I, 2, 23 y ss.
nos hace dudar si el padrastro de Cupido es Marte o Vulcano (Ruiz de
Elvira).
2098-2101 V: «¡Oh, quién vella / o hablarla pudiera hoy / para decirla.»
Tras *Vase: Sale Pigmaleón.*»

JARDINERO

¿Dónde bueno, camarada?

PIGMALEÓN

Por este bello jardín
divertido voy, a fin
de admirar de su extremada   2105
    fábrica y agricultura
el arte y naturaleza
adonde de la riqueza
desprecio hace la hermosura.

JARDINERO

¿Ya os querréis estar aquí   2110
embobado todo el día
junto a aquella fuente fría
donde otras veces os vi?
    Pues no ha de ser hoy, que creo

2103 Jardín, mezcla de naturaleza y arte, remedo paradisiaco y lugar
propicio para la música y las escenas de amor en la comedia. Sobre la
tradición y significado del jardín barroco, véanse mis introducciones a Miguel
de Dicastillo, *Aula de Dios. Cartuja Real de Zaragoza,* Zaragoza, 1978, y a Pedro
Soto de Rojas, *Paraíso cerrado para muchos, jardines abiertos para pocos con Los
Fragmentos de Adonis.* Además J. E. Varey «La campagne dans le théatre
espagnol au XVII siècle»; J. Jacquot, *Dramaturgie et société,* París, 1968, I, págs.
53 y ss. Y José Lara Garrido, «Texto y espacio escénico (el motivo del jardín
en el teatro de Calderón)», *Actas del Congreso Internacional sobre Calderón y el teatro
español del Siglo de Oro (1981),* págs. 939-954. Escenografía y jardinería iban
unidos. Cosme Lotti era a la par que escenógrafo de la corte, arquitecto de
jardines. Para ello, A. Bonet Correa, «Velázquez y los jardines», *Goya,* 37-38,
1960, págs. 124-129. Jonathan Brown y J. H. Elliott, *op. cit.,* págs. 77 y ss., y
226-7 dan abundantes noticias sobre la construcción de jardines, islas, ríos y
estanques del Buen Retiro, con todo el gasto y el lujo venidos de Italia.
Marvell elogió su riqueza. Constituían lugar de recreo privilegiado que
dominaba la arquitectura del propio palacio, como ocurría en las villas
italianas. Véase María Luisa Caturla, *Pinturas, frondas y fuentes del Buen Retiro,*
Madrid, 1947.
    2110 V: «¿Y os querréis...?»

que Anajarte ha de bajar   2115
a su esfera.

PIGMALEÓN

    Dad lugar
breve rato a mi deseo
    que esta sortija podrá
dar, si os riñen, esa culpa
de mi parte la disculpa.   2120

JARDINERO

¡Y cómo que la dará!
    Mirad, si la veis venir
por ahí, procurá esconderos.
¿Quién son esos majaderos
que saben dar sin pedir?   2125
    Y aún otro más que, escondido,
dentro del jardín está.
Pero aquél manda y no da
y así no es tan bien servido.

PIGMALEÓN

    Ya que sólo a verte llego   2130
helada, muda hermosura,
permite que mi locura
temple en tus aguas su fuego.
Desde el instante que, ciego,

2119 V: «esta».
2121 Eo y V acotan: *Aparte*.
2123 V: «procurad luego».
2124 V: «estos». Eo y V acotan al margen de este verso: *Aparte*.
2130 Eo y V: «sola».
Son décimas (¿buenas para quejas, como decía Lope?). Pigmaleón se
declara en ellas a la estatua hecha por sus propias manos. Sólo le falta alma y
es el propio amador quien quisiera dársela. Lebrón se burlará de ello ironi-
zando sobre su propio papel («sombra» de su amo, v. 2178).

vi en tu rara perfección   2135
lograda mi admiración,
te confieso que, al mirarte,
es la inclinación del arte
arte de otra inclinación.

    ¿Qué mano hoy, imagen bella,   2140
de deidad te retrató
tan superior, que copió
hasta el influjo a tu estrella?
Y es verdad que, a estar sin ella,
¿quién inclinarme podía   2145
a amar, si ya no sería
que al ver cuán perfecta estás
que alma te falta, no más
te has valido de la mía?

    La elección estimo; no   2150
duren tus ansias esquivas
que, a precio de que tú vivas,
¿Qué importa que muera yo?
Y pues mi afecto te dio
el alma, ¡oh estatua bella!,   2155
¡vive!, ¡vive al poseella!,
porque no es justo (¡ay de mí!)
que ella no te sirva a ti
y a mí me dejes sin ella.

    O para verme y hablarme   2160
el alma que te di emplea,
o para que te hable y vea
vuelve, volviendo a animarme,
el alma que te di, a darme.
Mira que es desdén indigno   2165
si a ti fue y a mí no vino
creer que algún tirano dios
poniéndose entre los dos
nos la ha hurtado en el camino.

2140 V: «¡ay, imagen bella!». Enmienda inteligente, ya que la estatua
estaba ya hecha.
2145 Corrijo con Eo y V. E: «indignarme».
2165 Eo y V: «Indino.»

(Sale Lebrón.)

LEBRÓN

Diciendo amores está   2170
a una estatua, a quien ofrece
la alma; y ella, me parece,
pues hecha un mármol está,
que no le responderá.

PIGMALEÓN

¿Quién habla aquí?

LEBRÓN

                    Bien podías   2175
saberlo.

PIGMALEÓN

        ¿Tú me seguías?

LEBRÓN

¿Cuándo tu sombra no he sido
siempre tras ti?

PIGMALEÓN

                ¿Qué has oído?

LEBRÓN

Muchísimas boberías.

2178 *supra,* vv. 2130 y ss., nota.

PIGMALEÓN

¿Has, di, llegado a entender   2180
que esta perfecta escultura
la causa es de la locura
que me has visto padecer?

LEBRÓN

¿Pues no?

PIGMALEÓN

Ya querrás hacer
burla (¡ay Dios!) de mi pasión.   2185

LEBRÓN

No querré, ni es ocasión
deso.

PIGMALEÓN

¿Por qué?

LEBRÓN

Porque...

PIGMALEÓN

Di.

LEBRÓN

En toda mi vida vi
cosa más puesta en razón...

2182 E: «prefecta». Corrijo con Eo y V.

PIGMALEÓN

¿Qué?

LEBRÓN

Que querer a esta dama   2190

PIGMALEÓN

¿Díceslo de veras?

LEBRÓN

Sí.

PIGMALEÓN

¿Por qué?

LEBRÓN

    Porque quien no sabe
hablar, no sabrá pedir.
¿Hay cosa más descansada
que amanecer uno sin   2195
cuidar de lo que su dama
ha de comer y vestir?
Y más en tiempo que el traje
está tal, que sin mentir,
no se usa por mayo el   2200
jubón que se hizo en abril.
Fuera de que ¿qué reposo

_____

2201 *Jubón,* especie de gabán con mangas *(Cor.)* «Vestido de medio cuerpo arriba, ceñido y ajustado al cuerpo, con faldillas cortas, que se ataca por lo regular con los calzones» *(Aut.).* Lebrón hace referencia a los cambios súbitos en la moda y al beneficio de Pigmaleón al amar a una estatua, de piedra y además muda.

puede haber como dormir
seguro de que su dama
en casa está? Y siendo así   2205
que es corriente saber que
no se ha de mudar y, en fin,
sólo hay malo, a mi ver...

PIGMALEÓN

¿Qué?

LEBRÓN

... que es materia muy civil
mármol, y había de ser bronce   2210
para haberte de sufrir.

PIGMALEÓN

Ríete, que eso y aún más
merezco. Mas, ¡ay de mí!
que Anajarte al jardín baja,
según lo llego a inferir   2215
destos instrumentos. ¿Qué
he de hacer?

LEBRÓN

Echar a huir
a uno de estos emparrados.

PIGMALEÓN

Dices bien, ¿quién está aquí?

(Sale CÉFIRO.*)*

2214 Corrijo con Eo y V. E: «vaya».
2218 V: «destos».
2219 V: *Llega a esconderse y halla a Céfiro. Céfiro.*

CÉFIRO

Yo, Pigmaleón, que no   2220
viendo a Ifis, tras quien salí,
mientras vuelvo a hallarle, oculto
del cancel deste jazmín
estoy, por ver si mi dicha
llega acaso a permitir   2225
que pueda adorar aquella
hermosa fiera, a quien di
toda el alma.

PIGMALEÓN

            Pues no quiero
tu amor estorbar; y así
me retiraré a otra parte.   2230

LEBRÓN

Si aquí hay huésped, fuerza es ir
a buscar a otra posada.

(Sale IFIS.)

IFIS

¿Pigmaleón?

PIGMALEÓN

¿Ifis?

2220 V: «Yo soy, Pigmaleón.»
2223 *cancel,* «verja o barandilla enrejada».
2232 V: «a buscar otra posada». *Va a esconderse a otro lado y halla a Ifis.*
Ifis.

IFIS

Sí.

PIGMALEÓN

¿Qué es esto?

IFIS

Como no hallé
a Céfiro, tras quien fui,   2235
por lograr alguna dicha,
si acaso baja al jardín
el bello rayo que adoro,
oculto aquí estoy. Y así
no me descubra tu ruido.   2240
Retírate.

LEBRÓN

Siempre vi
quien llega tarde quedarse
en la calle.

PIGMALEÓN

¡Ay infeliz!
Que ya no podré sin verme,
pues veo hacia aquí venir   2245
las dos que los dos adoran.

2241-3 Refrán comparable al que dice «Quien llega tarde, ni oye misa, ni
come carne» *Más de 21.000 refranes castellanos no contenidos en la copiosa colección del
Maestro Gonzalo Correas,* ed. de Francisco Rodríguez Marín, Madrid, 1926.

Y aun las tres puedes decir,
pues que también mi señora
doña Mármol se está aquí.

Pigmaleón

Fuerza ha de ser que me vea   2250
si no me llega a encubrir
la basa de aquesta fuente.
Tú no te quites de ahí,
por si oyó ruido o vio sombra
vea que eres tú; y así   2255
en ti quebrará el enojo.

Lebrón

Como lo que quiebre en mí
sea el enojo y no sea
una vara de medir
vendré en ello fácilmente.   2260

(Salen Anajarte, Irífile *y las cuatro damas.)*

2248 V: «porque».

2252 *basa,* «El assiento que guarnece, y en que estriba y afirma la coluna, estatua u otra cosa» *(Aut.).*

2256 V: «en ti se quiebre el enojo».

2258-9 Lebrón juega con el equívoco entre *enojo* e *hinojo,* planta de tallo alto, derecho y redondo con nudos, más suave como instrumento de castigo que la *vara de medir:* «Se llama assimismo un instrumento formado de madera, u otra materia, de que se usa para medir, graduado con varias señales que notan la longitud de tres pies, y la dividen en tercios, quartas, sesmas, ochavas y dedos», *Autoridades* refrenda curiosamente esta acepción con el ejemplo de estos versos de *La fiera, el rayo y la piedra* de Calderón.

2260 V: *Retírase Pigmaleón detrás de la fuente, y salen Anajarte, Irífile y las cuatro damas.*

ANAJARTE

Todas conmigo venid.

CÉFIRO

Feliz quien llega a mirarla.

IFIS

Quien llega a verla, feliz.

PIGMALEÓN

Feliz quien vive a esta sombra.

ANAJARTE

¿Qué te ha parecido, di,   2265
Irífile, desta esfera?

IRÍFILE

¿Qué me preguntas a mí,
si no hay rasgo, no hay amago,
si no hay línea, no hay perfil,
señora, que no me vuelva   2270
al pasado frenesí,
absorta, admirada y muda?

ANAJARTE

De lo mejor que hay aquí
es esta fuente... Mas ¿quién
aquí está?

2263 Enmiendo con V a E y Eo: «llego».

LEBRÓN

Con prevenir   2275
que tu enojo y no otra cosa
diz que has de quebrar en mí.
Un hipocóndrico soy
que se ha entrado a divertir
a este jardín.

ANAJARTE

Pues ¿de cuándo   2280
acá nadie a este jardín
osa entrar?

LEBRÓN

Desde hoy acá.

ANAJARTE

Todas a ese loco asid,
y al estanque de las focas
le echad.

LAS CUATRO

Él será su fin.   2285

2278 *hipocóndrico,* melancólico en sumo grado, *vide supra,* vv. 649-650.
Lebrón se chancea otra vez de la enfermedad de amor y del lenguaje sublime.
«Lo que pertenece a la Hypocondria: como humor hypocóndrico, hombre
hipocóndrico» (*Aut.*). Es propio del gracioso divagar respecto al amo sobre
sus planteamientos amorosos y propósitos matrimoniales. Véase Harry W.
Hilborn, «The Calderonian *Gracioso* and Marriage», BCom., 3, 2 (1951), nota,
sin paginación. Calderón se burló de la hipocondría por boca en *El médico de
su honra,* Madrid, Espasa-Calpe, 1970, pág. 101.

2284 *focas. Bueyes marinos* en lenguaje popular antiguo, descritos ya por el
malagueño Aben-Albeitar, a mediados del XIII (*Cor.*). La foca, según Covarrubias, «tiene el cuero cubierto de pelo, sale a pasar a tierra y, durmiendo,
brama como toro». Aparece todavía como animal raro y prodigioso en la

LEBRÓN

¿De las qué?

LAS CUATRO

De las focas.

LEBRÓN

¿Qué son focas? Me decid.

ISBELLA

Bestias marinas que comen
humana carne.

LEBRÓN

Advertid
que es sentencia criminal   2290
para delito civil.
De las cuatro enamorado
a entrar acá me atreví.
Doleos de mí las cuatro.

ANAJARTE

¿Cómo es eso que decís?   2295
¿Cuatro amáis?

época de Calderón. Para su simbología *vide* James George Frazer, *La rama
dorada. Magia y religión,* Madrid, 1981, págs. 60 y 545. Pilcinelo en su *Mundus
Symbolicus,* Coloniae Agrippinae, Hermanni Demen, MDCLXXXI, destaca
sus cualidades de quietud entre las tempestades y su amistad con el hombre.
Lo interpreta simbólicamente en 6175-180.
    2286 V: «¿De las fo... qué?»

LEBRÓN

Y si me enojo,
he de amar a cuatro mil.

ANAJARTE

Llevadle a echar a las fieras.

LEBRÓN

*Tened lástima de mí
que soy niño y solo,
y nunca en tal me vi.*   2300

ISBELLA

Éste es un loco, señora.

ANAJARTE

Echadle, echadle de ahí.

ISBELLA

Yo os quiero poner en salvo.
Conmigo solo venid.   2305

2299-301 Este estribillo aparece en *La niña de Gómez Arias. A tu prójimo
como a ti, Luis Pérez el gallego, Apolo y Climene, Hado y divisa de Leonido y Marfisa,*
con antecedentes en *La lozana andaluza* de F. Delicado, *El Crotalón, El viejo
celoso* de Cervantes, etc. Véase E. W. Wilson y Jack Sage, *Poesías líricas en las
obras dramáticas de Calderón,* págs. 115-6. Cleire Pailler considera la inserción
de este tipo de *guiños* calderonianos como muestra de autoburla e ironía
crítica, en su artículo «El gracioso y los "guiños" de Calderón: Apuntes sobre
"autoburla" e ironía crítica», *Risa y sociedad en el teatro español del Siglo de Oro,*
pág. 34.
2305 Enmiendo con V a E y Eo: «sola».

LEBRÓN

¿Qué dirán de eso las tres?

ISBELLA

A fe que no te has de ir
sin algún castigo. Una
fineza he de hacer por ti.

LEBRON

¿Qué es?

ISBELLA

     Para hablarte, después   2310
que todas falten de aquí,
este cenador te ha
de ocultar.

LEBRÓN

     ¡Ah, pese a mí!
Que si es cenador, lo hará
muy bien.

ISBELLA

¿Por qué?

2307 Eo y V: «fee». V acota oportunamente el final del verso: *Aparte*.

2311 Corrijo con V a E y Eo: «faltan».

2312 *cenador,* de *cenaculum,* comedor, derivado de cena, la comida posterior al medio día o «comida de la tarde», como la llama Nebrija. «Plazetuela, ó lonjéta quadrada, ó aovalada, dispuesta en los jardines, huertas, ó estanques, fabricada de madera, cubierta de ramas y hojas de diferentes plantas» *(Aut.)*. Era lugar fresco de recreo en los jardines para cenar en verano. Los cenadores llegaron a conformar parte de la decoración de las tarascas, lo mismo que las grutas. Véase José María Vernáldez Montalvo, *Las tarascas de Madrid,*

LEBRÓN

        Porque sí   2315
y porque, como él, no sólo
cenador soy, pero...

ISBELLA

        Di.

LEBRÓN

Cenador y almorzador.

ISBELLA

Mira que no has de salir
dél, que si vuelven a verte   2320
será fuerza que hayas de ir
al estanque de las focas.

LEBRÓN

Que no saldré, fía de mí
hasta que tú vuelvas.

ISBELLA

        Eso
has de hacer. Ahora he de ir   2325
[a] avisar al jardinero
lo que ha de hacer.

Ayuntamiento de Madrid, 1983, págs. 161, 171 y 89. A continuación,
Lebrón hará el chiste correspondiente.

2326 Corrijo con Eo y V el error de E: «ir/avisar». Eo y V: *Aparte,* al final
del verso. Lectura que sigue también oportunamente el ms. valenciano.

2327 Corrijo con Eo y V a E: «conseguir», como han hecho los editores
modernos.

IFIS

Conseguí
la dicha de ver su cielo.

CÉFIRO

Logré el deseo feliz
de idolatrar su hermosura.   2330

PIGMALEÓN

El intento conseguí
de dejar fuera a Lebrón.

LEBRÓN

Rendí la una, con que, en fin,
tres me faltan para cuatro.

ANAJARTE

Ya que el sol en el viril   2335
del mar baña los hermosos,
preñados rayos de Ofir,

2337 V: «peinados».

Ofir (según 1 *Reyes* 9, 28, y 2 *Paralipómenos* 8, 18) lugar posiblemente situado en Arabia, famoso por su oro, marfil y piedras preciosas. A él arribaban los buques de Salomón y del rey de Tiro desde Asiongaber, en el mar Rojo. Aquí hace alusión a los rayos dorados del sol al anochecer. Quevedo, *Poesía original,* ed. de J. M. Blecua, Barcelona, 1963, págs. 223, 318 y 467, lo usa como metáfora de los cabellos y los rayos solares. Anajarte emplea nuevamente imágenes teatrales como las que utilizó Cupido *(supra,* v. 2035) para descubrir el anochecer en el jardín. En la loa se pedía silencio, como se sabe, para que el público oyese atento la comedia que seguía. También alude a Ofir Calderón en *Fieras afemina amor,* ed. cit., vv. 1067. Eugenio Hartzenbusch, con perspectiva antigongorina, criticaba las extravagancias de la lengua calderoniana con una referencia al cabello «donde la mano feliz / Bucentoro de cristal, / Corrió tormenta de Ofir» de la comedia *Mejor está que estaba* (Cfr. *Comedias de don Pedro Calderón de la Barca,* Madrid, BAE, 1918, pág. XII).

y que la estrella de Venus
en teatros de zafir
está la loa pidiendo   2340
silencio a todo el confín,
allí os retirad, porque
suene mejor desde allí
la música al dulce son
deste cristal que sutil   2345
cítara de vidro forma
sobre trastes de carmín,
fantasías ciento a ciento
y cláusulas mil a mil.
Tú, paséate conmigo   2350
por su margen.

IRÍFILE

              ¡Ay de mí!,
que toda esta majestad
con que la veo servir,
siendo pompa para ella,
es envidia para mí.   2355

IFIS

¡Qué dulce rayo de amor!

CÉFIRO

¡Qué fineza tan gentil!

PIGMALEÓN

¡Quién te diera sus sentidos
a ti, para ver y oír!

2340 V: «está en la loa».
2346 V: «vidrio».
2347 V: «de marfil».

La fiera, el rayo y la piedra   2360
estoy viendo desde aquí,
y cuál de los tres padece
más, no lo sabré decir.

ANAJARTE

¿No es apacible la estancia
de aqueste ameno pensil?   2365

IFIS

¿No ha de serlo si tu pie
pisa su hermoso país
a una y otra flor, a un tiempo
dando y quitando el matiz?

CÉFIRO

¡Quién saliera a hablarla!

IFIS

                              ¡Quién   2370
pudiera a hablarla salir!

PIGMALEÓN

¡Quién fuera Orfeo y moviera
tu amor!

2365 Eo: «Irifis» y V: «Irífile». Parece más lógico que sea Ifis quien, escondido, diga el elogio que sigue. Nótese cómo más adelante vuelve Ifis a responder oculto a una observación de Anajarte (vv. 2397-9).

2367 Corrijo con Eo y V: «su» a E: «tu».

2372 Orfeo. El mito helénico más oscuro y cargado de símbolos hasta convertirse en una verdadera teología no exenta de esoterismo. Es el cantor, el músico y el poeta. Con su canto conmovía a las plantas, las fieras y las

¡Quién viera venir
ya la cena al cenador!

Los tres

Mas basta poder decir   2375
al ver tu hermosura que...

Música

Es verdad, que yo la vi.

Los tres

La música por mí habló,
pues es verdad que la vi.

---

piedras. Era hijo de Apolo y Calíope y gracias a la música, consiguió entrar en el reino subterráneo, aunque con ello no lograra rescatar a Eurídice, a la que lloró orillas del Estrimón, como cuenta bellamente Angelo Poliziano en su *Fabula di Orfeo* dedicada a Carlo Canale, donde muestra la fuerza del amor frente al destino, y Juan de Jáuregui en las octavas de su *Orfeo*. A su dominio sobre la moral y el orden humanos, hay que añadir la ideología órfica y la encarnación del poeta como Orfeo, de tan rica tradición a partir del Renacimiento. Su vertiente operística en el Barroco es muy amplia, como muestran Monteverdi y Rossi. Frecuentísimo en la poesía del Barroco que contó por extenso la fábula, como demuestran Góngora —músico él mismo, en el soneto correlativo que empieza «Ni en este monte, este valle, ni este río» de 1583—, Quevedo y otros. Sobre la fábula en las letras españolas, véase José María de Cossío, *op. cit.,* pág. 885. Fue tema tratado por Rubens. En la pintura española aparece ya Orfeo, desde el xvi, como músico y protagonista del relato ovidiano. Una «Fábula de Orfeo y Eurídice» de Mazo estaba en el Alcázar de Madrid, según un inventario de 1686. Sobre ello, Rosa López Torrijos, *op. cit.,* págs. 389-391.

2377 ss. E. M. Wilson y Jack Sage, *Poesías líricas en las obras dramáticas de Calderón,* pág. 66, señalan el precedente de estos versos en el *Cancionero manuscrito de 1615* así como su presencia en Vélez de Guevara, José de Valdivielso y Moreto. Existe música de Juan Pujol para esa letra en el *Cancionero de Olot,* tal vez emparentada con ésta (cfr. Miguel Querol, *Romances y letras a tres voces,* Barcelona, 1956, págs. 12). Véase en el *Cancionero de Olot,* Biblioteca Pública, Ms. I-VIII, fol. 68. El texto, según Louise K. Stein,

Música

En el campo entre las flores.   2380

LOS TRES

Aun cuanto va a repetir,
va a mi intento, pues refiere...

Música

Cuando Celia dijo así:

LOS TRES

Veamos lo que dijo Celia,
si hace también a mi fin.   2385

Música

¡Ay, que me muero de amores!
¡Tengan lástima de mí!

IFIS

Sí, pues que de amores muero.

CÉFIRO

Pues muero de amores, sí.

---

aparece también en *Reinar después de morir,* jornada III de Luis Vélez de
Guevara y en la Mojiganga de don Gayferos de Suárez de Deza y Dávila (Cfr.
su estudio introd. a la ed. cit. de *La estatua de Prometeo,* pág. 35, nota 65). La
canción se usa como en una comedia de corral y no tiene mucho que ver con
el tema de la obra. Aparece como música de los hombres que al ser oída por
los músicos de Anajarte, dirán con distanciamiento: «Bien sonora es, si no
fuera la letra de amor.» El romance tradicional se engasta en los nuevos tonos.

Todo hace al intento de otros,   2390
sólo al mío, ¡ay infeliz!,
no hace, pues nunca podrá
la que yo adoro decir:

Música

¡Ay, que me muero de amores!
¡Tengan lástima de mí!   2395

ANAJARTE

Bien sonara, si no fuera
la letra de amor.

IFIS

                        A mí
cualquiera música pudo
siempre llevarme tras sí.

LEBRÓN

¿Qué es esto? ¡Viven los cielos!,   2400
que no llueve por aquí
a uso de mi tierra, pues
llueve hacia arriba. ¡Ay de mí,
que como si fuera tronco

2396 V: «Bien sonora es.»

2400-5 Alusión cómica del gracioso a la fuente artificial dispuesta en el escenario que soltaba agua hacia arriba. Fuentes y teatro andaban emparejados, pues fue Cosme Lotti el primer *fontanero* que trajo de Italia la arquitectura de fuentes y juegos de agua a los jardines, además de las máquinas teatrales (Cfr. Jonathan Brown y J. H. Elliott, *op. cit.,* págs. 49, 77-9, 83. Véase el diseño de una fuente en pág. 97). Como Brito y otros graciosos de Calderón, éste se muestra enemigo mortal del agua (Cfr. Ciriaco Morón Arroyo, *op. cit.,* pág. 12).

me riegan por la raíz!   2405
Si salgo, doy con las focas;
si no salgo, he de morir
anegado por el pie.

ANAJARTE

Letra y tono repetid,
que hacen lindo maridaje   2410
noche, música y jardín.

LOS TRES

¡Oh, nunca espirara el sol!

Música

Es verdad, que yo la vi
en el campo entre las flores,
cuando Celia dijo así: 2415
¡Ay, que me muero de amores!
¡Tengan lástima de mí!

LEBRÓN

¡Ay, que me mojo, señores,
sin ser Corpus para mí!

2411 Introducción, pág.

2419 Todos los refranes hacen referencia al Corpus soleado, como se sabe
(cfr. Luis Martínez Kleiser, *Refranero general ideológico,* 37, 689 y *vide* 3792-5), y
a que cuando llueve «llueve para abajo / como suele» (v. 3749-9). Aquí creo
se hace referencia a los pomos llenos de agua de olor que las damas arrojaban,
junto con flores, al paso de la procesión del Corpus (Cfr. José María Bernál-
dez Montalvo, *Las tarascas de Madrid,* pág. 15). Calderón con sus autos y loas
sacramentales contribuyó como nadie al realce de esa fiesta. En los entremeses curiosamente aparecen alusiones jocosas en las piezas dedicadas a ese día,
según ya indicó Eugenio Asensio, *Itinerario del entremés (De Lope de Rueda a*
Quiñones de Benavente), Madrid, Gredos, 1971, pág. 154. Véase además el
estudio de Evangelina Rodríguez y Antonio Tordera, *Calderón y la obra dramá-*
tica corta del siglo XVII, pág. 96; y pág. 34, para los bailes y loas sacramentales.

(Sale ANTEO.)

ANTEO

Como no tengo otro norte,	2420
ni otro rumbo que seguir,	
Irífile mía, en tu busca,	
que el vago destino vil	
de la planta, de cualquiera	
razón me valgo. Y así,	2425
sin recelar ningún daño,	
ningún riesgo prevenir,	
me he entrado, sin saber dónde,	
tras la música que oí	
a estos jardines, que como	2430
era hechizo para ti,	
me hace pensar el deseo,	
si aquí te traerá tras sí.	

ANAJARTE

Di, Irífile, que otra letra	
canten, que me cansa oír,	2435
que nadie muera de amor.	

ANTEO

¿No dijo Irífile?

En el *Entremés de los instrumentos* (Pedro Calderón de la Barca, *Entremés, jácaras, y mojigangas,* ed. cit. de Rodríguez y Tordera, pág. 233 y nota), también muestra festivamente la fiesta del Corpus. Téngase en cuenta además la *Mojiganga de las visiones de la Muerte (ibíd.,* págs. 371 y ss.), contrapunto lúdico de los autos, donde se juega constantemente con la alegoría del Corpus.

2426 V: «daño alguno».
2427 V: «ni algún riesgo».

IRÍFILE

Así
se lo diré.

ANTEO

Nombre y voz
ya no me pueden mentir,
ni los ojos, que la noche   2440
aun la deja percibir.
Irífile mía, mil veces
los brazos me da.

IRÍFILE

¡Ay de mí!
Padre mío, ¿cómo a riesgo
de tu vida entras aquí?   2445

ANTEO

Como yo, [hija,] te vea,
mi muerte será feliz.

IRÍFILE

Vuélvete, antes que Anajarte
pueda verte.

ANTEO

Yo sin ti
no he de volver.

2441 V: «percebir».
2446 Corrijo (*res metrica*) con V el verso incompleto de E y Eo: «Como yo
te vea.»

IRÍFILE

         Ni contigo   2450
yo, que quiero más servir
en palacios, que reinar
en montañas.

ANAJARTE

         ¿Con quién, di,
Irífile, hablas? Mas, ¡cielos!,
¿qué miro?

IRÍFILE

         Llegó mi fin.   2455

LOS TRES

¿Qué oigo?

LEBRÓN

         Nadie tema, pues
todo llueve sobre mí.

ANTEO

Con quien, si das voces u hablas,
sabrá darte muerte a ti,
por darla la vida a ella.   2460

ANAJARTE

¿Esto, dioses, consentís
dentro de mi casa?

2458 V: «o hablas»,

ANTEO

Calla.

ANAJARTE

¿No hay quién me defienda?

LOS TRES

Sí.

ANAJARTE

¿A defender y ofender
a un mismo tiempo venís?   2465
¿De dónde o cómo, en mi ofensa
y en [mi] defensa salís?

IFIS

Después lo sabrás, que ahora
dar muerte a este monstruo vil
sólo me toca.

IRÍFILE

Primero   2470
me darás la muerte a mí.

IFIS

Sí haré, que por Anajarte
en nada debo advertir.

2463 V: *Salen los tres*.
2467 Corrijo *(res metrica)* con Eo y V: el verso incompleto de E: «y en
defensa salís?».

CÉFIRO

No harás, que aunque más me importe
a mí su muerte que a ti,   2475
Irífile le defiende,
y por ella ha de vivir.

IFIS

Eso es volver nuestro duelo
a aquella primera lid.

CÉFIRO

Pues ¿a qué mejor principio   2480
que al de matar o morir?

PIGMALEÓN

Eso no, que estoy yo en medio
que a los dos debo asistir.

ANAJARTE

Ninguno saque la espada
que acción es más varonil   2485
tal vez, en quien reñir sabe,
reportarse que reñir;
que yo, porque no volvamos
hoy, en repetida lid,
a aquello de «a mí me toca   2490
rendirla y librarla a mí»,
quiero sacar este empeño
de sus quicios y acudir
a ver si yo elijo medio
que a todos componga.

2490-1 Otra parodia de la mecanización de la comedia. *Vide supra*,
vv. 1855-60.

Di.   2495

ANAJARTE

Tú, Céfiro, enamorado
de Irífile entraste aquí;
tú, ya lo sé, de esa estatua,
porque el verte a ella asistir
tan atento lo ha inferido;   2500
y tú, extranjero infeliz,
por facilitarle a él,
enamorado de mí
que soy más estatua, pues
sé menos que ella sentir.   2505
Pues siendo así, componeros
quiero a los tres.

LOS TRES

¿Cómo?

ANAJARTE

            Oíd,
que porque nadie se queje,
tengo de empezar por mí.
Derrotado peregrino   2510
de el mar, que en este país
tomaste tierra, en el fuego
de su abrasado confín,
¿harás por mí una fineza?

2499-2500 V: «porque al verte a ella asistir / tan atento, lo he inferido».
2511 V: «del».

IFIS

¿Qué imposible prevenir   2515
podrás tú, que yo no emprenda?

ANAJARTE

¿Dasme esa palabra?

IFIS

Sí.

ANAJARTE

Pues tu esquife está en la playa,
vuelve a acortar, vuelve a abrir
las espumas de Anfitrite,   2520
y ese varado delfín
que te hurtó de la tormenta
sea velado neblí
que al aire te restituya.
Y pues que tan infeliz   2525
fuiste que de aquel eclipse
cayó el rayo sobre ti
(pues rayo es sin llama quien
sabe abrasar sin herir),
llévale a apagar al mar,   2530
que más imposible unir
es de mi amor el extremo
que si intentaras medir
la distancia de ti al sol.

2520 Anfitrite, diosa del mar. Se casó con Poseidón y tuvieron a Tritón y
a varias ninfas. Aparece siempre en un carro tirado por delfines o caballos
marinos con nereidas y tritones sobre las aguas del mar.

2521 ss. Anajarte traduce en sus metáforas, verbales y de todo tipo, el
lenguaje ordinario, mezclando referencias a los cuatro elementos. La barca se
convierte de varado delfín, al estar anclada, en velado neblí al echarse al mar
y ser empujada por el viento. Es un modo de desdeñar a Ifis y dejarlo.

2530 Eo: «llevarle».

Pues fui tan necio que fui   2535
de puro cortés, grosero;
ya que palabra te di
sin saber de qué la daba,
te la tengo de cumplir.
Yo me iré, pero será   2540
para volver a venir,
quizá con mejor fortuna,
a hacer, señora, por ti
tal fineza, que ella pueda,
no digo yo conseguir   2545
tu favor, sino obligarle.
Mas, ¿qué fineza —¡ay de mí!—
será que sepa volver
de donde no me sé ir?   *(Vase.)*

ANAJARTE

Ya que de los tres afectos   2550
aparté el mayor de mí;
tú, horror de aquestas montañas,
a quien por fuerza seguí,
supuesto que no eres fiera
y que informada de ti   2555
estoy, que a esto obliga un hado,
conmigo no has de vivir,
porque no tenga disculpa
Céfiro de entrar aquí.
Su amor te busque en los montes   2560
y sirva de algo venir
tu anciano padre a buscarte.

2555 Corrijo con V a E y Eo: «informado».
2561 V: «algo de venir».

ANTEO

Tu planta una vez y mil
beso. Ven, hija, que no
sabes cuánto eres feliz   2565
en salir deste palacio.

IRÍFILE

Aunque me pese salir
de entre majestad y pompa,
fuerza es que te he de seguir,
pues me destinan los cielos   2570
(volviendo otra vez al vil,
al bárbaro antiguo traje)
tiranamente a vivir
donde mi más alto estrado
es de un monte de la cerviz.   (*Vase.*) 2575

CÉFIRO

No destinan que a mejor
alcázar, yendo tras ti,
sabré yo mudarte.

ANAJARTE

                    No
la sigas; que hasta salir
de mis términos está   2580
segura.

CÉFIRO

          Mal impedir
podrás mi intento.

ANTEO

                No en eso
te empeñes.

CÉFIRO

Ya acción tan vil
me dice más claramente
quién eres, puesto que así   2585
a tu rey te atreves.

ANTEO

                No
lo quiera el cielo.

CÉFIRO

                Pues di,
¿no soy tu rey?

ANTEO

                No, que yo
no tengo rey; reina sí.

CÉFIRO

¿Quién lo es?

ANTEO

                Yo diré quién es   2590
cuando lo pueda decir.   *(Vase.)*

ANAJARTE

Presto su voz me ha pagado
la libertad que le di.

CÉFIRO.

¿En qué?

ANAJARTE

      No sé en qué. Mas ¿quién
duda el decirlo por mí?   2595

CÉFIRO

¿Quién creerá, ¡cielos!, que a un tiempo
me importa a los dos seguir,
al uno para matar
y al otro para morir?   (*Vase.*)

ANAJARTE

Ya que solamente falta   2600
tu tema o tu frenesí,
tu delirio o tu locura
de enmendar, escucha.

PIGMALEÓN

      Di.

ANAJARTE

Si a un amante y a una fiera,
por no ver, por no advertir   2605
ningún extremo de amor

la supe apartar de mí,
¿qué haré a una piedra, a una estatua?

PIGMALEÓN

¿Por qué lo vas a decir?

ANAJARTE

Porque tampoco no quiero   2610
que tú, para entrar aquí,
en las licencias de loco
tengas licencia; y así,
esa que hasta hoy imagen
de alguna deidad gentil   2615
veneré, y desde hoy
tendré por retrato vil
de una Lamia, de una Flora
(pues mudamente civil
se deja mirar sin ver,   2620
se deja hablar sin oír),
en mi jardín no ha de estar.
Yo la echaré del jardín.
Búscala tú fuera dél;

2607 Eo y V: «le». Nótese que tanto se puede referir a amante como a fiera (v. 2604).

2616 V: «y ya desde hoy».

2618 *Lamia y Flora.* Lamia, monstruo fabuloso de la mitología griega con rostro de mujer y cuerpo de león. Algunas leyendas dicen que la bella y cruel Lamia fue transformada en fiera devoradora de niños. Las lamias eran descendientes de las *dianae* o ninfas compañeras de Diana. Flora, diosa romana de la primavera que preside todo lo que florece. Ovidio la figura como ninfa amada por Céfiro, dios del viento. Cloris en la mitología griega; su presencia se hace tópica en la poesía descriptiva de campos y jardines. Véase, por caso, el soneto de Góngora «Raya, dorado sol, orna y colora», inspirado en otro de Medrano orillas del Tormes (*Sonetos completos,* pág. 115). Otro tanto ocurre en la pintura de estaciones y descripciones primaverales en la pintura del XVI y del XVII, como en el cuadro del Museo del Prado, *Flora* de Juan Van der Hamen (1627) al que Lope de Vega dedicó el soneto que empieza «Si cuando coronado de laureles» (cfr. Rosa López de Torrijos, *op. cit.,* págs. 369 y ss.), y cita otros de Claudio Coello, Mesquida, etc.

que yo, por verte morir,   2625
a las manos de su hielo,
vengada de ella y de ti,
te la doy.

PIGMALEÓN

        Deja que bese
tu pie; quisiera decir...,
mas no me atrevo, pues basta   2630
que diga aqueste matiz,
que cuando él le pensó ajar,
fue cuando le hizo lucir.
Bella deidad, ya eres mía.
Yo te ofrezco desde aquí   2635
labrarte templo en que emplee
cuanto supe y adquirí,
siendo de su arquitectura,
ya al cincel y ya al buril,
la menor materia, el jaspe,   2640
el menor lustre, el marfil.
De oro y de bronce mi mano
estatuas labrará mil
que, como familia tuya,
las vean todos asistir   2645
a tu culto, en cuyas aras
el corazón que te di
verás arder sin humear,
verás quemar sin lucir.

2632 V: «ahajar».
2639 V: «alsincel», «alburil».
Cincel, galicismo (*Cor.*). «Hierro largo y redondo, la punta ancha y mui delgada, con la qual, dándole golpes en la cabeza, se va labrando la piedra» (*Aut.*). *Buril*, «Instrumento de acero esquinado, cuya punta remata en uno de sus ángulos, con el qual se abre, y se hacen líneas, y lo que se quiere en los metales, como oro, plata y cobre» (*ibíd.*).
2649 V: *Vase.*

¡Extraña locura! Pero   2650
ya que eché a los tres de mí,
echando de mí las causas
para que no entren aquí,
¿habrá quién me hable de amor?,
¿habrá quién pueda decir   2655
que corresponda ya más
yo a ningún afecto?

ANTEROS

Sí.

ANAJARTE

¿De cuándo acá aprendió el eco
voz que él la diga por sí,
sin que se la dicte otro?   2660
Dígolo, porque (¡ay de mí!)
no fue acento de mi acento
el que en los aires oí;
ilusión sería, porque éste,
hermosos cielos, decid,   2665
sin que le formara yo
¿pudiera él formarse?

ANTEROS

Sí.

ANAJARTE

¿Quién es quien me habla?

2657 V: *En lo alto Anteros.*

2668 V: añade: «¿Quién es quien así me habla, / de quien sólo percebí / el eco?» *Baja Anteros cantando.*

Anajarte y Anteros sobre el pavón.
Dibujo para la representación de 1690

Quien de ti viene
a valerse contra ti.   2670
    Ama, amada Anajarte
hermosa y gentil,
que el amor no es defecto
y el olvido sí.

ANAJARTE

¿Quién eres, hermoso joven,   2675
que entre nubes de rubí
vienes desplegando hojas
de púrpura y de carmín?

ANTEROS

El correspondido Amor,
que rey en el orbe fui   2680
antes que el interesado
Amor me obligase a huir.

2671 V: «Ama al que ama, Anajarte.»

2673 V: «defecto, no».

2675-8 Anajarte hace referencia a que Anteros baja colgado sobre una flor de hojas púrpura y rojas. En los dibujos de la representación valenciana puede verse el pescante con el artilugio de la flor. Y *vide infra*, vv. 2707-9. Las flores y las rosas son atributos de Venus, según Herrera (A. Gallego Morell, *Garcilaso de la Vega y sus comentaristas,* pág. 423).

2679 ss. Sobre estos versos, véase la opinión de Louise K. Stein (cfr. la ed. cit de *La estatua de Prometeo,* pág. 34), quien cree se trata posiblemente de una tonada o aria *(supra,* vv. 2014 y ss.). En la Biblioteca del Instituto del Teatro de Barcelona (ms. 82841 bis ff. 36 v-37), hay una concordancia textual en el texto titulado «Tonada de Anteros en la Fiera, el Rayo y la Piedra», en 6 coplas y estribillo, lo que quiere decir que las cuartetas del texto empiezan «El correspondido amor / que rey en el orbe fui» fueron cantadas, en añadido al refrán *Ama el que ama.* Conviene, sin embargo, preguntarse si esta tonada se dio ya en el estreno de la obra o en las representaciones posteriores.

2682 V: «obligase», parece mejor lectura que la de E y Eo «obligaba». *La emendatio* de Vera tal vez pidiera un «obligara» que erróneamente copiara E y repitiera Eo.

De plomo y oro sus flechas
armó este fiero adalid,
mezclando de odio y favor   2685
el noble afecto y el vil.
De la del plomo tocado
está tu pecho, en quien vi,
quedando mustio el clavel,
ensangrentarse el jazmín.   2690
Véngate dél, y no ingrata
correspondas, siendo así
que no es defecto el amar
y es defecto el no sentir.
Quien ama a lograr amando,   2695
porque es interés su fin,
no puede decir que ama
a su dama, sino a sí.
Mas quien ama por amar
bien merece conseguir   2700
que el correspondido Amor
haga su vida feliz.
   Ama, amada Anajarte,
hermosa y gentil,
que el amor no es defecto   2705
y el olvido, sí.

ANAJARTE

Aunque en traje de deidad
del cielo te veo venir,
no te he de creer.

ANTEROS

¿Por qué?

_____

2683-4 *Supra,* vv. 1143-8.
2687 V: «de plomo».
2703 V: «Ama el que ama, Anajarte.»
2705 V: «defecto, no».

ANAJARTE

Porque no has de persuadir   2710
nunca a mi pecho que deje
de aborrecer.

ANTEROS

¡Ay de ti!

ANAJARTE

¿Es esa amenaza?

ANTEROS

No.

ANAJARTE

¿Pues qué es? ¿Es lástima?

ANTEROS

Sí.

ANAJARTE

¿Lástima sin amenaza?   2715

ANTEROS

¿Por qué no?

ANAJARTE

¿De qué? Me di.

ANTEROS

De que quien sentir no sabe
merece...

ANAJARTE

¿Qué?

ANTEROS

No sentir.
Ama amada Anajarte,
hermosa y gentil,   2720
que el amor no es defecto
y el olvido, sí.
No un tirano dios blasone
de que se valió de ti
con nombre de rayo para   2725
abrasar y no lucir.

ANAJARTE

Por más que me persüadas
no he de amar ni he de admitir
tu correspondido Amor.
Para ser rayo nací.   2730

ANTEROS

Pues mira que el rayo es piedra
después que llega a morir.

ANAJARTE

¿Qué importa ser piedra yo?

2719-2722 V: «Ama al que ama, Anajarte, etc.», ofrecería en E y Eo la
variante de los estribillos anteriores *(supra,* vv. 2703-5) que reproducimos.

y no te canses, en fin,
que no he de corresponder   2735
aunque más te oiga decir...
   Ama, amada, Anajarte.
hermosa y gentil,
que el amor no es defecto
y el olvido, sí.   2740

2737 V: «Ama al que ama, Anajarte.»
2738 V acota: *Sube.*
2739 V: «defecto, no».
2740 V acota: *Va subiendo a lo alto, midiendo con la música la distancia.*

JORNADA III

(*Salen* Céfiro *y* Pasquín, Pigmaleón *y* Lebrón.)

CÉFIRO

Este es mi intento.

PIGMALEÓN

Éste, el mío.

CÉFIRO

¿Quién en el mundo creyera
que una piedra y una fiera
mandaran nuestro albedrío,
   de suerte que me obligara   2745
a mí en un monte a seguilla
y a vos que, para admitilla,
vuestro ingenio fabricara
   ese alcázar que labráis?

2741 *Múdase el teatro en el de monte y en el foro, la puerta del jardín; y sale Céfiro, Pasquín, Pigmaleón y Lebrón.*

2746-7 V: «seguirla» en rima con «admitirla». Este tipo de asimilación de E y Eo: «seguilla», «admitilla», es muy frecuente en el Siglo de Oro, como ha señalado D. W. Cruickshank, a propósito de *El médico de su honra,* ed. cit., v. 656. También en Pedro Calderón de la Barca, *La hija del aire,* ed. cit., pág. 54: «sabellas». Véanse los vv. 2917-8, 2884 y 2952 de *La fiera, infra.*

PIGMALEÓN

¿Quién supiera cuánto ha sido   2750
venenoso dios Cupido?

CÉFIRO

Y en efe[c]to, ¿dónde vais?

PIGMALEÓN

Díjome (cuando os pedí
licencia para empezar
el palacio singular   2755
en el sitio que elegí,
      ni bien de campo ni bien
de poblado; pues en medio
de monte y corte, en buen medio
todos fabricarle ven)   2760
      Anajarte que, ofendida
della y de mí, por no vella
ni verme, me daría aquella
bella estatua que homicida
      fue de mis ciegos sentidos,   2765
pues con tan nuevos enojos
me ha enamorado los ojos,
sin saberlo los oídos.
      Y como yo no tenía
alcázar donde tenella   2770
nunca he venido por ella,
pero llegando ya el día
      en que la fábrica está
tan adelante, quisiera
pedirla que me cumpliera   2775
la palabra.

_____

2752 V: «efecto», con el que corrijo a E y Eo: «efeto».
2776 V: «creerá».

CÉFIRO

¿Quién creyera
que es tal mi pena severa
que a la vuestra la trocara?
¡Pluguiera al Amor yo amara
una estatua y no una fiera!   2780

PIGMALEÓN

¿Qué decís?

CÉFIRO

Pues ¿no prefiere
a vuestra llama mi llama
si esa, por no poder, no ama,
y estotra porque no quiere?
Cuanto va de no querer   2785
a no poder ha excedido
mi mal.

PIGMALEÓN

Por eso ha tenido
la ventaja de tener
esperanza de mudar,
pues con el trato pudiera   2790
domesticarse una fiera
y una piedra no.

CÉFIRO

Esperanza
muy vana es, pues desde el día
que la vi ando en busca della
y nunca he podido vella;   2795

_____

2789 V: «mudanza».

323

que la injusta tiranía
    de aquel monstruo que la guarda,
con nombre de padre suyo
que la haya ausentado arguyo,
según lo que le acobarda   2800
    el que yo le busque.

PIGMALEÓN

             Pues
¿quién es el hombre?

CÉFIRO

          Un traidor
que opuesto siempre a mi honor
le vi... Mas esto no es
    agora del caso. En fin,   2805
hoy vengo al monte, dispuesto
a que no ha de quedar puesto
que no tale.

PIGMALEÓN

          Yo, al jardín,
a ver si a Anajarte bella
mueve mi llanto importuno.   2810

CÉFIRO

Pues adiós, y cada uno
siga el rumbo de su estrella.
    ¿Dónde, Pasquín, ha quedado
la gente?

PASQUÍN

        En el monte está,
de suerte que no podrá,   2815

si no es que se haya ausentado
a otro clima, escapar hoy
del número que la sigue.

CÉFIRO

¡Oh, plegue a Amor que se obligue
de ver cuán rendido estoy   2820
a su ciega tiranía,
pues di a una fiera mi fee!

PASQUÍN

Esa es cosa que se ve
en el mundo cada día.

CÉFIRO

¿Cómo una fiera pudiera   2825
haber ejemplar tenido?

PASQUÍN

¿No habrá quien haya querido
a una roma? ¿Qué más fiera?

(*Vanse los dos.*)

PIGMALEÓN

Entra, mientras yo turbado
sigo el norte que me guía,   2830

_____

2823 V: «vee».
2827-8 Parece que Pasquín juega con *roma,* chata (*Cor.* y *Cov.*) y loba.
Rumma es teta y según Covarrubias dio nombre a la ciudad porque en ella una
loba amamantó a sus fundadores, Rómulo y Remo. Según algunos mitógrafos, sin embargo, *Roma* significaba fuerza y recibió el nombre de una heroína
que habría sido la epónima de la ciudad (Grimal).

tú, a saber de parte mía
cómo la noche ha pasado
   esa hermosa imagen bella
a quien el alma rendí.

LEBRÓN

¿No ves que no hace de mí   2835
caso, y que aunque hable con ella,
   nunca me responde, pues
yendo y viniendo a la fuente
con ser para otros corriente,
moliente para mí es?   2840
   Y así, pues que nunca oyó
recado que yo la llevo,
ve a hablarla tú.

PIGMALEÓN

              No me atrevo
a entrar en el jardín yo,
   que de Anajarte el rigor   2845
es fueza que tema y huya.

LEBRÓN

Yo, de aquella criada suya
que me entró en el cenador,
   donde fuimos desbocado
caballo el cristal y yo.   2850

PIGMALEÓN

Pues, ¿cómo?

2840 *«Moliente...* Lo que muele. Usase en la phrase Corriente y Moliente»
(*Aut.*).

326

Como él corrió
y fui yo el que quedó aguado.

Pigmaleón

Deja locuras y ve
a decirla... (¡cuándo el día
será que yo la vea mía!)   2855
Dila cómo ya acabé
   de labrarla el sumptuoso
palacio en que ha de vivir,
cuando me llegue a cumplir
Anajarte el generoso   2860
   ofrecimiento; que estoy
a esta puerta, y si me da
licencia de enamoralla,
lo haré, aunque aventure hoy
   el enojo de Anajarte.   2865

Lebrón

Yo, señor, se lo diré,
aunque no haré tal.

Pigmaleón

¿Por qué?

Lebrón

Porque no está ya en la parte
   donde la habemos dejado.
Fuente y ella se han hundido.   2870

2863 V: «de entrar allá».

PIGMALEÓN

Pues, ¿adónde se habrá ido?

LEBRÓN

Donde la hubieren llevado,
    que yo te aseguro della,
señor...

PIGMALEÓN

¿Qué?

LEBRÓN

        Que no se fue
con la pila por su pie.   2875

PIGMALEÓN

¡Ay de mi infelice estrella!
    ¡Ay de mi amor, y ay de mí!
Que esta tirana beldad,
celosa de su deidad,
la habrá ausentado de aquí,   2880
    y por llegar a vella,
con envidia colocada,
habrá querido, indignada,
ocultalla u deshacella.
    Porque si esto hubiera sido   2885
por la palabra que dio,
lo hubiera sabido yo.

2876 V: «¡Ay infeliz de mi estrella!»
2881 V: «no llegar a verla».
2884 E: «u». Eo: «o». V: «ocultarla o deshacerla». *Vide supra* e *infra,* vv. 2746-7, 2884, 2916-8 y 2952 para la asimilación *ll*. Para la disyuntiva, *infra,* v. 2995.

LEBRÓN

Haz cuenta que lo has sabido
   y deja, señor, locura
tan extraña.

PIGMALEÓN

           ¡Infame necio!   2890
¿Tú también haces desprecio
de que adore una hermosura
   la más perfecta que vio
el sol? De ti y de una ingrata
me vengaré.

LEBRÓN

           ¡Ay, que me mata!   2895

(*Sale* ANAJARTE.)

ANAJARTE

¿Quién aquí da voces?

PIGMALEÓN

                    Yo.

LEBRÓN

Y yo también.

ANAJARTE

           ¿Qué cruel
causa os ha obligado?

_____

2896   Corrijo con Eo y V el error de E: «aqai».

Pigmaleón

A mí,
quejarme, ingrata, de ti.

Lebrón

Y a mí, ingrata, de ti y dél.

Anajarte

Pues ¿qué ocasión has tenido   2900
ni en qué tu queja consiste?

Pigmaleón

¿De qué palabra me diste?

Anajarte

De lo que te la he cumplido.
¿Dije yo más de que había
de arrojar deste jardín   2905
una vil estatua, a fin
de no ver a quien podía
ser objeto de otro amor?
Pues si ansí lo hice, ¿de qué
te quejas?

Pigmaleón

De que no sé   2910
dónde la echó tu rigor.

2905 Eo y V: «deste», con lo que corrijo a E: «a este».
2909 V: «así».

¡Bueno fuera que quisiera
tu loca, necia porfía
que yo de su fantasía
fuese cómplice y tercera!   2915
    Yo me cansaba de vella
y así de ahí mandé quitalla
y en ese monte arrojalla.
Ve tú a ese monte por ella,
    que basta que yo la dé   2920
por simulacro profano
sin que la dé de mi mano.

PIGMALEÓN

Tan en busca suya iré
    que no habrá rastro ni seña
que no inquiera mi congoja,   2925
rama a rama y hoja a hoja,
risco a risco y peña a peña,
    no habrá centro en cuanto encierra
este bárbaro horizonte
desde este alcázar...

(Dentro.)

¡Al monte!   2930

PIGMALEÓN

Desde aquel piélago...

2912 Corrijo con Eo y V a E: «faera».

2913 V: «tu necia y loca porfía».

2917 V: «y así ayer mandé quitarla». Véase *supra*, vv. 2745-6, 2884 e *infra*, 2918 y 2952, para la asimilación de *quitalla*.

2918 V: «arrojarla». *Vide supra*, vv. 2745-6, 2884 y 2917. *Infra*, v. 2952.

2930 V: *Dentro, unos*.

2931 V: *Dentro, otros*.

(Dentro.)

¡A tierra!

ANAJARTE

Voces en tierra y en mar
a un mismo tiempo se oyeron.

PIGMALEÓN

Es que mar y tierra fueron
testigos de mi pesar   2935
   al ver el indigno ultraje
de una deidad ofendida.
Mas, ¿qué le importa a mi vida
que de aquella cumbre baje
   inmenso escuadrón ni que   2940
de aquel mar la riza espuma
ser vaga ciudad presuma
con la armada que se ve
   que sobre sus ondas hierra,
si a mí en todo este horizonte   2945
sólo me toca ir...?

(Dentro.)

¡Al monte!

PIGMALEÓN

Para ver si encuentro...

(Dentro.)

¡A tierra!

2941 *«riza,* adj., ensortijado o hecho rizos naturalmente» *(Aut.).*
2946 V: *Dentro, unos.*

PIGMALEÓN

... la imagen divina y bella,
y si mi amor la restaura.

(*Vase y salen* LAURA *y* ISBELLA.)

LAURA

¡Qué asombro!

ANAJARTE

    ¿Qué es eso, Laura?   2950

ISBELLA

¡Qué espanto!

ANAJARTE

    ¿Qué es eso, Isbella?

LEBRÓN

Para el bobo que sabello
de la una ni la otra aguarde.

LAURA

No sé, señora, qué causa
pueda obligar a tan grande   2955
admiración, como ver

2947 V: *Dentro, otros.*
2949 V: *Vase. Sale Laura.*
2950 V: *Sale Isbella.*
2952 V: «saberlo». *Vide supra,* vv. 2745-6, 2884 y 2917-8.
2953 V: *Vase.*

que desa montaña baje
tanto número de gente,
cercando por todas partes
el monte, que ha parecido,   2960
según se cubre su margen,
que por poblar los desiertos
se despueblan las ciudades.

ISBELLA

A mí la gente de tierra
no bien me admire ni espante   2965
tanto como la del mar,
pues desas veloces naves
que a nuestro puerto han venido,
tan grande número sale
que pueden mudar los montes   2970
desde una parte a otra parte.

ANAJARTE

¿Qué será aqueso?

IFIS *(Dentro.)*

              La gente
baje, como desembarque,
en ese playazo, donde
no se lo resista nadie,   2975
doblándose en escuadrones,

2957 V: «de esa».
2965 V: «no es bien».
2967 V: «de esas».
2972 V: «aquello». *Ifis, dentro.*
2973 Corrijo con Eo y V a E: «baja».
2974 *playazo,* playa grande. Covarrubias lo anota como americanismo.
Autoridades constata el aumentativo: «La playa grande y extendida» con un
ejemplo de la comedia de Calderón *Duelos de amor y lealtad.*

y en ellos mi orden aguarde,
en tanto que a estos jardines
sólo es bien que me adelante.   (*Sale.*)

ANAJARTE

¡Qué miro! ¿Aquéste no es Ifis?   2980
Sin duda viene a vengarse
de mi ingratitud.

IFIS

       Sí vengo;
mas no con venganza infame,
porque un corazón rendido,
otra, señora, no sabe,   2985
que vengarse en los placeres
de quien le costó pesares.
Mandásteme que me fuese,
obedecíte al instante;
y vuelvo, porque no entonces   2990
que no vuelva me mandaste.
A lo que vuelvo es a que
sepas quién soy y cuán grande
distancia hay desde mí a mí,
u derrotado u triunfante.   2995
Ifis, príncipe de Epiro
soy, que la saña inconstante
del mar, navegando a Acaya,
al través dio con mi nave

2979 V: falta acotación. *Vide* v. 2982.
2982 V: *Sale Ifis.* Acotación incongruente, según se ve.
    Vengo. Como es obvio, Calderón juega con la anfibología (*venir* y *vengar*).
2995 Eo y V: «o... o...». *Vide supra,* v. 2884.
2996 Ifis cuenta su historia como príncipe de Epiro. Ovidio, *Met.* XIV, 696-761.
2998 Corrijo con Eo y V a E: «Arcaya». Acaya pequeña región de la antigua Grecia al Norte del Peloponeso.

en esos bajos, de quien   3000
me echó el esquife a esta margen.
En ella vi tu hermosura,
dejo los hados aparte
de que un rayo había de ser
el destino que me mate   3005
(pues ya se vio que era rayo
el que pudo, penetrante,
a un relámpago de luz
de tus ojos celestiales,
hacer, sin hacer herida   3010
en el cuerpo, que se abrase
un corazón que en el pecho
en muertas cenizas arde),
y voy al intento que
hoy a tus plantas me trae.   3015
Esa armada que del mar
encrespando los cristales
vuela y nada con envidia
de los peces y las aves
(pues monstruos de dos especies   3020
sus bucos y jarcias hacen:
huellas, unos, en la espuma;
surcos, otras, en el aire),
armada es tuya que llena
de aparatos militares,   3025
a la vista de un volcán
tray otros tantos volcanes,
como quillas que a su tiempo
verás, si sus vientres abren,

3013 V: «mudas».
3021 V: «buques».
   buco, «El espacio interior del baxel, o su concavidad que a veces toma
por toda la nave. Lo mismo que Buque» (*Aut.*). *Jarcia,* aparejos y cabos de un
buque, conjunto de redes de pescar (*Cor.*). Ifis compara a cada nave con un
volcán que lleva dentro otros volcanes, es decir, los cañones dispuestos a dis-
parar.
3023 V: «sulcos otros».
3027 Eo y V: «trae». *Infra,* vv. 686, 1546 y 1578.

cuántas nubes a las nubes   3030
de pólvora y humo esparcen.
Porque no ignorando yo,
como no lo ignora nadie,
la tiranía que injusta
usan Céfiro y Argante   3035
contigo (pues, prisionera,
bien que entre pompas reales
en esta cárcel te tienen
sin que eso al consuelo baste,
pues por dorada que esté   3040
siempre la cárcel es cárcel),
a ponerte en libertad
vengo, y a hacer que restaures
tu reino, restando el mío
al condicionado trance   3045
de una lid; en cuya empresa
me adelanté a suplicarte,
poniendo aqueste bastón
a tus pies, que me le encargues
de tu mano, porque sea   3050
mayor mi honor, cuando afable
de tu general me des
el título con que ensalce
mi nombre a sombra del tuyo,
y cuando de honor tan grande   3055
—incapaces mis desdichas,
no las hagas tú capaces—
me des licencia, señora,
para que más arrogante
cuanto más humilde, sirva   3060
entre los particulares
a obediencia de quien tú
quieras que esas armas mande:
que a mí en la primera hilera
premio me será bastante   3065

3056 Eo y V: «ya mis dichas».
3062 V: «obediencias».

que alcance que en tu servicio
la primer flecha me alcance.
Y porque desprevenidos
los trinacrios, llegue antes
que el trueno que los avise,   3070
el rayo que los abrase,
no pierdas tiempo, que a veces
los no imaginados trances
vencen con la confusión
aún más que con el combate.   3075
No demos lugar a que
Céfiro sus huestes arme,
pues es mejor que indefenso
nuestra avenida le asalte.
Y así, pues que tu licencia   3080
no más es justo que aguarde,
para que el campo disponga
y con él en orden marche,
a quien la das de que muera,
no la niegues de que mate.   3085
Y porque no temerosa
de mi fineza te agravies,
presumiendo que en favores
quiero que el sueldo me pagues,
para que veas que no   3090
grosero ni interesable
mi amor, sino aventurero
sirve a merced de otros gajes,
palabra te doy de que
cuanto la guerra durare   3095
no te hable en el amor mío.
Bien que aunque en él no te hable,
me perdonarás que sienta
todo aquello más que calle;
porque retirado el fuego   3100
a centro que no le exhale
es preciso que se cebe

3069 *trinacrios,* de Trinacria, o sea, sicilianos.

en la materia que halle;
que callado y oprimido
se vio, o mal, o nunca, o tarde.   3105

ANAJARTE

Dos veces agradecida
a dos finezas tan grandes
como el favor y el silencio
que me ofreces y me traes,
el discurso me conoce,   3110
la razón me persüade,
pero ninguna el amor
que, siempre rebelde alcaide
de mi corazón, está
a la ley del homenaje   3115
que juró de aborrecer,
sin que, para que yo ame,
ser pueda el odio de todos
privada excepción de nadie.
Y así, porque en ningún tiempo   3120
de mi ingratitud te agravies
(pues el no querer no es culpa
y si lo es, es más tratable

3108 Referencia al silencio, rica en connotaciones poéticas y retóricas en
la obra de Calderón. Calderón escribió, como ya señalamos, un bello poema
Psalle et Sile, éckprasis sobre las palabras grabadas en la verja del coro de la
Catedral de Toledo. Se lo encargó el cardenal Baltasar de Moscoso. Era
Calderón capellán de la Capilla de los Reyes Nuevos de esa ciudad en 1653.
Sobre ello, E. M. Wilson, «A Key to Calderón's *Psalle et Sile», Spanish and
English Literature of the 16-th and 17-th Centuries,* Cambridge Univ. Press, 1980,
págs. 105-115. Véase uno de los muchos ejemplos sobre la poética calderoniana del silencio en Daniel Rogers, «Tienen los celos pasos de ladrones»:
silence in Calderón's, *El médico de su honra»,* HR, XXXIII, 1965, págs. 273-89,
y para el tema en general, la bibliografía recogida en Introducción, nota 5,
supra. Vid. infra, vv. 3258-74.
3110 En el ms. valenciano de 1690: «convence».
3113 ss. Compárese con Tirso de Molina, *El burlador de Sevilla,* ed. de
Américo Castro, Madrid, Espasa-Calpe, 1970, vv. 525-8: «La barbacana
caída de la torre de mi honor / echaste en tierra, traidor, / donde era alcaide
la vida.»

que te desdeñe, que no
que te desdeñe y te engañe),   3125
digo que con el pretexto
de que en tu amor no me trates,
acepto el de tu valor.
Merece el costoso examen
de que tus hechos me digan   3130
lo que tus voces me callen,
y manda que, como vaya
la gente ocupando el margen,
sitíe el monte; que hoy en él
Céfiro está porque, amante   3135
de aquella fiera, continua-
mente en estas soledades
atalaya es de sus cumbres,
centinela es de sus valles.
Esa gente que le ocupa   3140
gente es que consigo trae
al ojeo de las fieras
cuya resistencia es fácil.
Porque desarmada y poca
no es a impedirte bastante   3145
y como una vez le prendas,
y al pueblo caudillo falte,
será fuerza que al asombro
de nuestras armas desmaye.
Mayormente que no dudo   3150
que como valida me halle
de quien mi justicia abone,
de quien mi derecho ampare,
a cuyo lado me vean,

3136-8 V: «de aquella cruel fiera, siempre / es en estas soledades / atalaya
de sus cumbres, / centinela es».

Continua-/mente. Una muestra más de encabalgamiento verbal en esta
obra. En este caso, la escansión del lexema es más fuerte que en otros.
Recuérdese el clásico precedente de Fray Luis: «y mientras miserable-/mente
se están los otros abrasando», de la *Oda a la vida retirada.* Garcilaso los hizo
antes y más forzados. Como el «donde-/quiera que estés tus ojos bañas»,
Elegía, I, vv. 19-20 (Cfr. *Obras completas,* ed. cit., pág. 219, nota).

haciendo al corcel que tasque   3155
al compás de la trompeta
el son de los alacranes;
que el fuste al borrén ocupe,
que rija a la rienda el ante,
que trence el bruñido arnés,   3160
que el grabado escudo embrace,
que el templado acero ciña,
que la sobrevista cale
y que de la cuja al ristre

3155 *tasque,* de *tascar,* «morder el bocado del freno con los dientes. *Tascar en el freno* ya en Nebrija *(Cor.* da abundantes ejemplos). *Tascar el freno,* «vale morder los caballos, o mover el bocado entre los dientes»» *(Aut.).* El vocabulario y las metáforas verbales no pueden ser más gongorinas en cuanto sigue.

3157 V: «al son». Obviamente es mejor la lectura de E y Eo, puesto que los alacranes son la guarnición de la silla. Como se ve, el texto de Vera comete errores léxicos de terminología marinera y de montería. Aunque es más acertado en v. 3164.

alacranes, del árabe, escorpiones *(Cor.).* Covarrubias ya lo señala, precisando el significado que aquí tiene: *Alacrán.* «Animalejo ponçoñoso cuya picadura causa gran dolor y desasosiego... Ciertas sortijuelas retorcidas que se ponen en los frenos y riendas de los cavallos llaman alacranes, por ser retorcidos como la uñuela con que pica el alacrán.»

3158 V: «barrén».

fuste, palo bastón, garrote. *(Cor.):* *Aurtoridades* cita un ejemplo de Calderón en la acepción: «armadura de madera de la silla del caballo» que es el significado que aquí tiene, tomado de su comedia *Afectos de odio y amor:* «Pudiste ocupando el fuste / tomar el tiento a la rienda.» *Borrén,* parte inferior de los arzones, «acolchada» *(Cor.).* El arzón es el fuste delantero o trasero de la silla de montar. Calderón también menciona el borrén en *Fieras afemina amor,* ed. cit., v. 2283.

3159 *ante,* «se llama también la piel del Danta, o Búfalo adobado, de suerte que con dificultad la passa la espada, u otra arma de acero» *(Aut.).* El ante se utilizaba para proteger el pecho de los guerreros *(Cov.)* Cualquier piel de animal adobada y curtida a semejanza de la del búfalo *(Acad.).*

3163 *sobrevista,* usada como protección de los ojos. «Plancha de acero, que se une al borde, que hacen los morriones en el hueco, que está hacia la cara en un imperfecto medio círculo más ancho en el medio.» *(Cov.).*

3164 Corrijo con V a E y Eo: «oreja».
La cuja era la bolsa de cuero donde se apoyaba la lanza durante la marcha. Era distinta al ristre (pieza de hierro sujeta a la armadura, que servía en el momento del encuentro). Lope de Vega: «la lanza pasó de la cuxa al ristre». *(Aut.* y *Cor.).* *Ristre,* «El hierro que el hombre de armas inxiere en el peto a la

el herrado fresno pase.   3165
No dudo, digo otra vez,
que en mi favor se declaren
muchas nobles intenciones,
muchos callados leales.
Testigo Nicandro sea...   3170

(*Sale[n]* ANTEO *y* BRUNEL.)

ANTEO

Sí, será, que en el instante
que vi esa armada en el mar,
sin que nada me acobarde,
salí a ver cúya era, y quiso   3175
mi ventura que encontrase
con este soldado que
habiéndome visto antes,
perdido el miedo que a otros
da mi persona y mi traje
«¿Cúya es?» —me dijo— y «¿Quién eres   3180
y el intento que te trae?»
A cuya causa, veloz
vengo con él a buscarte
para que sepas de mí,
que el vivir como salvaje   3185
las entrañas de esas grutas,
de quien soy vivo cadáver,
es porque no habiendo yo
aplaudido a los parciales,

_____

parte derecha, donde encaxa el cabo de la manija de la lanza, para afirmarla
en él» (*Aut.*).
3165 *herrado fresno,* por la lanza.
3170 V: *Salen,* con el que corrijo a E y Eo: *sale.*
3178 Corrijo con V a E y Eo: «modo».
3186 V: «de sus».
3189 *parcial,* «vale también el que sigue el partido de otro o está siempre
de su parte». «Por extensión vale amigo, familiar y estrecho» (*Aut.*). En *La
vida es sueño,* vv. 714-5: «porque su reino vendría / a ser parcial y diviso».

en demanda de mi reina   3190
con la voz de sus leales,
huyendo salí; y pensando
que en aquestas soledades
estaba seguro, a causa
de ser tan impenetrables   3195
por sus Parcas y sus Etnas,
sus fraguas y sus volcanes,
no quise perder de vista
la patria, por si llegase
esta ocasión que hoy los cielos   3200
facilitan liberales,
no sin aviso, pues ya
mis ciencias, bien que inconstantes,
entre otros prodigios vieron
(leyendo a esos celestiales   3205
orbes las obscuras cifras,
de tanto hermoso cadáver
como me asegura fijo,
como me perturba errante)
que había de llegar día   3210
en que mi reina restaure
su corona; y siendo ansí
que hoy el hado favorable
cuando no que se consiga
quiere, al menos, que se trate,   3215
vengo a ponerme a tus pies
y a los suyos, y a alistarme
debajo de las banderas
destas armas que auxiliares
los dioses envían; que no   3220
pueden venir de otra parte.
Y para que veas mejor

3197 V: «los volcanes».
3207 Eo: «tan hermoso». V: «carácter».
3212 V: «así».
3217 E y V. Eo: «y a al instante».
3219 V: «de tus armas».

si es mi persona importante,
primero que el valor venza,
he de vencer con el arte.   3225
Céfiro, bien que asustado
de ver sobre aquesos mares
la confusa Babilonia,
pensil de tanto velamen,
en mi alcance vengativo   3230
más que de Irífile amante,
el monte discurre; y como
a algunos soldados mandes
que me sigan, podrá ser
que yo tal lazo le arme   3235
que dé en él; con que no dudo
que será el triunfo más fácil.

IFIS

No sólo yo quien te siga
daré, pero acompañarte
tengo; que tal interpresa   3240
no la he de fiar de nadie.

ANTEO

Pues sígueme con alguna
gente y donde me escuchares
llamar a Irífile, haz alto,
solicitando ocultarte   2345
en la cercana aspereza
del más fragoso celaje.   (Vase.)

3227 Eo: «montes».
3228-9 *pensil de tanto velamen.* El conjunto de las velas del navío. Calderón
juega con el recuerdo de los famosos jardines colgantes de Babilonia al
descubrir la flota sobre el mar.

IFIS

Yo lo haré ansí. Tú, Brunel,
di que algunos me acompañen
a lo largo.

BRUNEL

     ¡Plegue al cielo   3250
que él por su piedad me saque
de escudero andante!   *(Vase.)*

IFIS

          Tú,
hermosísima Anajarte,
pon a cuenta de mi amor
que de mi amor no te hable.   3255

ANAJARTE

Hablar en que no hablas, ya
es hablar más que si hablases.

IFIS

Que calle un dolor, ¿no basta,
sin que en lo que calla, calle?

ANAJARTE

No, que mudez que se explica   3260
no deja de ser lenguaje.

3248 V: «así».

3252 *escudero andante.* Brunel da el punto jocoso a la materia caballeresca.
Téngase en cuenta sus propios orígenes como escudero de Orlando en
Ariosto *(vide supra,* vv. 10 y 1127-1131).

3258-74 Una vez más, Calderón alude en la obra a la retórica del silencio
(supra, v. 3108).

IFIS

Sí deja, porque no es voz
la seña que aún no es del aire.

ANAJARTE

Dictamen que habla por señas
es muy bachiller dictamen.   3265

IFIS

Eso es quererle quitar
sus idiomas al semblante.

ANAJARTE

Claro está que las colores
ya son retóricas frases.

3266-7 Los actores del Siglo de Oro sabían bien los idiomas del semblante. A ellos hace referencia Pinciano en su *Philosophía Antigua Poética.* Anajarte
juega con el doble sentido de los colores del rostro y los *colores* retóricos. Todo
el parlamento se basa en el doble lenguaje de la palabra y del silencio o el
gesto entre los amantes. Famosa a este respecto fue la Riquelme, actriz,
«moza de linda cara y de tan fuerte expresión que, cuando hablaba, mudaba
el color del rostro con admiración de todos. Si se contaban en las tablas cosas
dichosas y felices, las escuchaba bañada en color rosa, y si ocurría alguna
circunstancia infausta, se ponía al punto pálida. Y en esto era única y nadie la
podía «imitar», según P. José Alcázar, *Ortografía castellana,* ms. *circa* 1690 (Cfr.
Sánchez Escribano y Porqueras Mayo, *op. cit.,* págs. 335-6).

3268-9 E: «las colores... retóricos». Eo: «las colores... retóricas». V: «los
colores retóricas».

Evidentemente juega con el rubor y los colores retóricos. Téngase en
cuenta que, según Corominas, «color» vaciló en el género hasta en la época
clásica y aún después. Y los mismo «frases» que es aún masculino en el XVII,
aunque después se generaliza el femenino. De ahí la vacilación de los tres
textos. Hemos optado por la fusión de E y Eo, pero podría ser válida
cualquier otra.

3279 Eo: «de aquí en».

¿Quién le negó a un accidente 3270
que pálido se declare?

ANAJARTE

Quien quiso hacer la fineza
de sufrirle.

IFIS

      Aunque no es fácil,
cuidado con mi silencio.

ANAJARTE

Ni ese cuidado me encargues, 3275
que ya dice que le tiene
quien pide que le repare.

IFIS

Pues sólo que no le tengas
te diré de aquí adelante.

ANAJARTE

Ni aun eso me has de decir, 3280
que no deja en un amante
de ser acuerdo el acuerdo,
que del olvido se vale.

IFIS

Pues para que no te ofenda
lo que diga o lo que calle, 3285
lo que acuerde o lo que olvide,
quitándome de delante,

te serviré de manera
que la noticia te alcance,
sin el ruido de mi voz   3290
ni el color de mi semblante.   (*Vase.*)

ANAJARTE

Eso es obligarme a que
piense que puedo obligarme;
pero en vano, pues no tienen
esos orbes celestiales   3295
estrella que a mí, no digo
me incline para que ame,
mas para que no aborrezca
por más que del cielo baje
el correspondido Amor,   3300
a persuadirme süave
yugo suyo, contra quien
mi pecho armó de diamante
Cupido, absoluto Amor,
interesado y mudable.   3305

ISBELLA

Pues no, señora, te fíes
dél, porque es traidor que sabe
dar muerte sobre seguro;
y como obligada te halles,
podrá ser...

ANAJARTE

            No hará, pues cuando   3310
Ifis mi reino restaure

3302 Eo: «yugo contra quien». V: «su yugo, contra quien solo».
3303 Anajarte extrema sus durezas. El diamante es piedra muy utilizada para ejemplificar tal falta de sentimientos en las comedias de Lope y Calderón.

y en su posesión me ponga,
sabré el auxilio pagarle,
poderosa como reina
y no tierna como amante.   3315

LAURA

Y si con aquese premio
su amor no se satisface,
¿qué has de hacer de un acreedor
que a todas horas delante
se te ponga?

ANAJARTE

                    ¿Faltará   3320
un desdén con que le aparte,
un rigor con que le ausente?
Y cuando aquesto no baste
a no verle, ¿faltará
un veneno que le acabe;   3325
una cuerda que le ahogue,
o un acero que le mate,
aunque venganza después
pida Anteros a su madre?

ANTEO (*Dentro.*)

Sí pedirá, porque siempre   3330
amor con amor se pague.

ANAJARTE

¡Ay infelice de mí!
¿Qué voz se escuchó en el aire?

3329 Eo: «padre»; error que corrige V, una vez más.

LAURA

Yo no la oí.

ISBELLA

Yo tampoco.

ANAJARTE

Oíd, por si a pronunciarse   3335
vuelve; sepamos quién puede
turbar mis felicidades.

(Dentro.) ANTEO

¡Irífile!

ISBELLA

          Allá en el monte
llaman.

ANAJARTE

          ¿No es ésta la voz de antes?
Pero sea la que fuere,   3340
nada a mí me sobresalte,
que un corazón como el mío
nunca ha de vivir de balde.

3337 E y Eo: *Ant.* V: *Anteros,* que también se repite en el ms. valenciano,
lo que parece lógico, como respuesta al interrogante de Anajarte. Por otro
lado, Anteo llama desde *dentro* y reaparece en vv. 3338 y ss. Anajarte duda si
su voz es la misma que oyó antes y luego Anteo juega a seguir hablando y
escondiéndose, por lo que creo es de Anteo y no de Anteros la voz que se oye
en estos versos y en los que siguen. El diosecillo aparecerá más adelante.
También en v. 3338 E y Eo abrevian: *Ant.* pero está claro por el contexto
que se trata de Anteo, y así lo entiende V.

    3343 V: *Vanse las tres, múdase el teatro en el de bosque y sale Anteo, Ifis, Brunel y
otros.*

(Vanse las tres y salen ANTEO e IFIS, BRUNEL *y otros.)*

ANTEO

¡Irífile!

IRÍFILE *(Dentro.)*

¿Dónde, Anteo,
te ocultas?

ANTEO

Hacia esta parte. 3345

IFIS

¿Por qué, si la llamas, huyes
de donde viene a buscarte?

ANTEO

Porque suenen nombre y voz
el tiempo que no me halle,
que éste es el veneno que 3350
he de sembrar en el aire.
Ocúltate tú y tu gente.

IFIS

Sí haré.

ANTEO

¡Irífile!

_____

3344 V: Tras «¡Irífile!», acota: *Irífile dentro. Irífile.*
3345 Corrijo con V a E y Eo: «Hacia a esta.»
3353 V: *Irífile dentro.*

IRÍFILE

¡Anteo, padre!,
¿dónde estás?

(*Sale* CÉFIRO.)

CÉFIRO

Aunque esta armada,
que surta en la playa yace,   3355
me obliga a dar a la corte
vuelta donde me resguarde
de su traición, si es traición
la que a estos puertos la trae,
con todo, es tan poderosa   3360
esta voz que el viento esparce,
dando de Irífile el nombre
al eco, que he de ver antes
que me retire, si puedo,
siguiendo el nombre süave   3365
de su acento, hallarla entre estas
intrincadas soledades
adonde suena la voz.

ANTEO

¡Irífile!

(*Sale* IRÍFILE.)

¡Anteo!

_____

3354 V: *Sale Ifis, Anteo y los soldados y sale Céfiro.*
3355 V: «que en la playa surta yace».
surta «Part. pass del verbo Surgir. Lo assí dado fondo» (*Aut.*). «*Surgir,* dar fondo a la nave. Como adjetivo fig.: tranquilo, en reposo, en silencio» (*Acad.*).
3369 V: *Sale Irífile. Irífile.*

CÉFIRO

No en balde
fue mi diligencia, pues   3370
atravesando a esta parte
viene, al imán de su nombre.

IRÍFILE

¿Dónde, Anteo, te ocultaste?

CÉFIRO

No preguntes por Anteo,
que aunque él sea el que te llame,   3375
yo, Irífile, el que te busca,
y no es bien respondas antes
a quien costaste una voz
que a quien un alma costaste.

IRÍFILE

Céfiro... (¡ay de mí, infelice,   3380
si ahora viniera mi padre!),
yo confieso (¡muerta estoy!)
que al verte (¡la voz me falte!)
tan fino (¡dude el aliento!)
conmigo (¡la lengua calle!)   3385
agradecida (¡qué digo!)
quisiera...

ANTEO

¿Y a qué hay que aguardes?

TODOS

¡Date a prisión!

CÉFIRO

    ¡Ah, traidora!,
¿para esto tu voz al aire
diste, y tu nombre? En lisonjas   3390
oculto tenías el áspid.

IRÍFILE

¡Ay de mí!, que yo la causa
he sido a traición tan grande.

ANTEO

No te resistas, si no
quieres que contigo acabe.   3395

CÉFIRO

No siento tanto, traidor,
que te vengues y me mates
cuanto que esa fiera sea
tan fiera, que ella me engañe.

IRÍFILE

Pues porque mejor lo digas,   3400
dejadme todos, dejadme
llegar a mí, porque como
yo aqueste acero le saque
de la vaina, haré con él
que de todos se desate   3405
para que, libre de todos,
huyendo, la vida escape.

    3387 V: *Sale Anteo, Ifis y todos.*
    3392-3 Eo: «he sido de». V: «¡Ay de mí, cielos que he sido / la causa
de...!»
    3399 V acota: *Llega Irífile a Céfiro, como que le quita la espada, y dásela para de-*
fenderse.

BRUNEL

¿Quién me metió en ser corchete?

IRÍFILE

Dejalde todos, dejalde.

ANTEO

Detente, Irífile, mira   3410
que no sabes lo que haces,
pues su prisión o su muerte,
lo que te importa, no sabes.

IRÍFILE

No puede importarme nada
tanto, como que inconstante   3415
la fama de mí no diga
que fue [mi] amor tan infame
que el que de mí enamorado
vino a este monte a buscarme
no le mató mi hermosura   3420
y tuvo otros que le maten.
Toma, Céfiro, tu acero,
y pues no huyes de cobarde,
huye de solo; que yo
a que no te siga nadie   3425
quedo aquí.

CÉFIRO

Más que la vida,
fineza estimo tan grande.

3409 Eo y V: «Dejadle todos, dejadle.» «Dejalde» es una metátesis muy
usual en el Siglo de Oro. Comp. con *El médico de su honra,* v. 455, según D. W.
Cruickshank.
3417 Corrijo con Eo y V a E: «fue amor».

El cielo me dé ocasión,
Irífile, en que la pague.   *(Vase.)*

ANTEO

¡Hija!

IRÍFILE

No me llames hija,   3430
que quien es traidor no es padre.

IFIS

Irífile, mira.

IRÍFILE

Ifis,
si dél pretendes vengarte
campañas hay donde escriba
tu fama el valor con sangre.   3435
No te valgas de traiciones.

IFIS

En la lid no es bien se llame
traición el que es ardid, pero
ya que éste a mi intento falte,
verás que el valor me sobra   3440
para ir siguiendo su alcance.   *(Vase.)*

ANTEO

¡Ay infelice de ti!
que lo que has hecho no sabes.   *(Vase.)*

3429 V no acota: *Vase.*
3433 Eo: «vengarme».

Sí sé, pues sé que he hecho una
acción de noble y de amante,   3445
aunque le pese a Cupido
que haya mujer que no engañe,
mas, ¿qué importa?, que yo quiero
más el blasón de constante
que el de ingrata, aunque de mí   3450
pida venganza a su madre.

CUPIDO *(Dentro.)*

Sí pedirá, porque nunca
amor con amor se pague.

IRÍFILE

¿Qué voz es aquesta? Pero
nada mi amor acobarde,   3455
aunque a vengarse de mí
Cupido los cielos rasgue,
sala habiendo de justicia
en los orbes celestiales.

3445 V: «y amante».

3458 Eo y V: «haciendo».

3459 V: *(Vanse) Córrese la mutación de cielo y en lo alto estarán, a un lado, Cupido y, al otro, Anteros en dos tronos de nubes y, al lado de cada uno, su coro y en medio, Venus sobre una estrella, y cantan. Canta Venus.*

La apariencia celeste convierte a Venus en árbitro de los dos coros, el de Eros y Anteros, cuyo debate verbal y musical puebla los aires. Venus pretenderá hacer justicia a ambos (vv. 3555-7). Para la amplia iconografía de Cupido, Anteros y Venus, véase *supra*, vv. 386 ss., 443-8, 1138-41, 1143-8 y 1280. Y *vide infra*, v. 3607, y Santiago Sebastián López, «Lectura crítica de la *Amorum Emblemata* de Otto Vaenius», *Boletín del Museo e Instituto Camón Aznar*, XXI, 1985, págs. 5-112. La obra de Vaenius (Amberes, 1607-8) muestra la fuerza universal del amor, su triunfo, sus poderes, heridas, ejercicios y atributos, en amplia concordancia con los pormenores de *La fiera*. Esta Venus descendiendo en trono de gloria con Anteros, Cupido y sus coros respectivos debe compararse con los carros y triunfos de amor *(infra*, v. 3607). Venus tiene una iconografía variada. Aparte de la concha que le

(Vense en lo alto: Venus *a un lado;* Anteros *con un coro de música, y
a otro,* Cupido, *con otro coro. Y todo esto cantado.)*

Venus

> Pues que todo en los cielos   3460
> es armonía
> Porque aquí hasta las quejas
> suenan a dichas.
> Ya que habéis penetrado
> los dos el cielo,   3465
> patria de la hermosa
> deidad de Venus:
> dulce música vuestras
> quejas repita,
> porque aquí hasta las quejas   3470
> suenan a dichas.

Anteros

> Oye de mi coro
> las que yo traigo,
> y por mí las publiquen
> favor y halago.   3475

Cupido

> Oye de mi coro
> las que yo tengo

---

pertenece, según vimos, como «hija de la espuma», algunos la pintan en carro
tirado por palomas, y otros por cisnes. (Cfr. Herrera en A. Gallego Morell,
Garcilaso de la Vega y sus comentaristas, pág. 423.)
  3469 V: «repitan».
  3471 V: *Canta Anteros.*
  3473 ss. A juicio de Louise Stein, *op. cit. (Vide supra,* vv. 2014 y ss.),
posiblemente hubo aquí un recitativo. Sería necesario precisar si en el
estreno o posteriormente.
  3476 V: *Canta Cupido.*

y por mí las publiquen
envidia y celos.

VENUS

Uno y otro sonoras   3480
cláusulas digan.

[CORO] PRIMERO

Pues escucha.

[CORO] SEGUNDO

Pues oye.

[CORO] PRIMERO

Pues ve.

[CORO] SEGUNDO

Pues mira.

TODOS

Porque aquí hasta las quejas
suenan a dichas.   3445

ANTEROS

Hermosa madre mía,
en plumas de mis alas,
a tus etéreas [s]alas
donde es eterno el día

3481 A partir de aquí unifico las vacilaciones de E y Eo entre ordinales y
cardinales al dar entrada a cada coro. Sigo en ello a V.
3488 Corrijo con V a E y Eo: «alas».

venganza pido de una tiranía,   3490
a quien correspondido Amor no alcanza.
¡Venganza, Venus, de un desdén!

[CORO] PRIMERO

¡Venganza!

CUPIDO

Madre, no digo hermosa,
en alas de mi fuego
a tus umbrales llego   3495
donde la luz reposa,
a que me vengues de una rigurosa
fiera en quien puse toda mi esperanza.
¡Venganza, Venus, de un favor!

[CORO] SEGUNDO

¡Venganza!

ANTEROS

¿Por qué, de plomo herida,   3500
ha de durar una beldad ingrata?

CUPIDO

¿Por qué quien fiera mata
ha de amparar rendida?

ANTEROS

Dando ésta muerte.

3498 E, Eo y V: «puso». Valbuena Briones: «puse», por quien corrijo.

CUPIDO

Aquella dando vida.

ANTEROS

Sin que su mal mejore.   3505

CUPIDO

Sin que padezca y llore.

ANTEROS

¿Quién vio mi amor?

CUPIDO

¿Quién vio mi confianza?

TODOS

¡Venganza, Venus!, etc.

ANTEROS

Tras estos dos se ofrece
otro no menos fiero,   3510
sañudo harpón severo,
de quien, porque Cupido le aborrece,
flecha de irracional amor padece
una piedra le abrasa, helada y fría.

3508 Es difícil saber cómo completarían el estribillo todos; si con un
favor o con un desdén (vv. 3492 y 3499, *supra*).

3511 *sañudo harpón*. «Sañudo, propenso a la saña, furor o enojo ciego»
(*Acad.*). Se refiere a la tercera flecha de Cupido que representa el amor irracional.

¡Piedad, piedad, hermosa luz del día!   3515

CUPIDO

¿Cómo el mundo supiera
que con mortal desmayo
soy, abrasando, rayo;
soy, maltratando, fiera;
soy piedra no sintiendo, si no viera   3520
esos ejemplos tres mi monarquía?

[CORO] SEGUNDO

Rigor, rigor, hermosa luz del día.

ANTEROS

Amar quien se ve amada, es igual suerte.

CUPIDO

Querer es culpa en quien se ve querida.

ANTEROS

Quien da una muerte, indigna es de una vida.   3525

CUPIDO

Quien da una vida, digna es de una muerte.

ANTEROS

Sépase que una piedra se convierte
al llanto de un Amor correspondido.

3523 V: «vee».
3524 V: «vee».

CUPIDO

Sépase que una piedra es de Cupido
triunfo en que su mayor aplauso alcanza.   3530

[CORO] PRIMERO

¡Piedad! ¡Piedad!

[CORO] SEGUNDO

¡Rigor! ¡Rigor!

TODOS

¡Venganza!

VENUS

Ya que una y otra pasión
declaró su pretensión,
cifrad los dos a una idea
cada cual lo que desea.   3535

ANTEROS

Que quien no sabe querer,
sea mármol, no mujer.

CUPIDO

Que quien en amor se emplea,
mármol y no mujer sea.

3538-9 V: «amar se emplea / mujer y no mármol sea». Téngase en cuenta
que E y Eo dirán *amar* en vv. 3553 y 3560. Podría tratarse, pues, de un error
en el verso 3538.

No me atrevo a responder   3540
sin hacer
consulta de esa esperanza,
con la hermosa estrella mía.
Otro día
diré qué poder en entrambos alcanza   3545
pedirme piedad, y rigor y venganza.

ANTEROS

Pues hasta entonces, huyendo

(*Vanse entrando.*)

dese monstruo iré diciendo...

[CORO] PRIMERO

Que quien no sabe querer,
sea mármol, no mujer.   3550

CUPIDO

Yo iré, al contrario, pidiendo,
con mi coro repitiendo...

[CORO] SEGUNDO

Que quien en amar se emplea,
mármol y no mujer sea.

3547 V coloca la acotación tras «diciendo»: *Van subiendo.*
3548 V: «de ese».
3554 V: «mujer y no mármol sea».

VENUS

Pues yo, a entrambos respondiendo,   3555
justicia a los dos pretendo
hacer, porque el mundo vea...

TODOS

Que quien no sabe querer,
sea mármol, no mujer;
*   que quien en amar se emplea,*   3560
mármol, y no mujer sea.

(Al irse esta apariencia, se descubre el teatro regio. Salen LEBRÓN,
PASQUÍN *y* BRUNEL.)

LEBRÓN

¡Aquí la habéis de poner!

PASQUÍN

¡Lebrón, amigo!

LEBRÓN

¡Pasquín!

BRUNEL

¡Lebrón, hermano!

3555-6 V: «Pues yo a los dos respondiendo / justicia a entrambos pretendo».
3561 V: «mujer y no mármol», y acota: *Al ocultarse esta apariencia se descubre*
la mutación del palacio y salen Lebrón, Pasquín y Brunel.

LEBRÓN

¡Brunel!
Seáis los dos bien parecidos.   3565

LOS DOS

Y bien hallados los tres.

LEBRÓN

¿De dónde bueno, Pasquín?

PASQUÍN

Lo que te diga, no sé.
Con mi amo fui de aquí
y aquí me vuelvo con él.   3570
De Anajarte enamorado,
dice que la viene a hacer
reina de Trinacria.

LEBRÓN

                                    Y tú,
Brunel, ¿qué te haces?

BRUNEL

                              No sé.
También con mi amo a este monte   3575
voy y vengo, sin saber
a qué vengo, ni a qué voy,
porque una fiera cruel
le trae de sí enamorado,
y perdiéndole, ahora en él   3580
vengo a ver este edificio.

PASQUÍN

Y yo vengo a eso también.

LEBRÓN

Pues bien le podréis mirar,
que a fe que hay harto que ver;
así no fuera locura   3585
haberle hecho.

LOS DOS

¿Por qué?

LEBRÓN

A una ingrata y a una fiera
vuestros amos quieren, pues
dad muchas gracias a Amor
de que [a] una estatua no es.   3590

LOS DOS

¿A una estatua?

LEBRÓN

Sí, a una estatua
mi amo quiere, para quien
ha labrado este palacio,
tan hermoso como veis.
Y no es esto lo peor   3595
de su pena, sino que
del campo donde Anajarte

3583 Eo: «mira».
3584 V: «fee».
3590 Corrijo con V a E y Eo: «que una».

la echó, la manda traer
sobre un pedestal de mármol,
como triunfal carro, a quien   3600
los villanos jardineros
hace que la canten; y él,
galanteándola al estribo,
viene. Pero ¿para qué
me canso yo en repetir   3605
lo que los dos podéis ver?

(*Salen los que pueden vestidos de villanos, mujeres y hombres, cantando y
bailando con instrumentos diferentes. Detrás, en un carro, la Estatua, y a
su lado* PIGMALEÓN.)

Música

Si es lo hermoso el objeto
que obliga a querer,
¿ser de piedra, qué importa
la que hermosa es?   3610

3598 Corrijo con Eo y V a E: «lo echó».

3599 V: «pedrestal».

3606 V: *Salen los que pudieren vestidos de villanos, mujeres y hombres cantando y
bailando, con instrumentos diferentes, y en un carro, una mujer, cuyo traje imite en todo al
de la Estatua, y a su lado Pigmaleón.*

3607 *Vide supra,* v. 3459. En la loa para *Fieras afemina amor* aparece el
triunfo del Amor en un carro: «salieron al tablado en festiva tropa, primero
las Musas delante del carro, cantándoles la gala; y después, coronados de
laurel, algunos Cautivos, en acción que forcejeaban el movimiento de sus
ruedas. Era su diseño imitación de aquellos que ya en pinturas o ya en
historias nos acuerdan los romanos triunfos». Cfr. Sebastián Neumeister, «La
fiesta mitológica de Calderón en su contexto histórico *(Fieras afemina amor)*»,
pág. 167, quien señala la huella de los *Trionfi* de Tasso «a lo divino» en los
Triunfos divinos de Lope de Vega y en los cuadros de Rubens. La tradición
italiana de las entradas reales acarreaba muestras de triunfos y carros mitológicos con palacios con «cambiamenti a vista», y lo mismo ocurría en España.
Irene Mamczarz, «Gli spetacoli cavallereschi a Ferrara nel Cinquecento», *Il
teatro italiano del Rinascimento,* págs. 425 y ss. Para los carros en la pintura
mitológica barroca, *Carreño, Rizi, Herrera y la pintura madrileña de su tiempo,* ed.
de A. Pérez Sánchez, Madrid, Ministerio de Cultura, Banco Herrero, 1986,
pág. 191. El uso de estatuas en las entradas reales puede constatarse en
muchos casos. Aquí parece oportuno aludir a la entrada de Mariana de

El carro con la estatua y Pigmaleón.
Dibujo para la representación de 1690

Es verdad, que si lo hermoso
objeto de el amor es,
¿qué importa que sea imposible
para que parezca bien?
¿Cuántas beldades se adoran   3615
desde lejos, por tener
perfeta hermosura, y no
son de piedra a quien las ve?
Pues ¿cuánto es mejor amar
el que no ha de merecer,   3620
como yo, un desdén preciso,
que un voluntario desdén?
Aquí la poned, que aquí
ha de estar, a cuyo pie
rendidos todos, cantad   3625
diciendo una y otra vez...

Austria en Madrid en 1649, con la estatua de la Alegría, Apolo y las nueve
musas, Mercurio e Himeneo, Baco, etc. Lo más llamativo es la presencia de
las estatuas de Felipe IV y Mariana. Se intentó hasta tal punto la semejanza
que hasta se copió en ellas los vestidos que llevaban: «Esmeró tanto el *Arte*
en RETRATOS el estudio que no se contentó, con que fuesen en estremo
parecidos, pero aun lo estaban en los Vestidos que aquel día se pusieron»
(Cfr. John E. Varey y A. M. Salazar, «Calderón and the Royal Entry of
1649», pág. 11). Calderón describió dicha entrada en la jornada III de
Guárdate del agua mansa. Las estatuas que coleccionaba Calderón eran únicamente de carácter religioso (*vide* Introducción).

3612 V: «del».

3617 V: «perfecta hermosura y no». Falta la «y» en E y Eo, lo cual cambia
el sentido de la frase. V y el ms. valenciano la resuelven así: «¿Cuántas... ve?»
como nosotros.

3626 Mientras cantasen, bajarían la estatua del carro. En una mojiganga
al estilo aragonés se sacó un carro de Venus y Vulcano en 1637 durante unos
carnavales celebrados en el Buen Retiro (Cfr. Jonathan Brown y J. H. Elliott,
Un palacio para el rey, pág. 213). Carros de Vulcano, Diana y Ceres se sacaron a
la entrada de Carlos III en Barcelona (1759). En *La gloria de Niquea* (1620) (E.
Cotarelo, *El Conde de Villamediana*, pág. 114), aparece un carro de cristal con
luces llevado por una dama de la corte y meninas que sombolizaban la
corriente del Tajo. Para sus usos míticos en el siglo XVIII, véase Pilar Pedraza,
«Arte efímero y espectáculo en la corte española durante el siglo XVIII», *El
Real Sitio de Aranjuez y el Arte Cortesano del Siglo XVIII,* Comunidad de Madrid,

Música

> *Si es lo hermoso el objeto,*
> *que obliga a querer,*
> *¿ser piedra qué importa*
> *la que hermosa es?*   3630

PIGMALEÓN

¿Quién, Lebrón, está contigo?

LEBRÓN

Pasquín, señor, y Brunel.

PIGMALEÓN

¿Quién son Brunel y Pasquín?

LEBRÓN

Son dos camaradas.

Salas de Exposiciones de Aranjuez, abril-mayo de 1987, págs. 203-219, y *vide* Introducción, nota 118. En *La estatua de Prometeo,* ed. cit., pág. 247 (y *vide* página 363), la acotación señala que la estatua aparece en una gruta. Luego Minerva quedará como la estatua de la gruta (vv. 476 y ss.). Sobre el motivo de la estatua en relación con esta obra y con *La estatua de Prometeo,* véase S. Neumeister, *op. cit.,* pág. 229, quien mencionó también en *Entremés del triunfo de Juan Rana* de Calderón. Para más información, Robert Ter Host, *Calderón. The Secular Plays,* págs. 9-10, quien a propósito de *La estatua de Prometeo,* señala la presencia de esculturas en la obra de Calderón, así como su afición por ese arte a través del cual plantea la relación entre Naturaleza y Arte. Véase además Cristóbal Pérez Pastor, *Documentos para la biografía de D. Pedro Calderón de la Barca,* Madrid, 1905, págs. 425-8, y Helga Bauer, *Der Index Pictorius Calderón's,* Hamburg, 1969, pág. 779. E. R. Curtius, *Literatura europea y Edad Media Latina,* México, 1976, pág. 779, señaló la primacía que sobre la escultura tenía la pintura para Calderón. También en J. Brown y J. H. Elliott, *op. cit.,* págs. 114 y ss. y *vide* Introducción e *infra,* v. 3641.

3627-30 Desarrollo el estribillo completo, supuesto en E y Eo y V con un «etc.» tras el primer verso.

3636 Eo y V: «al».

PIGMALEÓN

Pues
¿cómo se atreven a entrar   3635
a el cuarto de mi mujer?

LEBRÓN

Hasta aquí de medio ojo
tu locura anduvo, a fuer
de buscona, ¿pero ya
se destapó de una vez   3640
tu mujer?

PIGMALEÓN

No la palabra
me tomes, ya que no sé
lo que digo; pero miento
que nada supe más bien.
Mas idos todos de aquí,   3645
que un loco no ha menester
testigos a su locura.

TODOS

Vámonos huyendo dél.

3638 Corrijo con Eo y V el error de E: «anduou».

3641 El tema del desposorio de la estatua ha gozado de una rica tradición literaria (E. Frenzel, *Diccionario de argumentos de la literatura universal,* Madrid, Gredos, 1976, págs. 152 y ss.). La historia ovidiana de Pigmaleón ha tenido desde la Edad Media a nuestros días una gran aceptación en los distintos géneros, entre ellos los teatrales y operísticos del Barroco *(ibíd.,* págs. 387 y ss.). En el motivo de la estatua confluyen el arte y la naturaleza en armonioso y conflictivo encuentro, según Frans M. A. Robben, «El motivo de la escultura en *El pintor de su deshonra», Hacia Calderón. Sexto Coloquio Anglogermano,* ed. de Hans Flasche, Wiesbaden, Franz Steiner Verlag, 1983, páginas 106-122.

PIGMALEÓN

Tú no te vayas, Lebrón.

LEBRÓN

¿Cómo me he de ir, sin saber   3650
si ha venido muy cansada,
aunque no ha venido a pie,
doña Mármol, mi señora?
Sea bien venida usted
a esta su casa y conozca   3655
su menor criado. Bien
que no hay oficio en que pueda
servir, pues no puedo ser
con quien ni come ni bebe
despensero o botiller.   3660

PIGMALEÓN

Quita, loco.

LEBRÓN

Llega, cuerdo.

PIGMALEÓN

Hermosa beldad, a quien
poco le costó a la lima,
poco le debió al cincel,
pues no de humana labor   3665
sino de mayor poder,

3660 *botiller,* botillero o boteller, ya en López de Ayala (*circa* 1400). Es
cargo palatino aragonés del siglo xii (*Cor.*). El que tiene a su cargo la
botillería de un palacio o casa noble (*Acad.*). «El que hace bebidas compues-
tas, y las vende.» Aparece como el despensero de la botillería en Mateo
Alemán, Quevedo y otros (Carmen Fontecha, *Glosario*).
3663-4 Corrijo en Eo y V a E: «costó al lima... al cincel».

al parecer, se formó
tu divino parecer,
bien quisiera a tu deidad
templo consagrar, en que   3670
fuese en sus aras continuo
sacrificio de mi fe.
Pero ya que el desear
se deja atrás al poder,
este corto albergue admite   3675
para ser servida en él
desas vasallas estatuas
que por mi mano labré,
como familia que siempre
atenta a tu culto esté.   3680
Si el oficio que tuviste
de ser fuente en un vergel,
con el trato del cristal,
te enamoró acaso dél,
ya que de su risa echas   3685
menos el ruido, no estés
triste por eso, que aquí
cristal no faltará, pues
mis ojos te le darán,
con que vengamos a ser   3690
yo aquesta vez la corriente,
y tú la fuente otra vez.
Recibe...

(Dentro.)

¡Guerra! ¡Arma! ¡Arma!

3667 Corrijo con Eo y V a E: «parecer».
3672 V: «fee».
3674 V: «el poder».
3677 V: «de esas».
3694 V: acota al margen de «¿Qué es esto?»: *Tocan.*

PIGMALEÓN

¿Qué es esto?

LEBRÓN

Lástima es
que te estorben, porque traza   3695
tenías de enternecer
un mármol.

(Dentro.)

¡Arma! ¡Arma! ¡Guerra!

PIGMALEÓN

¿Qué será?

LEBRÓN

A lo que se ve,
huyendo viene del monte
un derrotado tropel   3700
que hacia la corte camina.

PIGMALEÓN

¿De quién huirá?

3695-7 Lebrón alude irónicamente al poder de las lágrimas de Pigmaleón
para estremecer hasta al mármol. Recuerdo de Garcilaso, *Égloga I,* vv. 197-8:
«Con mi llorar las priedras enternecen / su natural dureza y la quebrantan.»
Herrera anotó un precedente anónimo a ese lugar común en la poesía del XVI
(Cfr. Garcilaso de la Vega, *Obras completas,* Madrid, Castalia, 1974, págs.
283-4). Versos más adelante, la Estatua se referirá a ello de nuevo (vv.
3880-4). Sobre la retórica de las lágrimas A. Egido, *«La hidra bocal.* Sobre la
palabra poética en el Barroco», *Edad de Oro,* VI, Univ. Autónoma de Madrid,
1987, págs. 107-8.

Yo qué sé.
Pero de extranjera gente
parece.

ANAJARTE *(Dentro.)*

¡Volad tras él!

IFIS *(Dentro.)*

Hasta la corte seguid   3705
el alcance para que
de preso o muerto no escape.

CÉFIRO *(Dentro.)*

Favor el cielo me dé.

IRÍFILE *(Dentro.)*

A tu lado he de morir.

PIGMALEÓN

¡Confusión notable es!   3710

ANAJARTE

¡Ay infelice de mí!
¡Valedme, cielos!

3704 V: *Anajarte, dentro. Anajarte.*
3710 V: *Anajarte, dentro.*

LEBRÓN

¿Qué fue
aquello?

PIGMALEÓN

Que de un caballo
despeñada, una mujer
viene cayendo del monte.   3715
Iré a socorrella.   (*Vase.*)

LEBRÓN

Ten
el paso, que no es razón
que celos llegue a tener
la señora doña Mármol.
Perdone vuesa merced,   3720
que es mi amo un caballero
con las damas muy cortés,
y así el socorrer a otra
aire y no desaire es.
¿No lo siente usté así?

_____

3713 Tópica escena calderoniana de la mujer que se despeña y que inevi-
tablemente lleva el recuerdo de Rosaura al principio de *La vida es sueño* y en su
predecesora, la Rosaura de *La Galatea* de Cervantes. El tema tiene connotaciones simbólicas que identifican al jinete con la razón y al caballo con la
pasión, presentando la lucha de *ratio versus passionem*. Tema con conexiones
bíblicas y místicas según Ángel Valbuena Briones, «El emblema simbólico
de la caída del caballo», *Calderón de la Barca y la comedia nueva,* Madrid,
Espasa-Calpe, 1977, págs. 88 y ss. Y véanse Gwynne Edwards, «Calderón's
La hija del aire in the Light of his Sources», BHS, XLIII, 1966, 188, y nota 1, y
Alan Soons, «The Convergence of Doctrine and Symbol in *El médico de su
honra»,* RF, LXXII, 1960, pág. 37. Con frecuencia se olvida la presencia del
hipogrifo en la materia ariostesca como apetito sin freno («Appetito non
raffrenado»), según señala M. Chevalier, *op. cit.,* pág. 54 (y *vide* índice).
    3716 V: «socorrerla». Eo omite la acotación, pero V la coloca, como
en E.

ESTATUA

Sí.   3725

LEBRÓN

¡Cielos! ¿Qué llego a oír y ver?
¿Que no tiene celos?

ESTATUA

No.

LEBRÓN

Ya va hablando un si es no es.
Mi señora doña Mármol,
yo no enternezco a vusted   3730
y ansí no gaste conmigo
finecitas de oropel.

(Dentro.)

¡Arma, arma! ¡Guerra, guerra!

(Sale PIGMALEÓN *con* ANAJARTE *en brazos.)*

PIGMALEÓN

¡Lebrón!

3725 V: «¿Usted lo siente así?»

3732 *finecitas,* diminutivo de finezas. «Oropel, cosa de poco valor y mucha
apariencia» *(Acad.).*

3733 V: *Saca Pigmaleón a Anajarte en brazos.*

Compárese esta escena con la de Irífile en brazos de Anteo *(supra,*
v. 1202).

3734 Corrijo con Eo y V el error de E: *Lebrón,* repetido.

LEBRÓN

¿Qué me mandas?

[PIGMALEÓN]

Ten
esta beldad en los brazos   3735
mientras que yo vuelvo a ver
qué novedad es aquesta.   (*Vase.*)

LEBRÓN

Oye, aguarda. No me des
otra estatua, que con una
tengo yo harto en qué entender   3740
a mi señora Ana Juárez.

ANAJARTE

¡Ay de mí!

LEBRÓN

Y de mí también.

ANAJARTE

¿Dónde estoy?

LEBRÓN

En el tablado.

3741 Ana Juárez. Así llama el gracioso Lebrón a Anajarte, jugando con el
nombre, desmitificando el nivel sublime y rebajando al personaje en la rota
virgiliana del decoro.
3743 *Vide* Introducción.

ANAJARTE

Dime si fuiste tú quien
en sus brazos me detuvo,   3745
cuando, llegando a caer
perdí el sentido.

LEBRÓN

¿Pues no?

ANAJARTE

La vida te debo.

LEBRÓN

Aún bien,
que con cualquier joya desas
estaremos en paz.

ANAJARTE

Ten,   3750
que así pudiera pagar,
a precio de otro interés
otra fineza. Ahora, dime,
¿cúyo este palacio es?

LEBRÓN

Doña Estatua, mi señora   3755
lo dirá, pues vive en él.

3749 V: «de esas».

¿Qué es lo que miro? Mentida
deidad que en solio te ves,
de un amor idolatrada,
colocada de una fee,   3760
¿cómo, habiendo sido mía,
no te pegó mi altivez
la vanidad para no
dejarte amar y querer?
Pero si al correspondido   3765
Amor sigues, yo veré
si de un mármol lo apacible
desagravia lo cruel
de otro mármol. En tu pecho
admite tú un amor fiel,   3770
mientras yo otro fiel amor
altiva desprecio, a quien
después de haberme servido
muerte le he de dar, porque,
acreedor de mis favores,   3775
no pueda volverle a ver,
aunque de mí licenciosa
diga la fama después...

Música. (Dentro.)

La que no sabe querer
sea mármol, no mujer.   3780

ANAJARTE

¿Qué oráculos son de el aire
estos que siempre escuché?

3757 El arte de mostrar ante los ojos ha sido una constante calderoniana.
Sobre ello, véase introducción, nota 143. Y *supra,* vv. 45-7.
   3759 Corrijo con V a E y Eo: «idolatrado».
   3769 Corrijo con Eo y V a E: «mi pecho».
   3781 Eo y V: «del».

(Dentro.)

¡Anajarte, viva!

TODOS

¡Viva,
la que nuestra reina es!

ANAJARTE

Mejor suenan estas voces,   3785
a pesar de hados, aunque
entre cajas y trompetas
aquéllas digan también...

Música

La que no sabe querer   3790
sea mármol, no mujer.

TODOS

¡Anajarte, viva! ¡Viva
la que nuestra reina es!

PIGMALEÓN

Entrad a mi alcázar todos,
que aquí es donde la dejé.

3782 V: *Dentro voces.*
3783 V: *Todos dentro.*
3784 Corrijo con Eo y V a E: «Riyna».
3788 V: *Música dentro.*
3792 V: *Pigmaleón, dentro.*
3793 V: «todo».

Anajarte, Laura. Isabela, Ifis, Anteo y Brunel.
Dibujo para la representación de 1690

Todos

¡Nuestra reina, viva! ¡Viva!   3795

Música

Sea mármol, no mujer.

(Sale todo el acompañamiento que pudiere. Detrás Céfiro,
Irífile, Anteo, Ifis *y* Pigmaleón.)

Ifis

En albricias de tu vida
vengo a poner a tus pies,
hermosísima Anajarte,
todo este triunfo, de quien   3800
yo el primer rendido soy;
Céfiro y Anteo después,
con Irífile, que apenas
con mi gente le alcancé
a la vista de su corte,   3805
cuando llegándole a ver
a él prisionero y a mí
vitorioso, sólo en fee
de haber tomado la voz
de tu nombre, empezó a hacer   3810
toda su nobleza y plebe
demostraciones de que
estaba sin voluntad,
oprimida del poder.
Todos te apellidan, todos,   3815
diciendo en afecto fiel...

3796 V: *Salen de acompañamiento todos los que pudieren y detrás Céfiro, Irífile, Ifis
Anteo y Pigmaleón* e inicia el parlamento erróneamente Irífile y no Ifis
(E y Eo).

3812 Eo y V: «demonstraciones».

¡Anajarte, viva! ¡Viva
la que nuestra reina es!

ANAJARTE

Agradecida (¿qué importa
que afable este rato esté,   3820
si por no verme obligada
sabré matarle después,
o pésele o no le pese
a Anteros, el Amor fiel?)
a tu valor (¡ay de mí!)   3825
Ifis generoso (¿Qué
mortal frío me estremece?),
confieso (¿qué ansia cruel,
la voz me hiela en el labio?)
que debo (¡letargo infiel   3830
es el que siento!) a tu fama
(¡qué ira!) el sagrado laurel
y la vida. Pero miento,
pero miento, que no fue

3819 Eo: acota al margen: *Aparte*.

Anajarte se transforma en estatua. *Tour de force* para la actriz que representase tal metamorfosis. Otro tanto le correspondería a la que haciendo de
Estatua mostrase su cambio a mujer (*infra,* vv. 3876 y ss.). La representación
viva suple lo que en Ovidio y tantos otros es trabada mutación literaria,
como en los famosos versos de Garcilaso en la Canción V (vv. 86-100). La
lección de *La fiera* en este punto corre parejas con la del poeta renacentista:
El ejemplo de Anajarte como castigo de durezas amatorias. En la representación valenciana de 1690, la actriz que hacía de Estatua se desmayó a fuerza
de hacer su papel verosímil en las escenas del jardín (*supra*). El Barroco
cultivó la especie de las estatuas parlantes, como sabían muy bien Don
Quijote y don Juan. También Gracián, *Criticón,* ed. cit., I, Pág. 253. Feijóo
recoge en su *Teatro* la tradición de la estatua parlante de Alberto Magno.

3820 V: acota al margen: *Aparte*.

3825 Eo acota al margen: *Aparte*.

3828 Eo: acota el margen: *Aparte*.

3829 V: acota: *Va convirtiéndose en estatua Anajarte*. Nótese el proceso verbal
que acompaña a la metamorfosis de Anajarte en Estatua.

(un áspid tengo en el pecho,   3835
en la garganta un cordel)
la vida la que te debo
porque no puedo deber
lo que no tengo (¡ay de mí!).

TODOS

¿Qué es esto?

ANAJARTE

            No sé, no sé,   3840
si ya no es que sea venganza
de Venus, dando a entender
que la que querer no sabe
más es mármol que mujer.

IFIS

No sólo quedó a la vista   3845
helada, pero también
al tacto, que no de humana
materia la llega a ver.

CÉFIRO

Frío mármol es de hielo
su nevada candidez.   3850

LEBRÓN

Ojo a la margen, señoras,
y tratadme de querer,

3836 V: «y en».
3839 V: acota: *Queda vestida de blanco como la Estatua.*
3852 V: «tratarme».

si no quieren ser mañana
todas de mármol.

IFIS

                    ¡Qué bien
diciendo el agüero está   3855
(¡Ay de mí, infeliz!) de aquel
oráculo fementido,
que para mí había de ser
rayo, amor; pues tras el fuego
que me vio abrasar y arder,   3860
en muriéndose la llama,
quedó la piedra después.
Si es mármol, sabré adorarla.

PIGMALEÓN

No será la primer vez
que un mármol se vea querido;   3865
que yo (¿cúyo influjo fue
que amor piedra para mí
había —¡ay infeliz!— de ser?)
amo ésta; y de mi locura
tan grande el extremo es,   3870
que en la presencia de todos
la doy la mano y la fee
de ser suyo mientras viva.

[ESTATUA]

Y yo la aceto, porque
pasando de extremo a extremo   3875

3862 E acota de nuevo erróneamente: *Ifis*.
3864 E: «le primer». Corrijo con Eo y V.
3873 A continuación de «viva», Eo y V hacen que hable la *Estatua*. E,
erróneamente, lo omite y hace que siga hablando Pigmaleón.
3874 V: «acepto».

el soberano poder
del Amor correspondido
se vea que en una fee
firme, en un Amor constante,
tierno llanto, afecto fiel,   3880
si una mujer y una piedra
porfían a aborrecer
se deja vencer primero
la piedra que la mujer.

PIGMALEÓN

Desciende, hermoso prodigio,   3885
para que me eche a tus pies.

ESTATUA

Para ser tuya viví
y agora conmigo ven
al templo de Venus, donde
sacrificio haga mi fee   3890
al correspondido Amor.

IFIS

Contigo a su templo es bien
ir yo, donde a su deidad
la sacrifique también
la venganza que por mí   3895
tomó Anteros de un desdén.

ESTATUA

Pues id diciendo los dos,
si queréis agradecer
tú el favor y tú el castigo,
lo que dice el aire...

3886 V: *Baja la Ninfa que hace la Estatua.*
3888 V: «ahora».

LOS DOS

¿Qué es?   3900

ANTEROS

Que quien no sabe querer,
sea mármol, no mujer.

CUPIDO

Que quien en amar se emplea,
mujer y no mármol sea.

LOS DOS

Pues yo por mí iré diciendo,   3905
que justo decreto es...

IFIS

Que quien no sabe querer,
sea mármol, no mujer.

PIGMALEÓN

Que quien en amar se emplea,
mujer, y no mármol sea.   3910

[CÉFIRO]

Aunque Anajarte no es
capaz de reinar, y queda
a mí el derecho por ley,

3900 V: *Anteros dentro.*
3902 V: *Cupido dentro.*
3904 V: *Pigmaleón y Ifis.*
3911 Corrijo con Eo y V el error de E: *Cupido.*

el más infelice amante
vengo yo a ser de los tres.   3915

ANTEO

No eres sino el más felice.

CÉFIRO

¿Cómo, si cuando ambos ven
uno vengado su amor,
y otro premiada su fee,
yo, vengado ni premiado   3920
le veo, ni le he de ver?
Vengado, pues que no tengo
en Irífile de qué;
ni premiado, pues no puedo
la fineza agradecer   3925
de haberme dado la vida.

ANTEO

¿Por qué no puedes?

CÉFIRO

                    Porque
fiera la encontré en los montes.

ANTEO

¿Casarás con ella, si es
tu igual?

CÉFIRO

            Sí.

_____

   3919 Corrijo con Eo y V parcialmente: «y otro premiada», a E: «y otro premiado».

ANTEO

Pues sabe que ella   3930
la reina heredera fue
de Trinacria, y yo Nicandro
que temiendo la crüel
ira de tu padre, una
noche en la cuna la hurté   3935
donde a Anajarte introduje;
y llegando a conocer
por las estrellas que había
de cobrar su reino, dél
nunca la quise ausentar.   3940
Esto lo dirán más bien
las joyas que echaron menos
cuando yo...

CÉFIRO

La voz detén
que a quien quiere creer, le sobran
las pruebas para creer.   3945
Ésta, Irífile, es mi mano.

IRÍFILE

¡Dichosa quien llega a ver
logrado reino y amor!
Y ahora, en tanto que le hacéis
las exequias a ese mármol,   3950
conmigo, prodigio, ven:

3932 Anteo retarda el reconocimiento, tal y como Lope predicaba en el
Arte nuevo, y descubre su identidad y la de Irífile, reina de Trinacria. Él es
Nicandro, el que trocó a éste en la cuna por Anajarte.

3941-2 Típica y tópica aparición para propiciar una anagnórisis, como se
ve en *La Gitanilla* cervantina y en tantos fines de comedia.

3942 Eo, erróneamente acota: Céfalo.

3848 A partir de aquí sigo a Eo hasta el v. 4006 en todo lo señalado en la
Introducción.

que un prodigio a otro prodigio
que le haga agasajo es bien.

ESTATUA

De tu hermosura y del sol
igualmente el rosicler   3955
me ha cegado, mármol frío.
Mármol soy, mármol seré.

(*Vanse las dos.*)

TODOS

Retirémosle de aquí.

LEBRÓN

Mejor ponerle allí es,
que no faltará otro bobo,   3960
que le convierta en mujer.

IFIS

¡Ay, infelice de mí!

BRUNEL

No has negociado mal, pues
condenado a ahorcar estabas.

LEBRÓN

¡Mire el diablo de mujer,   3965
y dónde estaba escondida!

_____

3957-6 En el ms. valenciano es Anajarte la que los dice: «Mármol fui,
mármol soy, mármol seré.» V: «mármol fui».
3959 El ms. valenciano dice «ponerla», pero nótese que se habla de la
Estatua-Anajarte como de un objeto (vv. 3958 y 3960).

¡Que aún no le bastase ser
de mármol para no hablar!

BRUNEL

Aténgome a mi amo, pues
el que no queda casado   3970
es el que queda más bien.
Pero ¿qué música es ésta?

LEBRÓN

Escuchad y lo sabréis.

Música

¡Muera, muera el Amor vendado y ciego!
¡Viva el correspondido Amor perfecto!   3975

LEBRÓN

Sobre el gran templo de Venus
en nubes, al parecer,
se rasga el cielo.

3970 Sobre el matrimonio y los graciosos, *vide* Introducción, pág.

3973 V: *Dentro música.*

3976 Lebrón anuncia la mutación escénica celeste, marcada luego por la
acotación que simboliza el triunfo de Anteros, el Amor correspondido, cosa
que es paradójicamente aceptada por el propio Cupido, el Amor ciego, como
se verá. La aparición de Venus en el trono con los dos coros parece una
máscara, en paralelo con la ulterior aparición final de la Fortuna. Compárese
con la que se celebró en Valladolid (1605) para conmemorar el nacimiento
de Felipe IV (según Louise Katrin Stein, en la ed. cit. de *La estatua de Prometeo,*
págs. 17-9), particularmente en el uso de dos coros y trono, música, etc.,
aunque será en la máscara final de Fortuna con, la aparición de la danza,
donde se estrechen los paralelismos. También se usaban carros triunfales
(*supra*) en las máscaras. Stein señala la huella de la zarzuela en la comedia
mitológica y da abundantes datos sobre el uso instrumental y de los coros en
las fiestas de la primera mitad del XVII.

¡Venid
todos a saber lo que es!

Anteros

¿Cómo qué es puede dudarse   3980
triunfo mío, en que se ve

(Descúbrese)

que el socorro que me dieron
les he pagado a los tres?:
A Pigmaleón, pues pude
una piedra enternecer;   3985
a Céfiro, pues que una
fiera le asegura rey;
a Ifis, dándole venganza
de un rayo que había de ser
muerte suya, con que vienen   3990
a convertirse en placer
piedra, rayo y fiera siendo
cadáver, reina y mujer.

Cupido

Sí, mas no me negarás
a mí que yo pude ser   3995
piedra, rayo y fiera puesto
que eso han amado los tres.
Y para que no presumas
que envidia puedo tener,
le he de asitir al festejo,   4000
repitiendo yo también:
    ¡Muera, muera el Amor vendado y ciego!
    ¡Viva el correspondido Amor perfecto!

3979 V: *Descúbrese la mutación de cielo y bajan Anteros, Cupido y Venus.*
3981 V: «vee». Se omite la acotación *Descúbrese*.
4000 V: «te».

Musica

¡Muera, muera el Amor vendado y ciego!
¡Viva el correspondido Amor perfecto!   4005

VENUS

¡Viva!, pues que vitorioso,
Anteros, de tu poder,
en la esfera de Dïana,
que la diosa auxiliar es
del correspondido Amor,   4010
todas las ninfas a quien
ha premiado le hacen fiesta.
¡Volved los ojos! ¡Volved
a ver ese hermoso cielo
de quien el prólogo es   4015
la fortuna del amor,
cantando segunda vez...

4003 V: «corespondido». *Toca la música.*

4004 Eo y V: «y ciego, etc.».

4006 ss. Venus engarza el final de la comedia con la máscara, previniendo el descenso celeste de la Fortuna. El desenlace de la obra encadena argumento, espacio y tiempo con el de la máscara festiva dedicada a los reyes.

4014 V: «ese».

4017 V. *Aquí habiéndose acabado la comedia, se da principio a la máscara, descubriéndose repartida en dos coros de Música de siete voces, y en cada uno, cuatro mujeres y tres hombres y en una tropa doce mujeres que son las que han de danzar y en lo alto la Fortuna. Todos cantan.* Completo la acotación de E y Eo: *[con].*

4017 La máscara integra todos los medios de la comedia de invención, con el elemento añadido de la danza. La máscara remite a la inserción del público de la Corte, empezando por los reyes en el festín mitológico propiciado por Fortuna. Un precedente italiano de la integración del espacio escénico con el patio es un *intermezzo* de Florencia en el Teatro Medici, con rampas para unir los dos niveles y favorecer el descenso del cuerpo de baile, con la participación de los duques en el mismo (Cfr. David Brubeker, *Court and Commedia: Medieval and Renaissance Theatre*, Nueva York, Richard Rosen Press Inc., 1975, fig. 29). Para los fines de fiesta en las comedias mitológicas, véase S. Neumeister, *op. cit.,* págs. 26, 206 y 265. El público de Madrid tuvo acceso al Coliseo a partir de 1651, pero es evidente que este teatro tenía un rango cortesano, con exigencias y horizontes de expectación muy concretos

(Aquí se descubre la máscara, repartida en dos coros de música, de siete voces cada uno; cada uno [con] cuatro mujeres y tres hombres, y en una tropa de doce mujeres que son las que han de danzar, y en lo alto la FOR-TUNA.)

TODOS

> ¡Muera, muera el Amor vendado y ciego!
> ¡Viva el correspondido Amor perfecto!
> Y en coros repetidos   4020
> de voces y instrumentos,
> las flores en la tierra,
> las aves en el viento
> y en forma de batalla,
> canten en dulces ecos,   4025
> a pesar de Cupido,
> vitoria por Anteros.
> ¡Muera, muera el Amor vendado y ciego!
> ¡Viva el correspondido Amor perfecto!

(Cfr. Sebastián Neumeister, «Las clases de público en el teatro del Siglo de Oro y la interpretación de la comedia», *Iberoromania*, 7, 1978, págs. 106-119). Esta obra, según Pinelo *(vide supra)* tuvo distintas representaciones para el público. En *Los celos hacen estrellas* de Juan Vélez de Guevara también se produce una estrecha vinculación entre el actor y los espectadores en el fin de la fiesta, remitiendo como *La fiera* al motivo de la obra: el cumpleaños de la reina, y otro tanto ocurre en la loa de *Andrómeda y Perseo* (1653) y en otros (Cfr. J. E. Varey, «The Role of the King at Court Spectacles», pág. 404). El espectáculo empezaba con la entrada de los reyes y acababa con su salida. La comedia es sólo una parte de la teatralidad del momento. El espectáculo teatral se convierte en espejo del gusto, las ambiciones y el poder del monarca, auténtico protagonista.

4025 V: «los dulces».

4028-9 El triunfo de Anteros sobre Cupido aparece en el emblema CX de Alciato. *La fiera, el rayo y la piedra* parece glosar, precisamente ese emblema, que reza: *Amor virtutis alium Cupidinem superans*, y cuya procedencia es la *Antología griega*, XVI, 251 (*Emblemas*, pág. 148, nota 203). El canto de la máscara recoge los versos glosados del final de la comedia, con el triunfo del amor correspondido.

FORTUNA

Yo que la Fortuna soy   4030
que para aqueste festejo
en tres sagrados asumptos
propuse tres argumentos,
depuesta la vela y rueda
con que en veloz movimiento   4035
campañas de vidro corro,
piélagos de luz navego,
humildemente rendida
en alas del pensamiento,
para pediros perdón,   4040
de parte de todos vengo.
Cuarto asumpto el triunfo sea

4030 La Fortuna aparece según la iconografía atribuida a Lisipo, el escultor griego, del emblema CXXI de Alciato, *In Occasionem,* aunque dejando la vela y la rueda y, suponemos, la venda que lo que lo caracterizaba. Fue imagen muy extendida. Alciato, *Emblemas,* edición de Santiago Sebastián, págs. 161 y ss.), y véase emblema XCVIII *(ibíd.,* págs. 132): «El arte ayuda a la Naturaleza», con Hermes y la Fortuna. Ésta es loca, ciega y bruta, como la bola sobre la que discurre; e inestable y a merced del viento, como la vela que lleva entre las manos. Mercurio o Hermes es la firmeza y el fundamento de las artes. También hablan de ella Natal Cómite y otros. Fortuna viene del mar y como dice el padre Vitoria, «el agua no tiene estabilidad» y es como ella inestable y mudable *(op. cit.,* II, págs. 523-531). La Fortuna que esparce sus dádivas con mano ciega es muy frecuente en Calderón que luce en ella reminiscencias senequistas. Véase Ángel Valbuena Briones, «Los tópicos de Séneca en el teatro de Calderón» y «El tema de la Fortuna en *La gran Cenobia»,* *Calderón de la Barca y la Comedia nueva,* caps. IV y IX. Fortuna muestra algunas semejanzas con la esposa de Cupido. Así en Otho Vaenius, *Les Emblémes de l'Amour Humain,* Bruselas, 1667 (Cfr. E. Panofsky, *Studies in Iconology,* pág. 105). Calderón siguió a los escolásticos en su idea de la Fortuna y trató el tema de veras y bromas, procurando señalar el valor del control de las pasiones. Generalmente muestra más el peso de los Hados en las comedias mitológicas (Cfr. Otis Green, *España y la tradición occidental,* Madrid, Gredos, 1969, II, págs. 374-51). Dedicó dos dramas al tema de la Fortuna: *La gran Cenobia,* ya citada, y *Saber del mal y del bien,* siguiendo una rica tradición teatral que también tomaron Lope, Vélez de Guevara, Rojas, Zorrilla y Mira de Améscua (Cfr. Jesús Gutiérrez, *La «Fortuna bifrons» en el teatro del Siglo de Oro,* Santander, 1975, págs. 283-7).
4036 V: «vidrio».
4042 Corrijo la errata de E. «r̃ríunfo», en Eo y V.

con que de Dïana y Venus
las Ninfas celebren hoy
la gran vitoria de Anteros.   4045
Y tú, gran Planeta; y tú,
bella Aurora, a quien siguieron
las dos mejores estrellas
de ese humano firmamento,

Nótese cómo Fortuna sintetiza la triple argumentación que sobre tres asuntos (Céfiro, Ifis y Pigmaleón) ha perfilado la obra, añadiendo el suyo y cuarto que consiste en el triunfo de Anteros. Toma la voz de la compañía y se despide con una tópica autoconfesión de culpas (vv. 4040-1). Véase además Ángel Valbuena Briones, «El tema de la Fortuna en *La gran Cenobia*», cit. Los «masques», «tournament, «pageant» y «triumphi» en la Inglaterra del siglo XVII muestran abundantes ejemplos de paralelismos con esta máscara calderoniana, por su carácter alegórico, su maquinaria escenográfica y por la integración (total en las *masques*) del público en el espectáculo. Hechas al hilo de las efemérides reales (cumpleaños, natalicios), presentan, sobre todo con Ben Johnson, una perfecta integración de la música, la danza y el espectáculo. Se debió a Íñigo Jones la adaptación de los efectos escenográficos traídos de Italia. En *The Masque of Queens* (1609), Ben Johnson hace aparecer a la Fama y a su magnífico castillo, siguiendo las directrices de la *Iconografía* de Caesare Ripa, así como los carros triunfales. Cfr. *Ben Johnson's Plays and Masques,* ed. Robert M. Adams, Nueva York, W. Norton and Co., 1979, págs. 313-8 y 321 y ss.

4046-7 Se refiere a Felipe IV y a Mariana de Austria, haciéndose alusión posteriormente a la princesa Margarita, que por su corta edad (aún no había cumplido el año), no estaría presente en el estreno de la obra. Los reyes y su corte se integran en el espectáculo, formando parte de él, como en tantas comedias cortesanas de Calderón. Un ejemplo muy extremo lo ofrece la loa de su última comedia, con los retratos de los personajes reales en el centro de la perspectiva escénica y espejo de su presencia como espectadores de la comedia (Cfr. Sebastián Neumeister, «Los retratos de los Reyes en la última comedia de Calderón *Hado y divisa de Leonido y Marfisa*, Loa», *Hacia Calderón. Cuarto Coloquio Anglogermano,* ed. por H. Flasche *et alt.,* Berlín, Nueva York, Welter de Gruytier, 1979, págs. 83-91). Para las máscaras y fiestas del Buen Retiro, J. Brown y J. H. Elliott, *op. cit.,* págs. 313-4 y 224-5. La presencia mitológica invadió las artes y la vida palaciega de los Austrias. Véase, por caso, Gabriel Bocángel, *El Nuevo Olimpo, representación real y festiva máscara que a los felicíssimos años de la Reyna Nuestra Señora celebraron, la Atención Amante del Rey Nuestro Señor, y el obsequio, y cariño de la Serenníssima Señora Infanta, Damas, y Meninas del Real Palacio,* Madrid, 1649. La participación de los reyes en los saraos y comedias venía de lejos. En *La gloria de Niquea* (1622) de Villamediana, tras un juego de prendas, bailaron la reina, las infantas y otras damas vestidas de caballeros al final de la obra (E. Cotarelo, *El conde de Villamediana,* pág. 122).

felices viváis y sea   4050
para ver en vuestros reinos
la dichosa sucesión
que aguardan nuestros afectos.
Y en tanto, pues todo es
amor puro, amor honesto,   4055
adonde empezó el festín,
acabe el festín, diciendo:
    ¡Muera, muera el Amor vendado y ciego!
¡Viva el correspondido Amor perfecto!
    ¡Oh, qué airosas van danzando   4060
con hermosura y con gala,
al Amor enamorando,
pero ninguna igüala
a las que están mirando.

4050-3 Estos versos y los de más abajo (vv. 4075-8) parecen hacer referencia a los deseos de que la reina alumbrara un hijo varón que sucediera en
el trono a Felipe IV. Ello no ocurrió hasta el 20 de noviembre de 1657, con
el nacimiento del príncipe Felipe Próspero que moría en 1661. El segundo
hijo, el infante Tomás, sólo vivió un año (1658-9). En 1661 nacerá el futuro
Carlos II.

4058 Corrijo con Eo y V a E: «vengado».

4059 V acota: *Repite la música y danzan los de la máscara.*

4063 Eo «pero no iguala ninguna». V: «pero ninguna no iguala»». Tal vez
Eo sea la óptima (*vide infra,* v. 4097).

4064 Eo y V: «a las que lo están».

En otros bailes participó toda la corte (desde el rey a los criados). La obra
está ampliamente impregnada de símbolos que aluden al momento histórico
y a las personas presentes. Como señala Giulio Ferrari, a propósito de la
cultura cortesana del siglo XVI italiano, se puede hablar de un «sistema di
rappresentazione che offre uno spettacolo che si riflette in se stesso, in
quanto la corte ne é contemporaneamente produttrice e spettatrice», «La
scena, l'autore, il signore nel teatro delle corti padane», en *Il teatro italiano del
Rinascimento,* a cura di Maristella di Paniza, pág. 537. También los llamados
géneros menores, y a veces con mayor fuerza, prolongaban el espacio de la
representación en el del rey y la corte (Cfr. Evangelina Rodríguez y Antonio
Tordera, *Escritura y palacio. El toreador de Calderón,* Kassel, ed. Reichenberger,
1985, págs. 21 y ss.). Para la danza en loas y fines de fiesta, Ana Ivanova, *The
Dancing Spaniards,* Londres, John Baker, 1970. El padre José Alcázar, en su
Ortografía castellana (ms. 1690, cfr. F. Sánchez Escribano y Alberto Porqueras
Mayo, *Preceptiva dramática española,* Madrid, Gredos, 1972, págs. 328 y ss.),
además de hacer interesantes observaciones sobre la memoria, gestos, trajes y
demás pormenores de la actuación de los cómicos, describe el Coliseo del

Porque aunque del sol la esfera   4065
el cielo traslade al suelo,
no es bien que competir quiera
toda la luz de su cielo
la de nuestra primavera.

Música de la máscara

Vuestros son, Felipe   4070
mis nobles pensamientos,
y el alma y sus potencias
a vuestros pies ofrezco.
Vuestros son, Marïana,
las ansias y deseos   4075
de que las esperanzas
lleguen a ser efectos.

Buen Retiro, con las damas en los balcones y la salida de Juan Rana en un
entremés en el que hacía de Alcalde, diciendo directamente al público: «Este
panegírico es el lugar donde se cantan los versos y se hacen las comedias. El
rey y la reina se suelen sentar allí; los grandes aquí; los señores acullá.
Antiguamente las paredes del teatro de Pompeya estaban soberbias con
colgaduras de conchas, mas no tenían la majestad de oro, de plata y de
piedras preciosas que éstas ostentaban. Pero más preciosas son aún estas
pinturas.» Sobre esta alusión directa al teatro mismo, construyó la provocación. Dirigiéndose a dos princesas les espetó: «Considerad, os ruego, aquella
pintura; ¡cuán bien al vivo están pintadas aquellas dos viejas!; sólo la voz les
falta; creyera que estaban vivas, si hablaran» *(ibíd.,* págs. 336-7). Los géneros
menores destruían aún más que las comedias la ilusión teatral escénica,
creándola de la propia esfera de los espectadores, integrados en la fiesta.
4069 V: *Canta la música de la máscara. Música.*
4077 Tras la protocolaria salutación al rey, viene la felicitación directa a
la reina Mariana. Había nacido el 22 de diciembre de 1634. Como apuntamos en la Introducción, la fecha que Pinelo señala de la representación de *La fiera* en el mes de mayo no coincide con esta efemérides. En *Fieras
afemina amor,* se hace referencia a que es el día más corto del año (ed. cit., v.
376, pág. 226). Muchas máscaras y varias comedias cortesanas del Siglo de
Oro tuvieron su origen en dichas celebraciones. Como señalamos, las referencias a las personas reales y a la corte son muy frecuentes, máxime en un
caso como el presente, en el que la reina Mariana es la destinataria de la obra.
El juego con su nombre: Mari-Diana, Mar-y-Ana apareció en 1657 en la loa
El golfo de las sirenas. Calderón (Cfr. Everett W. Hesse, «Court references in
Calderon's zarzuelas»).

Vuestros son, María,
los rendidos desvelos
que de servir tuvimos 4080
y de acertar tenemos
los años que mandasteis
que aplauda nuestro afecto
no han menester más día,
pues es cualquiera vuestro; 4085
que todos son del sol,
y sol cuyos reflejos
la esfera de dos mundos
alumbra en dos imperios,
pues todos son del alba, 4090
y alba de cuyo bello
llanto la Margarita
es perla sin ejemplo.
¡Oh qué airosas van haciendo
al compás de la Fortuna 4095
los lazos que van tejiendo,
pero no iguala ninguna

4078 V: «Margarita». Sobre esta variante, véase Introducción. Bien pudo tratarse, como suponemos, prueba de una representación diferente a la del estreno y en presencia de la infanta Margarita, ya crecida.

4084 V: «más días».

4092 La infanta Margarita Teresa era la primera hija de Felipe IV y Mariana de Austria. Nació el 12 de julio de 1651, y es la que aparece, pequeña y rubia en las *Meninas* de Velázquez (Cfr. E. M. Wilson, ed. de Pedro Calderón de la Barca, *Fieras afemina amor,* Kassel, ed. Reichenberger, 1984, págs. 226-7). En la loa a *Fieras,* v. 392, también aparece mencionada. Se casó con el emperador Leopoldo I por poderes el 26 de abril de 1666 y se fue a Viena. Su corta vida en aquella ciudad no dejó de ser una circunstancia feliz para la historia del teatro. Gracias en parte a ella se conservan los grabados de *Andrómeda y Perseo* de Calderón. Margarita significaba también perla, como sabía Baltasar Gracián, *El Criticón,* III, ed. cit., pág. 389. El mismo Calderón la hizo aparecer con tal doble sentido en la loa de *El golfo de las sirenas* (1657): «Si ya cierta Margarita / tan linda como ella, / no la prestó para el caso / el atributo de perla.» También en la loa de *El laurel de Apolo* (1658): «Que la Margarita / preciosa no sienta / que otro sea el diamante, / pus siempre se es perla.» Otra obra en la que aparece mencionada es *La púrpura de la rosa* (1660) (Cfr. Everett W. Hesse, «Court references in Calderon's *zarzuelas*», HR, XV, 1947, págs. 365-377).

a las que las están viendo!
El Amor correspondido
la fama la dé y la gloria   4100
a la envidia de Cupido,
pues es suya la vitoria
del desdén y del olvido.

[Coro] PRIMERO

¡Qué bien suenan las cláusulas dulces
que van a Felipe airoso y galán!   4105
¡Y qué bien que las oye su esposa,
diciéndole alegre al mismo compás:
¡Que viva inmortal! ¡Que viva inmortal!

[Coro] SEGUNDO

¡Y qué bien que las oye su esposa,
diciéndole alegre al mismo compás!...   4110
¡Que viva inmortal!
¡Qué bien suenan las cláusulas dulces
que aplauden los rayos de un sol alemán!

4103 Ni E ni Eo acotan que es el Coro. V: *Danzan todos a compás de la música.
Canta el Coro Primero.*

4108 V: Ni E ni Eo acotan que es el Coro. *Todos.*

4111 V: acota: *Canta el Coro Segundo. Coro Segundo.*

4113 Sol alemán. Alusión a los orígenes de Mariana de Austria. Las
referencias solares son constantes en Calderón y tienen connotaciones simbólicas cargadas de neoplatonismo. Sobre ello, Ángel Valbuena Briones, «La
palabra sol en los textos calderonianos», *Calderón de la Barca y la comedia nueva*,
pág. 119 y ss. En *Fieras afemina amor* (ed. cit., v. 4205, págs. 252-3), es Carlos
III el sol de la armonía monárquica. El sol como emblema real fue recogido
por Juan Caramuel y es el símbolo ligado a Felipe IV (cfr. J. Browm y J. H.
Elliott, *op. cit.*, págs. 42 y 212), planeta que iluminaba distantes hemisferios.
Sobre el realce de la monarquía a través de estas y otras metáforas, véase
Pedro Calderón de la Barca, *La estatua de Prometeo*, ed. cit. de M. R. Greer,
págs. 142-3. El sol es el elemento por excelencia en los arcos triunfales,
ejemplificando la imagen del rey y sus empresas políticas o la misma monar-
quía. Así en los que se construyeron en Madrid a la entrada de Mariana de
Austria (1649). El arte efímero estaba plagado de astrología, heredada de
Alciato o de Covarrubias y otros. Véase Francisco Javier Pizarro Gómez,

¡Y qué bien que las oye su esposo
diciéndole alegre al mismo compás!...   4115
¡Que viva inmortal!, etc.
¡Qué bien que suenan las cláusulas dulces
el día feliz de uno y otro natal!
¡Y que bien que las oyen dos reinos
diciendo, uno y otro, al mismo compás!...   4120
¡Que viva inmortal!, etc.
¡Que bien es que dancen el alta
a los que del Alta Alemania vinieron

«Astrología, emblemática y arte efímero», *Goya,* 1877-8 (1985), págs. 47-52.
Para los conocimientos astrológicos de Calderón, Erika Lorenz, «Calderón
und die Astrologie», *Rev. Romanistiches Jahrbuch,* XII, Hamburgo, 1961, págs.
265-277, donde muestra la base tomista calderoniana y la importancia de la
astrología, más allá de lo metafórico. Para él la influencia de los astros era
auténtica y por tanto, juega un gran papel fatalista en liza con el libre
albedrío. Un amplio repertorio bibliográfico sobre el tema, en Antonio
Hurtado Torres, *La astrología en la literatura del Siglo de Oro,* Alicante, Instituto
de Estudios Alicantinos, 1984, págs. 105 y ss. En varias comedias mitológicas aparece el rey como astro solar (Cfr. J. E. Varey, «The Role of the King at
Court s'pectacles», págs. 403 y nota. E. W. Hesse, «Court references in
Calderon's *zarzuelas»*). También en *La vida es sueño* hay imágenes referidas al
sol (III, vv. 688-704). Cuando Astolfo contempla a Segismundo como príncipe, lo interpreta como astro solar (vv. 1340 y ss.). Otra vertiente de las
imágenes solares en esa obra, en vv. 1593 y ss.
    4115 V: *Todos.*
    4116 V: Falta el «etc.». *Coro I.*
    4117 V: «¡Qué bien suenan!»
    4120 V: *Todos.*
    4121 V: Falta el «etc.». Acota: *Canta la Fortuna. Fortuna.*
    4122 Véase Gaspar Merino Quijano, «El arte dramático: sus cuatro inte-
grantes», *Segismundo,* 39-40, 1984, págs. 51-72. Las cuatro partes son: recita-
do, música, canto y baile. El bailar, salvo en chaconas, zarzuelas, y otros, era
pausado, sin saltos, casi andando, con acomodo de los movimientos a la
letra. El auge del baile entre 1620 y 1660 representó en el aspecto cortesano
el triunfo del *Rugero* y la *Gallarda,* tan distintos de las zarambeques y bailes
populares. Las «masques» inglesas a las que hemos hecho referencia muestran como las máscaras españolas un final en el que se integran el baile, la
música y el canto. Así en Ben Johnson, *Oberon. The Fary Queen* (1611), obra en
la que como al principio de *La fiera* hay un escenario oscuro y salvaje, con
aparición posterior de un carro y otros efectos (Cfr. *Ben Johnsons's Plays and
Masques,* ed. de R. M., págs. 341 y ss.).
    4123 Eo y V: «los que».

y a las voces que da la Fortuna,
respondan los aires y digan los ecos!...   4125
¡Viva el amor, viva el Amor!
Que es vida y alma de mi corazón.
Al amor que fino y constante
gobierna en las almas y manda en los pechos,
la gala le canten las Ninfas, y a coros,   4130
respondan los aires y digan los ecos:
¡Viva el amor!..., etc.

    ¿Hay quién se atreva a volar
con las alas de Cupido
sin que el golfo del olvido   4135
le anegue en el mar de Amor?
    ¿Quién se atreverá a los vuelos
de las alas de un rapaz
que en vez de favor y paz
ha engendrado envidia y celos?   4140
Todos sus fuegos son hielos,
todo su placer, pesar.
¿Hay quien se atreva a embarcar?
¿Hay quien se atreva?, etc.

4126 Eo y V: «y viva el Amor!».

4127 V: añade: *Todos.* «¡Viva el Amor y viva el Amor! / que es vida y
alma, etc.!» y acota: *Anteros y Cupido cantando.*

4131 V: acota: *Todos.*

4132 V: acota: *Coro Primero.*

4136 V: «le anegue de Amor el mar?».

4142 V: acaba en: «embarcar, etc.?», y pone *FIN.* Falta el v. 4144 y último
de E.

Colección Letras Hispánicas

Colección Letras Hispánicas

DE PRÓXIMA APARICIÓN